filò

SIÂN MELANGELL
DAFYDD

Filò: yr ymgynnull nosweithiol o bobl y tir, mewn stablau, yn arbennig yn ystod y gaeaf, ond hefyd y sgwrsio ac adrodd straeon diddiwedd er mwyn dim byd mwy na gadael i amser fynd heibio. Gair o ardal Pieve di Soligo, Veneto, yr Eidal ydi o.

Mae *Filò* hefyd yn enw cerdd hir gan Andrea Zanzotto ar gyfer *Il Casanova*, Fellini, a ysgrifennwyd yn *dialetto* (tafodiaith) Venezia. Roedd Zanzotto yn adnabyddus fel bardd tafodiaith Solighese, o ardal ei febyd, Pieve di Soligo.

filò

SIÂN MELANGELL DAFYDD

Gomer

Cyhoeddwyd gyntaf yn 2020 gan
Wasg Gomer, Llandysul, Ceredigion SA44 4JL
www.gomer.co.uk

ISBN 978 1 84851 421 8

Clawr gan A1 Design Caerdydd

Cyhoeddwyd gyda chymorth ariannol
Cyngor Llyfrau Cymru.

Argraffwyd a rhwymwyd yng Nghymru gan
Wasg Gomer, Llandysul, Ceredigion.

i deulu Busetti, Pieve di Soligo
i deulu Crosato, Roncade
ac i'r teulu ehangach sydd gen i o'u hadnabod

"Io parlo in questa / lingua che passerá"
"Siaradaf yr iaith hon / fydd yn darfod"
'Caso Vocativo' Andrea Zanzotto

"Ni yw ti a thi yw ni"
Il Casanova di Fellini

DIOLCHIADAU

"Ricordi e racconti, scritti per chi tanto amo"
"Atgofion a straeon, wedi'u hysgrifennu ar gyfer y rhai
rwy'n eu caru cymaint"

Lle mae dechrau?

Hefo Dad – diolch iddo – am ddweud 'go holidêgo' (chwedl Jeifin Jenkins, rhaglen deledu *Hafoc* ar S4C) yr holl ffordd i'r Eidal yn 1988, ar ôl prynu carafán. Aethom i chwilio am deuluoedd Pietro Busetti a Pietro Crosato fu'n garcharorion rhyfel gyda theulu Nain yn ystod yr Ail Ryfel Byd. Yr unig fan cychwyn oedd hen gyfeiriadau yn llyfr nodiadau Nain. Ar ôl ffrae hefo Carabinieri Pieve di Soligo, canfuom y Pietro Busetti anghywir (cefnder i'r un 'iawn'), a daethom o hyd i Pietro – ein Pietro ni – yn ei ardd. 'Gwylia'r danadl poethion,' meddai wrthym ni, blant, yn Gymraeg, ar ôl yr holl flynyddoedd. Prynodd sawl hufen iâ i ni. Byddaf yn ei gofio'n pwyso ar sil ei ffenestr ac yn edrych arnom yn chwarae yn Gymraeg, yn gwenu fel na welais neb yn gwenu o'r blaen. Diolch iddo. Diolch i'w deulu enfawr. *Caro* Pietro, â'i hoffter o *vino nero*, am grwydro'r ardd lle bu'n gweithio, am ei feic.

Ymysg ei deulu, mae diolch arbennig i'w frawd yng nghyfraith, Bruno Signorotto. Gyda Bruno, yn ei gartref enfawr, melyn, bûm yn byw am gyfnod byr yn 2014, yn holi cwestiynau od am amser y rhyfel, am enwau adar, arferion ac atgofion. I Edi ac Ivana Signorotto o Enoteca Corte del Meda, a'm bwydodd fel tasai hynny'n mynd i roi geiriau ar bapur, *grazie*.

Diolch i deulu'r carcharor Pietro Crosato hefyd. Mae'n debyg i'r naw pwdin gawsom ganddyn nhw un prynhawn poeth yn 1988 wncud y tric ac rydw i'n cyfeirio at wyrion

Pietro Crosato fel fy mrodyr a'm chwiorydd yn aml. Bu farw Pietro Crosato yn 1972 ond cyfeiriwn at ei wraig fel Nonna (Nain) Gilda hyd nes iddi farw yn 2015. Nonna fydd hi i mi am byth.

Grazie anche / diolch hefyd i: Flavio Nardi, rheolwr siop lyfrau Libreria La Pieve SRL. Cerddais i mewn yno ym mis Mai 2014 gan gyhoeddi'n swil, mewn Eidaleg, "Cymraes ydw i. Mae gen i ddiddordeb yng ngwaith y bardd Zanzotto, ac rydw i'n ysgrifennu nofel wedi'i gosod yn yr ardal. Tybed allwch chi helpu?" *Grazie*, annwyl ffrind, am dripiau cerdded i gopaon amrywiol y pre-Alpi, am fenthyg car, am lyfrau gan Zanzotto, am wybodaeth leol, am ateb cwestiynau am dafodiaith Pieve, am drefnu darlleniad i mi yn yr ardal, cyn i mi adael, ac am fy nghyflwyno i Dr John Trumper.

Diolch, John (Trumper), diolch am agor fy llygaid i bosibiliadau Solighese a rhoi obsesiwn newydd i mi.

I Caterina Perazzi o Saint-Mammes, Ffrainc, am gyfieithu llawysgrifen Pietro Crosato o'i ddyddiadur rhyfel, a hynny ar yr unfed awr ar ddeg. Ei eiddo fo yw'r geiriau, 'Ricordi e racconti, scritti per chi tanto amo' a dyma fi'n eu benthyg at fy nibenion fy hun. Hoffwn ddweud gair arall o ddiolch i deulu Crosato yma. Roeddwn i'n gwybod fod dyddiadur rhyfel Pietro yn bodoli ers 2014 ond allwn i ddim gofyn i Nonna amdano. Diolch i Pietro Crosato, ei ŵyr, am anfon sgan, fel petai'n gwybod beth oedd ei angen arnaf. Diolch am ei ffydd. Gan mai ysgrifennu ei ddyddiadur i Nonna wnaeth Pietro Crosato, iawn oedd cadw'r dyddiadur iddi hi ei hun cyhyd. Trysor a ddarllenais.

Diolch i'r Cymro a'r Geordie Tony Bianchi, a ddarllenodd *Filò* pan oedd yn ddim ond arbrawf penstiff mewn adrodd stori gan ddefnyddio'r person cyntaf lluosog yn unig.

Diolch i Oswaldo Fontana, carcharor a arhosodd hefo'r teulu Moon o Ddyddyn Llan, Llandrillo – y carcharor olaf, fel petai – a fu fyw yng Nghymru, gyda'r un teulu o hyd, yn hen lanc, yn Eidalwr oddi cartref, tan iddo farw'r llynedd. Fo roddodd enw teulu i'm carcharor ffuglennol innau. Roedd sgwrsio hefo fo yn rhan o ddeall byd y PoWs. Diolch hefyd am ddau lyfr, yn arbennig, a fu'n gyfraniad defnyddiol a rhan o'm hymchwil: *Y Llinyn Arian (Il Filo D'Argento)* gan Jon Meirion Jones a *From Italy to England: the memoirs of Emilio Ponti of Queen's Court, Ledbury in his own words* gan Emilio Ponti.

Grazie / *thank you*, i'm harbenigwyr planhigion: Francesco da Broi a Vivienne Campbell.

Merci d'ailleurs, yn Ffrangeg y tro hwn, i ddau gaffi: Marcovaldo, am bedair wal o Eidaleg, ac am fy mwrdd cegin i gario ymlaen â'r ysgrifennu pan ddaeth dyddiau'r caffi i ben. Hefyd i Les Enfants Perdus a phawb oedd yn gweithio yno am le tawel a hoffus sawl prynhawn cyn i Baris fod yn drech na'r hogan cefn-gwlad.

Diolch i'r rhai sydd wedi bod yn rhan o droi dogfen yn fy nghyfrifiadur yn wrthrych mewn llaw. Un ddrwg ydw i am ddal i dincran a pheidio anfon gwaith allan – mae angen tîm i wneud y trawsnewid, a thîm da oedd gen i: Mari Emlyn, Marian Beech Hughes, Gwasg Gomer, Neil Wallace, Sioned Puw Rowlands a Llŷr Gwyn.

Diolch i dîm agosach fyth – i Ewen Peryddon am wneud yn siŵr nad ydw i'n gweithio gormod, ac i Mam a Dad am gadw cwmni mor hyfryd i Ewen er mwyn i mi gael gweithio o gwbl.

Ond efallai fod y dechrau cyn 1988 – ymhell cyn hynny, ar 26 Medi 1943, pan gyrhaeddodd Pietro Busetti fferm Cefn y Meirch. Diolch i fy nheulu am weld bachgen ifanc oedd angen teulu yn Pietro, nid caethwas. Am weld cyfaill a chyfle i fyw yn ehangach drwy ddyn ifanc (neu blentyn) estron ar eu haelwyd. Newidiodd hynny gwrs fy mywyd. Trio deall hynny ydw i.

Siân Melangell Dafydd

Nid oeddem yn gofyn am hapusrwydd. *Però, però* – roedden *nhw* ar y tu allan yn dweud fod haul yn pelydru o'n clustiau ni. Dyna ydi arwydd o hapusrwydd mewn dyn: haul yn pelydru o bob twll yn ei gorff.

Roedd angen golau o rywle ar y llong. Fel arall byddai'r howld, lle roeddem ni, fel bol buwch, a ninnau'n canu bob tro roedd sŵn bom arall o'r tu allan – *un'altra, un'altra* – pa ddiawl sydd wedi chwydu rŵan? Ac yna un arall. Sblashys a *plenty water* ond dim un ohonom yn cael ein gwlychu; efallai mai nhw oedd yn cael eu gwlychu – ein gelynion ar y dec. Mae'n well bod yn garcharor nag yn goncwerwr mewn rhai rhyfeloedd, *Signori Dio*.

Roedd llwch yn dod o'n cyrff ni hefyd, fel petaem wedi bwyta dim byd ond tywod ers misoedd. Ein llygaid yn llawn dop, *sai*. Hanner anialwch El Alamein yn nhyllau llygaid pob carcharor ar y llong, a Duw heb arbed dim un. Chwythai ein dagrau i ffwrdd yn dywod, a chlywsem ddŵr y môr tu ôl i waliau'r llong.

Maloja oedd ei henw. Roedd nifer fawr ohonom ar fwrdd y *Maloja* a llond dyrnaid o'r gelyn i gadw trefn. Ni oedd y mwyaf niferus. Ond pa fath o garcharor fyddai'n dengyd ac yntau yng nghanol y môr? *Non importa* pa fôr – unrhyw fôr. Cerdded y planc fyddai hynny. A tydi milwyr Eidalaidd ddim mor *stupido* ag mae pobl yn ei ddweud.

Carcharorion oeddem ni. A buom yn meddwl am garcharorion go iawn – y rhai oedd wedi gwneud mistimanars, wedi troseddu. Roedd pobl felly wedi taro bargen â – â phwy, d'wed? Nid y diafol. Bargen â'r byd – gwaeth fyth, efallai. Roedden *nhw'n* cael gwybod pryd y bydden nhw'n cael mynd yn ôl adref o'u carchar. Ond ni – na. Nid troseddwyr oeddem ni.

Milwyr oeddem ni. Milwyr heb hawl i ymladd – os oedd pwynt i hynny; milwyr mewn enw *sola*. Mintai gref yn mynd i – wel, wyddem ni ddim i ble. 'Merica, medden nhw, ond pwy fyddai'n coelio'r Saeson heb sôn am yr Awstraliaid? Felly – 'Merica – *Dio solo sa. Dio solo.* Mintai gref yn mynd i nunlle. A'r rhyfel yn mynd rhagddo tu hwnt i ochrau'r llong, ym mhen draw'r môr: yn yr Aifft, yn Ewrop, yn y Pasiffig. Ond bryd hynny, roeddem wedi arfer hefo pethau'n newid: doedd pwy oeddem ni a phwy oedd ein ffrindiau ddim yn debyg o aros yr un fath *un attimo.* Petai dyn wedi troi'n ysgyfarnog, fyddai neb wedi dotio. Roedd Rodolfo yn Rolf, yn Rolle, yn Rudolf iddyn nhw, yna'n Bambi. Roedd Pietro yn Pietro ac yn Pietro eto. Roedd un ohonom ni – mynydd o ddyn – 'Sex' roeddem yn ei alw. *Signori Dio*, Duw a ŵyr pam, ond Sex. Ei enw go iawn oedd Organ, a chyn iddo ddod i'r fyddin roedd o'n holl gymeriadau Verdi; ac i ni, roedd o'n Rigoletto ar ôl brecwast, yn Count di Luna yn gorwedd ar ei wely, yn Frenin yr Aifft wrth i'r awyr oeri a ninnau'n gwybod, heb weld yr awyr, ei bod yn nosi, ac Aida dan ei wynt ganol nos. Canwr yn La Fenice oedd o, cyn y rhyfel. Dwy foch fawr fel dau dŷ opera yn ei ben, *sai.* Organ – dim byd yn ei fol ond digon o gnawd ar ei ddwy foch.

Era così. Felly roedd hi. Doedd hyd yn oed ein henwau ddim yn saff mewn rhyfel.

Pwy wyt ti?

Milwr rhif 159042, syr.

Ha! Rwyt ti'n siarad *sciocchezze!*

D'accordo, fi 'di Don Giovanni ei hun.

O ie? *Piacere, piacere.* Falch o gwrdd â thi.

Byddai enwau'n newid hefo'r gwynt, hefo cwmni newydd, hefo gwely newydd.

Pwy wyt ti heddiw?

Diabolo.

Dyna oedd ei angen. Haws bod yn Don Giovanni neu'n Diabolo, on'd oedd? *Da vero.* Dim siarad *sciocchezze* yn hynny. Byd bach o straeon a diddanwch yn llawer gwell na beth bynnag oedd *properly, proprio,* ar y *Maloja* na'r tu allan i'r *Maloja.*

Alora, nid milwyr, oeddem. Dynion alltud, efallai. Doedd y byd real ddim yn real a doedd dim un ffordd ymarferol o fynd yn ôl yno *da vero*. Roedd drws y byd ar gau – un llwyd, un metel, a'r allwedd gan *soldato* go iawn, un ohonyn nhw, Sgt White.

(((

PoWs oeddem ar y *Maloja*. *Prisoners of War* – waeth pa iaith roeddem ni'n ei siarad. *Cavolo*, beth yffarn ydi carcharorion mewn rhyfel? Dynion ar yr ochr rong – dyna beth. Tydi pawb yn gwybod hynny? Dynion oedd heb redeg i ffwrdd yn ddigon cyflym, efallai – *forse*. Roedd dau ddewis i bobl fel ni, fel arfer. Marwolaeth reit handi dan law'r gelyn, neu farwolaeth araf o ddiffyg gofal gan y gelyn. Roeddem yn rhywle rhwng y ddau a rhywle rhwng dau ddarn o dir. Deuddeg i bob caban; pawb mewn bync; un basn rhwng pawb i ymolchi. Sebon Prydeinig yn wahanol – melyn menyn, oglau cae gwair, ond ddim digon ohono. A jest digon o fwyd i'n cadw'n fyw ond ddim yn fywiog.

Llong bleser oedd y *Maloja* wedi bod, mewn byd arall, ond wedi'i hailwampio i fod mor hyll â phosib. *Veni, vidi* a dim *vici* i ni.

Doedd gennym ni ddim enwau go iawn ychwaith, yn arbennig os oeddem yn ddigon digywilydd â marw; rhif hwn a hwn oedd wedi marw – nid enw. Yno, yn ddeuddeg rhif, byddem yn ymgynnull i adrodd straeon, heb le tân yn y canol i'n denu yno. Dim gwres anadl gwartheg hyd yn oed. *Beh, era così*, roedd ambell hosan fudur yn ddigon poeth, ac yn gwneud y tro. Straeon: dwedom gelwyddau a dwedom hanner gwirioneddau, ac fel yna, ffeindiom ffrindiau. Roedd tîm ffwtbol Roma wedi curo tîm y lleuad 2 i 0 a Milano wedi colli i Miane o chwe gôl – fel petai hynny'n bosib; ond roedd popeth yn bosib, *Santa Maria*. Trwy wneud yr un peth â'n cyndeidiau a'n cyn-neiniau, trwy wneud y peth hynaf oll, aethom ati i adrodd stori ac i wrando.

Clywais straeon y lleill yn fy nghlustiau – bois oeddwn i prin yn eu hadnabod yn adrodd straeon am bobl eraill estron, a straeon wedi'u hadrodd hefyd gan bobl fwy estron byth, cyn ein hamser ni. Fel hyn, roedd y byd yn lle enfawr o'n caban – *in questo modo* – *il mondo è stato grande*. Ac o'r caban, *in questo modo,* y byddem yn newid y byd.

Dyna be feddyliem am ein *filò* – y gallai'n cenhedlaeth ni greu iaith i weld tu mewn i wleidyddiaeth yn well; y gallem wneud hynny hefo cariad hyd yn oed, a gweld tu mewn i eneidiau hefyd. Dyna yw stori. A byddem yn gwneud heb gariadon neu'n gwneud cariadon newydd o hen hanesion am halen môr a hen geiniogau; y gallem gyflawni pethau mawr, mawr, lle methodd ein cyndeidiau, a gwneud hynny gan adrodd yr un straeon yn union â nhw. Digon hawdd gweld y ffwlbri, rŵan.

Roedd *dialetto* diawledig gan ambell un beth bynnag. Santosuosso – *cavolo*! Amhosib. A Lucio o gyrion Udine – waeth i ni wrando arno fo hefo'n llygaid ddim! Siarad â dwylo oeddem, dweud stori drwy feimio. Mwy o hwyl fel yna. A chlywed fy straeon innau'n dod yn ôl ataf yn eu geiriau od nhw – dyna oedd *spectacolo*! *Proprio*.

Ond dyna lle dechreuodd y straeon. O'r byncs, o angen, o ail-greu teulu ac ail-greu *filò*. I osod rhywbeth yn y canol a ninnau mewn cylch yn y tywyllwch. Organ ar wely Pietro; Rodolfo ar wely Elmo; Lucio ar wely Tommaso; Domenico ar wely Beppe; Giorgio ar wely Oswaldo; Mario ar fy ngwely i, Guido Fontana. Fi oedd gan y bync gwaelod, y bync agosaf i'r dŵr. Addas, *vero*? Fontana – roedd rhywun yn fy nhylwyth flynyddoedd maith yn ôl yn byw ger ffynnon, mae'n rhaid. Cyrchu dŵr ydw i wedi'i wneud erioed. Byddai Mamma'n arfer dweud nad oedd dim bywyd heb ddŵr a thân. Yno roedd ein *filò*: yn y canol, rhyngom ni'n deuddeg, ar dymer y dŵr. Yno roedd parablu'r môr fel ein babi. Yno roedd ein parablu ninnau hefyd. Cyn gwely, a chyn codi, stori yn ben ar bopeth, yn bont rhwng dynion o'r un wlad oedd ddim wir yn deall ei gilydd go iawn.

Buom yn malu awyr.

Buom yn sibrwd. Buom ni'n chwerthin fel mulod.

)))

Put a cap on it, you lot, fyddai'r llais yn ei ddweud, â'i lond o fenyn: Sgt White, o bryd i'w gilydd, o'r tu hwnt. Os nad *cap,* roedd o eisiau *lid* arnom. Ac wedyn, *Quiet!* Trio Eidaleg ac Almaeneg mewn un gwynt: *statte zitta sei ruhig!*

Cnoc, cnoc yn y diwedd gan fod iaith ddim yn gweithio. Neb yn gwrando arno, wrth gwrs. Sibrwd am ychydig yn unig. Ailddechrau fel o'r blaen ar ôl pum munud.

Oedipus oeddem ni, bob un. Dyna dwi'n ei goelio. Nid carcharorion, nid milwyr, nid dynion ar yr ochr rong, na PoWs, ond bechgyn fel Oedipus yn methu cau ein cegau, er i'r rhyfel ein llorio. Giorgio adroddodd stori Orpheus cyn i ni adael yr Aifft, y môr yn gwneud siapiau drwy'r *lookout,* ar ein waliau ac ar ein crwyn.

Roedd pob un ohonom fel pen wedi'i dorri o'i gorff ar ôl El Alamein, meddai; wedi'n tameidio, a'n pennau'n arnofio ar y *Maloja,* yn mynnu adrodd straeon. *Andando, andando, ancora undando* hefo'n dweud a'n dweud. Beth ydi o amdanom ni, d'wed? Hyd yn oed ar ôl syllu ar farwolaeth a'i llygaid ffosfforws, ar ôl gadael ein heneidiau neu'n prydferthwch ar ôl, roedd rhywbeth i'w ddweud o hyd. Pob Orpheus â'i stori: pennau ar y dŵr, wedi'u torri o'u cyrff ac oddi wrth eu teuluoedd, yn parablu dweud straeon fel petai'r drwg erioed wedi digwydd. Tommaso, ffrind Duw, a'i straeon am weld saint mewn caeau *girasole* ac mewn *calli* bychain di-haul yn Venezia. Neu straeon pysgota. Dyna oedd gan Oswaldo hefyd. Nes bod *laguna* Venezia Tommaso a Môr y Canoldir Oswaldo, y ddau, yn blasu'r un fath. Lucio yn hela ar yr Alpau, Pietro'n hel *porcini* ar Monte Grappa, a ninnau'n ailddychmygu eu straeon hefo Lucio a Pietro mewn *osteria* hefo'i gilydd ar ddiwedd y dydd, eu llwybrau'n croesi heb iddyn nhw wybod y bydden nhw'n cwrdd eto, ryw dro, yn eistedd ar wely yn hytrach na stôl *osteria*. A finnau'n adrodd hanes canfod *porcini* fel petawn i'n arbenigwr fel Pietro, er na wyddwn ddim amdanyn nhw.

Gwranda: nid ni sy'n dod o hyd i fadarch; nhw sy'n dod o hyd i ni. Rhaid cael profiad, dyna'r cwbl: profiad. Yna rhaid cael amynedd a rhaid cael angerdd. Mynd allan heb ddisgwyliadau. Wedyn, mae geneteg yn chwarae rôl. Os oedd Nonno neu Nonna yn arfer dod o hyd i fadarch, yna bydd yr wyrion bach, y *nipote*, hefyd yn ddawnus. Mae angen arferiad y Nonni a llygaid clir yr ifanc.

Così, weli di fy mod yn arbenigwr?

Wedyn, rhaid bod â ffydd ein bod yn haeddu canfod y fadarchen honno. Efallai fod rhyw greadur arall, nes ymlaen, yn ei haeddu'n fwy na ni.

Ydw i wedi pechu heddiw?

Ydw i wedi darllen y goedwig â pharch?

Ac – ydw i'n barod i gerdded, cerdded a cherdded? Dringo hefyd?

Mae edrych i fyny llethr yn well nag edrych ar i lawr. Dyna drefn pethau: edrych i fyny at fadarch. Dyna'r parch sydd ei angen. A mynd heb bastwn. *Buffone* sy'n meddwl mynd â'i bastwn, a hwnnw'n canfod y madarch bychain yn unig.

Yn fy stori i, honno ddatblygais o stori Pietro, rydw i'n canfod madarch *boletus,* a madarch parasól. Ac yna, mae rhyw ras yn disgyn arnaf – gwelaf un *porcino*, dim ond un, ond un mawr.

Esmerelda, wyt ti'n gweld honna? dwi'n galw.

Neu efallai mai ar Pina rydw i'n galw. Mae hi'n troi'r fadarchen yn ofalus o'r dail ond *non è buono*. Mae wedi'i bwyta gan bethau pwysicach na ni yn y goedwig. Wrth ddal i edrych, mae f'ymennydd i, a'i hymennydd hithau, Esmerelda, yn creu siapiau *fungi*. Yn edrych ar ddeilen a gweld cap madarchen. Ar un arall mae llinellau gwynion – hynny'n golygu ei bod wedi tyfu i'r eitha. *Bellissimo, questo fungo.*

Dysgais symud fy nwylo fel Lucio: dal rhywbeth meddal, dychmygol rhwng fy mysedd. Yna mae gwyrddni oddi tano. Madarchen fawr, un barod. *Bello, bello, questo.* Pymtheng niwrnod union ar ôl glaw – esiampl berffaith: madarchen a anwyd o law mawr ag amynedd. *Questo.* Rydw i'n dal fy nwylo fel hyn, fel ar gyfer wy enfawr, ac yn dweud: dyma gyfoeth.

Mae madarch mewn symbiosis â'i gilydd ac â'r holl blanhigion. Maen nhw'n rhoi nitrogen i'r coed ifanc dyfu ac i wella clwyfau'r hen rai.

Byddaf yn mynd, felly, i goedwigoedd ifanc.

Fi sy'n dweud hyn? Lucio hefyd, cyn hynny.

Hyn i gyd rydw i'n ei wybod, diolch iddo fo. Digon i adrodd a chlywed Lucio yn adrodd trwof i rywsut, ac ambell nodyn tafodiaith Friuli yn fy nganiad i hyd yn oed, yn dynwared y meistr. Dyna sut oeddem ni i gyd, deuddeg Orpheus â'r gallu i adrodd stori'r Orpheus wrth ei ochr ag awdurdod. Pob Orpheus â cheg fawr a dim atal arno. Ein stori *ni*, nid *fi*, oedd pob un.

Gofyn am stori fel *bambino* sydd ddim eisiau mynd i'w wely ydym, meddai Giorgio. Roedd Mamma'n dweud fod trio cael *bambino* i'w wely fel trio cael dyn i'w wely ar ôl iddo yfed *ombretta* neu chwech. Y ddau yn igian, yn canu, yn gofyn am *bicchiere d'acqua*, yn parablu iddyn nhw eu hunain neu wrth ffrind anweledig, yn igian eto a disgyn i'r matras mewn siâp od. Tinau at y to. Y math yna o beth – babis â phoen boliau neu ddynion â'u llond o win – isio stori. Paid torri ar draws, meddai Elmo. 'Nôl at y stori, *per favore*, 'nôl at y stori, *per favore*, yn union fel *bambino*.

A beth ddywedodd Giorgio wedyn oedd fod Orpheus wedi mynd yr holl ffordd i uffern ac yn ôl, heb gael beth oedd o eisiau am ei fod o'n *umano*, meddai, jest yn rhy ddynol. *Troppo umano, troppo sentimento.* A gwelsom ein hunain yn y stori.

Adroddasom straeon, un ar ôl y llall, er mwyn atgyfodi cariad at fywyd. Ac roeddem yn llwyddo.

Wedyn roedd hi'n amser mwynhau ffrae.

Orpheus ydw i felly, meddai Giorgio. Pwy wyt *ti*?

Orpheus.

A tithe?

Orpheus hefyd.

A finne.

E io.

E io.

Un côr.

Mae chwedl yn ymestyn ei hun dros groen y bobl sy'n gwrando arni, meddai Giorgio.

Ydi hynny'n digwydd i groen pobl yn chwedl Orpheus? gofynnais.

Nac ydi, meddai, ond mae'n digwydd i ni rŵan.

Edrychom o un i'r llall, ni: deuddeg haul yn pelydru ohonom. Yr un croen, waeth o ble roeddem ni'n dod. Hapusrwydd hefo *stranieri* o'r un wlad.

Stori arall? *Un'altra storia.*

Dyna'r geiriau fyddem yn eu clywed yn cnocio yn ein clustiau fwyaf.

N'altra storia, ddywedais i, o Pieve di Soligo.

Altre istorie, meddai Lucio o Udine.

N'ata storia, gan Oswaldo o Napoli.

Doedd dim cymaint â hynny o wahaniaeth yn ein cân bob tro. Yr un dôn a'r un sŵn. Buom yn dysgu synau ein gilydd, a synnu.

Cawsom chwedlau beiblaidd, straeon cowbois, straeon arswyd, straeon caru. Gadawodd y *Maloja*'r Aifft a bu pob un Orpheus yn adrodd straeon ar gopaon ac ar isafbwyntiau'r tonnau. Ein pennau'n dal i adrodd stori, yn methu stopio, waeth pwy oeddem ni: milwyr, caethweision, ffrindiau Duw, Giorgio neu Orpheus.

Buom yn malu awyr.

Buom yn sibrwd. Buom ni'n chwerthin fel mulod.

Yn ystod y blynyddoedd hynny fel PoW, cefais y cyfle i fyw sawl bywyd, nes bod cofio pa un oedd f'un i go iawn yn eu mysg bron yn amhosib.

Y peth cyntaf rydw i'n ei gofio yn fy mywyd ydi mynd i ffair. Roedd yno anifeiliaid doniol, dynion ar feiciau un olwyn, merched ar beli enfawr a fferins fel na welodd neb erioed o'r blaen, *momòni* melys yn disgleirio fel ffenestri eglwys. Yno hefyd roedd dynion mewn ffrogiau a rhywbeth mewn caets yn gweiddi *Mu!* Cofiais ei ben; ymddangosai'n rhy fawr i'w gorff. Pen cawr allan o'i le. Dim ond yn dweud *Mu*. Byddwn yn dweud *Mu* bob tro y byddai tawelwch wedi hynny. Bob tro y byddai ofn arnaf. Bob tro y byddai'r geiriau iawn ar goll. *Mu* os oedd golwg drist ar Nonna. *Mu* os oedd athrawes ar fin dweud y drefn. *Mu*.

Dwi'n siŵr mai fi oedd y bachgen hwnnw, ond ar ôl adrodd y stori filwaith, efallai mai Pietro welodd y pen mawr oedd yn dweud *Mu* wrth y byd, neu efallai Elmo. Roedd y ddau'n byw yn ddigon agos i fod wedi gweld yr un ffair, er na wnaethom ni gwrdd tan 1942. Roedden nhw, efallai, yn dyst i'r un ffair, i'r un stori. A'r deuddeg ohonom ar y llong yn dyst i ofn o'r fath, yn blant.

Wedi cario'r *Mu* a'r stori yn fy mhen, ei hailadrodd yn fy nychymyg, clywed y *Mu* yn fy nghwsg hyd yn oed – ail-weld y pen mawr yn siarad; gallwn adrodd ei stori o gwmpas tanllwyth o dân hefo ffrindiau. Ac roedden nhw'n fy nghoelio hefyd. Er nad oedd tanllwyth o dân nac aelwyd.

Mae gan y Groegiaid dduwies i'r aelwyd, meddai Beppe, gan ddweud ei henw fel petai hi ben ac ysgwydd yn dalach na ni, ac yn ddigon dewr i arwain byddin. Hestia, meddai, Hestia, duwies yr aelwyd. Gwnaeth siapiau tân hefo'i freichiau.

Rho'r gore i fod mor glyfar, wnei di? meddem ni.

Cefais freuddwyd, meddai Oswaldo, fy mod yn effro.

Dyna oedd o'n ei ddweud o hyd. Feddyliodd neb am

ddechrau dweud hanes breuddwyd fel'na – rhy amlwg, ond fo oedd yn iawn wrth gwrs.

Ac yn ei freuddwyd, gwelodd Dduw. Roedd yn ystafell wely Nonna, ac yno, tu ôl i ben y gwely roedd drws, dim lletach a dim talach na llaw. Plygodd i'w agor a cherdded trwy'r twll yn ddidrafferth. Yno roedd ystafell wely arall, yr un fath yn union â'r un gyntaf. A thu ôl i ben y gwely roedd drws, dim lletach a dim talach na llaw. Plygodd i'w agor a cherdded trwy'r twll yn ddidrafferth. Yno hefyd roedd ystafell wely arall, yr un fath yn union â'r un gyntaf. A thu ôl i'r trydydd pen gwely roedd drws dim lletach a dim talach na'i law, oedd rŵan, mae'n rhaid, yn llaw dipyn llai. Ond breuddwyd oedd hon, felly gallai fod fel y mynnai. Plygodd i agor y drws a cherdded trwy'r twll yn ddidrafferth. Aeth hyn ymlaen am sawl prawf.

A pham wnest ti ddyfalbarhau? gofynnodd rhywun.

Non lo so, meddai gan godi ei ysgwyddau, *Dio solo sa* – Duw yn unig sy'n gwybod.

Yr unig beth a ganfyddodd ar ôl y daith faith i grombil y wal oedd un pry cop.

Sut un?

Un fel gei di yn y cwt toilet.

Roedd Nonna, meddai, yn ddynes a garai bryfed cop. Roedden nhw i'w cael ym mhobman yn y tŷ, ond pan aethon nhw i glirio'r tŷ ar ôl iddi farw, doedd dim un ar ôl.

Ond roeddet ti'n dweud dy fod wedi gweld Duw? gofynnodd un. Rydym wedi clywed am bryfed cop dy *nonna* o'r blaen.

Si, meddai, *si-si-si*, gan chwifio'i arddyrnau'n wyllt. *Dio!* ei ddwylo'n fflamau. *Beh!* Dim ond pry cop ydi Duw, pry cop sy'n ein gwylio o gornel ystafell. Sut arall mae Duw yn medru bod ym mhobman? *Dimmi!*

Doedd neb yn gofyn, sut mae Duw yn mynd i'n ffeindio ni yn y fan yma, mewn twll tywyll ar ryw fôr Duw-a-ŵyr lle? *Tutto a posto*, felly. Ond welsom ni ddim pry cop ar y llong ychwaith.

A posto oedd geiriau olaf sawl stori. Arwydd fod cwsg heb

hunllef yn bosib rŵan. Neu, os oeddem yn teimlo'n arbennig o ufudd,

Padre, filio, spirito, santo.

Cysgem fel babis rhwng *filò* a *filò*; *luxury* oedd y *Maloja* o hyd, *forse*. Dynion yn chwyrnu a chrensian dannedd. Eraill yn chwistlan – yn y tywyllwch roedd eos; roedd robin goch; *cicadas*; llyffantod. Roedd sgrechwyr. A llygaid gloyw. Roedd Mario'n adrodd tablau lluosi ond yn baglu ar dabl saith ac yn deffro.

Trentasei, fyddai'n dod gan un. Tri deg saith. Yr adeg honno roedd llais pob un ohonom mor debyg fel na allem ni ddweud pwy oedd wedi agor ei geg. Llais cwsg, llais cyfri, ein llais ni. *Quarantadue*, wedyn. *Sette volte sette,* saith lluosi hefo saith, wrth gwrs, *porca puttana!*

Quarantadue.

Roeddem yn fechgyn ysgol gwell ar y llong nag oeddem wedi bod mewn unrhyw ysgol. Cyrff ifanc mewn gwlâu cul – pethau metel fel abacus, rhestlau o fath, un ar ben y llall. Matresi â siâpiau tywyll arnyn nhw. Olion yn gysgod lle roedd dynion eraill wedi bod ac wedyn wedi peidio bod, wedi diflannu o'r fan – pwff – *forse* – troi'n ysbryd neu'n ysgyfarnog. Staen ar eu holau. I 'Merica'r aethon nhw hefyd, mae'n rhaid, ie, mae'n rhaid, *sicuro, sicuro.*

Dim clustogau. Blancedi o wlân Cymreig, medden nhw, yn crafu *private parts* dyn a gwneud i Sex ganu'n gryg weithiau. Lloriau seimllyd. Nenfwd tyllog a smotiau o'r tu hwnt: ein nefoedd ni, filltiroedd o dan lle roedd nefoedd i fod.

Mae gan y Groegiaid dduwies sy'n edrych ar ôl yr aelwyd: Hestia, meddai Elmo y tro nesaf, yn rhyw lun o'n gwahodd i ailgydio yn y *filò*.

Ladro! meddai Beppe. Fi ddywedodd hynna!

Fi sy'n ei ddweud rŵan, meddai Elmo, a chwifio hosan Pietro neu Oswaldo. Dyma'n haelwyd ni!

Diddorol, meddai Tommaso, *pero, io – io –* ond mi gefais *i* freuddwyd fy mod yn effro, fel Oswaldo, a gwelais Dduw.

Ac felly'r aeth y stori eto. Stori i atgoffa'n hunain fod Duw o dan ein matresi, tu ôl i ben ein gwlâu, jest allan o'r golwg.

Roedd ein cyndadau i gyd, hyd yn oed yr Almaenwyr, siŵr, yn dod at ei gilydd rownd fflamau, yn adrodd straeon i drio deall y pethau oedd ddim yn gwneud synnwyr, pethau doedd neb na'i *nonna* yn medru eu hesbonio. Efallai fod pob dirgelwch yn y byd wedi'i baru hefo Duw neu stori er mwyn ei wneud yn llai estron. Dyna sut mae delio hefo ofnau: rhoi Duw neu stori ar eu pennau.

Ond mae pobl wedi stopio ymgynnull. Mae pethau eraill yn y canol rŵan. Ylwch beth sydd gennym ni – dim aelwyd na lle tân. Blydi hosan! Ar y *Maloja*, pob un ohonom wedi colli ein canol. Ond yno roedd y straeon, a finnau'n cael byw a cherdded tu mewn i atgofion y lleill. Yn adnabod Nonna Oswaldo oedd yn dweud *ciao piccolo* wrth bryfed cop, yn arbennig y rhai fyddai'n beryg o gerdded dros ei hwyneb tra byddai hi'n cysgu. Yn cerdded hefo Pietro tra byddai'n hel madarch ar Monte Grappa, yn clywed *Muuu* tu mewn i'm hatgof innau neu atgofion y lleill, yn sathru caeau plentyndod Organ cyn iddo redeg i ffwrdd i ganu mewn *osteria* yn Venezia ac wedyn yn La Fenice. Fo oedd yr Oedipus gore *forse*. Yn dal i ganu ei gân.

(((

Ar y *Maloja* roedd lleisiau eraill heblaw'n rhai ni. Roedden nhw i'w clywed fel Duwiau yn y nenfwd ac yn y tonnau. Cegau eraill yn storïo mewn synau estron o gegau mawr, cegau llawn bwyd, cegau danheddog. Dyna oedd yn ein dychymyg.

Roedd yna Saesneg, lot ohono. Roedd tua thair mil pum cant ohonom ni i gyd, yn siglo i fyny ac i lawr ar gamlas Suez ar y *Maloja*. Dwy fil yn garcharorion. Ni. A welsom ni ddim lot o'r lleill – y milwyr: English a'r 'Mericans, y criw a chant neu ddau o *civilians* yn cael eu hanfon adref o'r Indies.

Rhywle yn y trydydd dosbarth oeddem ni – a hynny'n gwneud y tro i'r dim. Doedd dim byd i gwyno amdano, heblaw am y bwyd *forse*. A dyma pam: cogyddion o India. Allem ni ddim arfer hefo beth oedden *nhw*'n ei alw'n fwyd, llwgu neu beidio. Roedd aer y môr wedyn yn oer ar ôl y fath wres o'r tywod, a hwnnw'n hogi newyn.

Wedi deuddydd ar y môr o borthladd Suez, cyrraedd Porto Said liw nos wnaethom ni, ac aros yno tan hanner dydd y diwrnod canlynol. Welais i erioed mo Porto Said cyn hynny, na byth wedi hynny ychwaith. Am un noson ac un bore, roedd y lle'n bodoli. Anodd credu hynny rŵan. Ond hwnnw oedd yr unig fyd. Gwyliais niwl wrth rimyn y cei yn crogi unrhyw fywyd yn y lle. Gwyliais o, yn dlws, dlws, bob manylyn, yn cuddio llawr cyntaf y Suez Canal Authority Building ac yn dangos dim ond ei gromennau gwyrdd wedi'u torri o'r tir ac o'r môr hefyd. Dim ond cromennau gwyrdd fel cymylau cadarn yn hedfan yn erbyn yr awyr las.

Clywais ddiferion o eiriau'r Saeson yn dod o'r nenfwd: *he said this, she said that. Porto Said said nothing.*

'Said' fel ei fod yn odli hefo sill cyntaf A*ida* ydi o i fod, meddai Organ, yn ei ganu ar B fflat. *Bello, che bello, Porto Said*, yn enwedig hefo'r cromennau gwyrdd yn hedfan tu ôl iddo.

Mae fan yma fel Venezia, meddai Tommaso.

Mae pobman fel Venezia i ti, dywedais innau. On'd oedd o'n gweld ei fam ym mhopeth, ac os nad ei fam, ei adref, neu ei Dduw? I mi, tref ddiffwdan, drofannol, oedd Porto Said. Rhai'n cyrraedd, rhai'n gadael. Llif y dŵr yn dangos llwybrau'r mynd a'r dod.

Cawsom hanesion mewn hanner golau.

Nid hanner golau oedd o, meddai Beppino. *Fosfeni* oedd o. Edrychodd drwy'r *lookout* ac ystumio hefo'i fysedd fel petai'n tynnu rhubanau o'i geg. *Sì, fosfeni.*

Fel breuddwyd?

Na, fel *fosfeni*, meddai. Dangosodd ei rubanau eto. Gwnewch hyn, meddai – fel hyn – a rhwbio'i lygaid â'i ddyrnau fel babi blinedig.

Be welwch chi?

Dim.

Ac yn y dim, be sy 'na?

Oswaldo oedd yr un i ildio gyntaf. *Dai,* meddai, dwi'n gweld dim! Ond mae sbeciau bach golau tu ôl i dy lygaid di, ddwedwn i. Tria eto, meddai Beppe. A dyna wnaethom ni i gyd – mwncïod yn gweld dim drwg. Ac roedd rhywbeth yno: smotiau golau. Hawdd eu gweld nhw ar ôl cael cyfarwyddiadau.

Fosfeni – mae Porto Said wedi'i wneud o'r sbeciau bach golau sydd mewn llygaid wedi'u cau, meddai. Amhosib gwybod a ydyn nhw yna go iawn neu beidio. Mae'n amhosib dweud, *ecco lo,* dyma fo, a phwyntio. Llwch hud yn y llygaid ydi o. Dyna ddywedodd Beppe oedd y morter i adeiladu'r Suez Canal Authority Building.

Penseiri da, meddai Mario, A beirdd tila ydi pobl Porto Said. *Guardate* – edrychwch ar y lle: Suez – Canal – Authority – Building? Y SCAB? Ylwch – *guardate ancora* – mae'n haeddu gwell.

Porthdy ydi o, meddai rhywun. Dŵr-dŷ. *Porte del Paradiso,* hyd yn oed.

D'accordo, roedd hynny'n mynd yn rhy bell *forse, forse,* ond *guardate, guardate,* meddai, a dim ond ei ben yn ffitio yn y *lookhole* i wneud unrhyw *looking.*

Aeth geiriau am gartref drwy fy meddwl: annedd, aelwyd. Ond golwg cartref beth oedd o? Heblaw Duw a dŵr, wn i ddim, *non lo so.*

Colomendy, meddai rhywun.

Rhy lân i hynny.

Eglwys.

Rhy lân i hynny hefyd.

Castell y Buddugol, meddai rhywun.

Teml. *Sì,* efallai. Ac felly'r aeth hi. *Una cosa tira l'altra.*

Ein mamau ddysgodd i ni ddweud stori gynta. Dyna ddwedom yno. Ganwyd ni i gyd. Pwy ond ein *mamma* fu'n adrodd stori ein geni wrthom – Mamma neu Zia neu Nonna efallai. Clecian modrwy briodas ar ymyl bowlen yn y gegin wrth gymysgu cynhwysion pasta: blawd ac wy weithiau ag addewid a stori. Prin y gallem weld ein gilydd fel unigolion estron ar ôl straeon ein geni.

Ganwyd fi yn fachgen ... meddai Organ.

Ti'n siŵr? meddai Mario.

Shh!

... yn fachgen mewn teulu o ferched, meddai wedyn. Ni, *contadini*. Dwi ddim yn siŵr pryd mae fy mhen-blwydd. Rywdro ym mis Ebrill. Arhosodd fy rhieni rai dyddiau cyn fy nghofrestru; roedd gwinllannoedd angen sylw, roedd tir ac anifeiliaid a genedigaethau eraill, a dim ond merched ar yr aelwyd.

Bu farw tad Tommaso pan oedd o'n ddim ond blwydd oed: rhywbeth wedi mynd o'i le mewn *calle* bychan – nunlle o unrhyw bwys – a fan'no canfuwyd o, dim ôl arno i esbonio pam, heblaw'r olion ffustiau. Dyn clên yn ôl pawb. Dyn oedd ddim yn yfed ychwaith. A bu farw mam Oswaldo cyn iddi gael cyfle i'w weld na'i ddal. Wythfed babi. Ei *nonna* a'i *nonno* yn fwy presennol yn ei fywyd na dim un oedolyn arall – nhw a'u pysgota a'u caeau coed lemwn.

Tydw i ddim yn cofio pwy oedd pia'r stori wedyn. Lucio, Mario neu rywun: amser caled, gormod o deulu, gormod o gegau. Sychodd llaeth Mamma. Roedd Zia yn y teulu yn ddigon bodlon rhoi cartref i'r *bambino,* ei gymryd fel ei babi ei hun.

Dewisa di, meddai ei dad wrth ei fam. Dewisodd hi gadw'r babi er ei fod yn ormod. Llwgu fel llwynog oedd hanes ei blentyndod. Ambell dro'n cael bara sych wedi'i fwydo mewn gwin i'w dawelu. Cofiai ei dad ar ddyddiau paratoi'r grawnwin i wneud gwin, â'i sanau mewn sandalau yn smotiau coch. Un ohonom a phob un ohonom.

Grazie oedd y gair cyntaf i mi ei ddweud erioed, meddai Organ. *Grazie*, am fod Mamma yn un llawn gras, nid fi. Dim ond copïo ydw i wedi'i wneud ers hynny.

Yno, yng ngolau'r *fosfeni*, daeth ein straeon am ein geiriau.

Gair cyntaf Rodolfo oedd *voglio* neu *olio* – *dwi isio* neu *olew*. Tydi geiriau cyntaf plant ddim yn cyfieithu'n dda i ieithoedd heblaw iaith babis. Beth bynnag, wyddai neb p'run oedd o'n ei ddweud ar y pryd a wyddai Rodolfo ei hun ddim ychwaith erbyn i ni ei gwrdd.

Gair cyntaf Tommaso oedd *gatto*.

Does gan gathod ddim ofn dŵr? gofynnodd Elmo. Ddim rhai Venezia, mae'n debyg, neu fyddai Tommaso ddim wedi gweld digon ohonyn nhw i alw eu henw.

Eccolo ddywedodd Elmo gyntaf ac yna wrth bopeth roedd o eisiau i rywun ei estyn iddo, gan gynnwys *gatto*. *Eccolo* – dyma fo, hwn – fel petai'n darganfod y pethau am y tro cyntaf erioed, meddai. *Eccolo* at ddŵr yn rhedeg, *eccolo* at olwynion beic. *Eccolo*, roedd y byd yn lle llawn pethau od. Fel consuriwr yn tynnu cwningen o het.

Daeth Mario i'r byd yn dal llwch tamp rhwng ei ddyrnau ac yn dweud *No* yn barod, meddai ei fam. Doedd neb yn ei goelio. Roedd popeth yn bosib i Mario; dim lot o *na* yn ei enaid. *Guarda* ddywedais innau, Pietro hefyd rywle ar fynydd Grappa, ac Oswaldo yn Napoli; ni'n tri'n dweud *guarda* – yli – pwyntio at y byd a'i bethau yn aros yno i ni roi enwau iddyn nhw: *yli* yn y gogledd ac *yli* yn y de, pawb yn edrych ar bethau gwahanol. Ac roedd hynny'n ddigon o stori ynddi hi ei hun. Ein *yli* ddim yn golygu 'run peth o gwbl. Ac yna Beppi yn ein mysg. Doedd o ddim mor barod i rannu ond yn y diwedd, a'r byd y tu allan yn dechrau goleuo, dywedodd nad oedd o wedi siarad am ddwy flynedd a mwy. Roedd ei rieni yn ei adael yn rhy aml hefo merch ifanc oedd yn gweithio i'r teulu. Roedd hithau'n siarad Friulano yn amlach na dim, yn drysu'r baban Beppino. Gwrando wnâi o. Cymryd parablu pawb i mewn i'w ben cyn dweud, un prynhawn, *Un biechiere di vino, per favore.*

Ond chafodd o mo'i win, dim ond cymeradwyaeth. A dyna roedd o'n chwilio amdano ers hynny, meddai, dyna'r gwir. Eisiau clod. Eisiau cael ei gydnabod. Byddai'n well ei fyd wedi marw'n ddyn dewr efallai; byddai'n cael cymeradwyaeth am byth wedyn. Gwir, *vero, vero*.

Che peccato, dwi'n dal yn fyw, meddai. Dario ...

Cododd y niwl erbyn tua un ar ddeg. Gwelsom yr adeiladau, mor wyn, yn ddigon i wneud i ni feddwl mai angylion oedd yn dangos eu pennau. Roedd coed datys yn tyfu'n rhesi. Porthladd gyda'r prydferthaf. Dim un mawr, ond digon o faint i lwytho a dadlwytho nwyddau'r ddinas. A'r diwrnod hwnnw roedd o'n llawn llongau masnach a mwy fyth o longau rhyfel.

Pa ddosbarth ydym ynddo? gofynnai Pietro bron bob tro y byddai Rodolfo'n torri gwynt.

Terza, fyddem yn ei ddweud fel côr blinedig. *Terza*, fel petai honno'n wlad na fyddem fyth yn ei gweld, gyda hyd yn oed mwy o gromennau gwyrdd. Yna newidiodd Tommaso ein tôn gron. *Non lo so*. Wn i ddim pa ddosbarth, meddai. Ond un o'r Dosbarthiadau Gorau. Mae Duw yn edrych ar ein holau yma.

Cytunais. Cytunodd bron pob un. Hawdd oedd gweld fod cynllun Duw ar ein cyfer, hyd at hynny, wedi bod yn ffafriol.

Carcharorion, milwyr, PoWs, dynion ar yr ochr rong, mulod. Byw oeddem. Byw, drwy ras Duw.

Ar ôl hynny, atebodd neb mo gwestiwn Pietro. Ond nid Gorau na *Migliore* ond *Best* roedd Tommaso wedi'i ddweud hefo'i dafod Veneziano: *Best, Very Best Classe*. Dyma oedd dechrau ein *mescola*, ein cymysgedd, ein hieithoedd yn creu cynffonnau i'w gilydd nes bod bwystfilod hanner un rhywogaeth a hanner un arall yn ein mysg. Fel y Suez Canal Authority Building – ddim ar dir na dŵr. Dim traed. Dim ond corff newydd, tlws. Daethom i ben rywsut, a dweud, 'Ylwch ar hwnna' – *Eccolo* – a phwyntio at gwch neu adeilad.

Roeddem yn ifanc, yn hwylio camlas Suez â'i golau *marzipan*, ei gwyntoedd carthffosiaeth a'i chyfoeth. Buom yn cerdded Quais Porto Said gyda'n gilydd yn ein dychymyg. Aros ar bob pont wrth i darth o'r dŵr godi, ac edrych allan ar lle roeddem go iawn: ein llong, yn lle braf o'r tir; pob un yn dychmygu byw bywyd rhywun arall; pysgota yng nghysgod Amalfi; dwyn cwningen i ginio o fferm ar y Dolomiti neu gerdded y ffin â Slofenia a gweld y gwyrddni bob ochr. O *filò* fel yna, heb ganiatâd i fynd ar y tir go iawn, a'r tir fel petai'n anweledig beth bynnag; heb donnau'n brawf ein bod ar ddŵr, roedd hiraeth am rywbeth arall: hedfan, nofio, cyfarch, cofleidio gelynion. Byddai Sgt White wedi gwneud y tro, hyd yn oed. Roeddem yn dyheu am gael gwneud popeth na allem ond ei wneud mewn breuddwydion.

Byddaf yn mynd yn ôl yno weithiau, a chofio mai yno mae sawl *fabula* wedi'i dechrau. Y dyhead am fyw fel crwban â chragen a gwên, byw hefo gwin yn fy ngwaed; adenydd fel alarch; i chwythu mwg fel draig; i ddelio â'r byd hefo trwnc eliffant; i symud fy nghorff fel neidr; i nofio â chryfder eog yn erbyn llif y dŵr – hyn i gyd. I dyfu hefyd, fel coed datys; i gwrdd â chawres fel Nonna Oswaldo bob tro mae bywyd yn anodd; i lifo fel afon Piave ar ddiwrnod braf, yn afon lawn ynysoedd, yn gorchuddio popeth, yn rhan o bopeth. Dyna oeddem ni yn Porto Said.

Ac ar ôl bod yn hynny i gyd yn llewyrch yr haul, weithiau doeddwn i ddim yn dychmygu dim byd. Weithiau fyddwn i'n gwneud dim ond edrych allan ar y cromennau a'r bwâu gwyrdd wrth iddyn nhw fynd yn llai ac yn wannach nes ymddangos *proprio* fel cymylau wrth i ni bellhau, a meddwl, tybed beth ddeuai o'r byd mawr yma? *Filò* llonydd gawsom ni yno cyn gadael Porto Said yn araf, am byth. Tua'r gogledd-orllewin yr aethom ni, at Gibraltar.

Ar y daith yna, y peth cyntaf wnaethom ni – cyn penderfynu pwy oedd yn foi go lew a phwy oedd yn fwli, cyn adrodd straeon ymuno â'r fyddin, a chyn rhoi enwau newydd i bawb, y peth cyntaf oedd rhannu clwyfau.

Roedd gennym bethau sydd heb fodoli wedi hynny: crach morgrug, clustiau sylffwr, pi-pi piws, siarcod yn codi o'n crwyn. Os allem ddychmygu'r peth, roedd o'n bodoli.

Cyn i ni gael ein hanfon i unlle fel *soldati*, roeddem i fod i gael brechiad teiffoid. Nid fod awydd hynny arnom. Roedd Elmo, Pietro, Giorgio a finnau – bois y Prealpi eraill hefyd, criw da – wedi bod yn ciwio i'w gael o rhag ofn i ni gael ein certio i Rwsia, ond hwnnw oedd yr union ddiwrnod pan benderfynodd y Saeson ein straffio ni hefo bwledi. *Cavolo Inglesi!* Jest pan oeddem ni'n magu dewrder i gael llond braich o nodwyddau aeth chwe awyren heibio, a *bang, bang!* Aethom ni i gyd o dan fyrddau'n reit sionc. *Errore* oedd o, ar eu rhan nhw. Doedd y Saeson ddim wastad yn gwybod ble roedden nhw'n mynd. Ond anghofiodd pawb am y brechiadau yn y *caos*. Roedd Tommaso yng nghynffon y ciw yn rhywle hefyd, yn dweud y byddai ei fam yn gwrthwynebu rhoi tyllau yn ei fraich. Diolch wnaethom ni i gyd ein bod wedi osgoi'r medics a'u nodwyddau ar y pryd, ond erbyn dyddiau'r *Maloja* roeddem yn beio teiffoid am bopeth: am wneud i'n trwynau deimlo fel trynciau eliffantod, neu roi pryfed cop maint yr anialwch rhwng ein clustiau.

Roedd un ohonom yn ei fync yn methu rhannu ei glwyfau – 349753. Pharodd o ddim yn hir. Arwydd gwell os oedd dyn yn cwyno, yr adeg honno. *Povero*, roedd o'n denau fel *stecco* fel roedd hi, ac yna dechreuodd wneud synau fel iâr angen dodwy gan ddangos ei donsils a'r rheiny mor fawr ag Affrica rhwng ei ddannedd. Da fyddai wyau wedi bod hefyd, petai o wedi'u dodwy. Go brin, *magari*, ond fan'no roedd o, yn chwifio'i adenydd ac yn methu hedfan, methu dodwy, methu gwneud pa beth *cavolo* bynnag oedd o angen. Felly mae dyn ar y ffordd i weld ei well, yn llawn egni. Bu farw. Wrth gwrs. Gwell felly. Roedd ganddo lun o ferch dywyll mewn patsyn o india-corn ym mhoced ei frest, ac mae'n siŵr fod un yn ein mysg wedi'i benthyg hi wedyn. Amser brecwast, cyn i ni gael ein *piece of bread*, taflodd Sgt White fol y bachgen dros ei fraich a mynd â fo allan drwy'n drws i'r dec. Cerdded y planc wnaeth o, y bachgen yna. Boi dewr, y dewraf o'r dewraf, druan.

╏╏╏

Roedd llau pen; broncitis; laryngitis; darwden; ecsema; asma; dolur rhydd; rhwymedd; chwd am ddim rheswm; clefyd melyn – a lliwiau eraill, yn ôl ambell un – cornwyd; clewyn; celwydd; esgyrn wedi torri; gewynnau rhwyg; cleisiau – ond cyn belled nad oedd teiffoid – *alora* – *tutto bene*.

Y frech goch; meningitis; y pas; ffliw; diptheria; y clefyd coch; brech hefo brech arni; peils; diciâu; *colpo d'aria*. Roeddem ni'n arbenigwyr ar salwch.

Roedd migyrnau wedi chwyddo; poen cefn; cur pen; cerrig bustl; gowt; gwynt; dŵr poeth; ysgyfaint swnllyd; cariad.

Ond neb wedi'u llosgi. Doedd dim un ohonom yn beilot. Dim ond milwyr troed a'n traed yn bictiwr, wedi'u hailsiapio fel rhawiau a slefrod môr a chalonnau ych.

Roedd Tommaso'n un da am wella drwy weddïo. Wir, roedd ei weddïau ar donfedd Duw. Achubwyd Elmo o'i hunllefau, un arall â phas neu beswch neu ysgyfaint giami yn gwella cymaint nes y gallai ganu hwiangerddi i rythm y môr cystal â Sex. *Santa Bernadetta!*

Daethom at ein gilydd hefo fo yn y canol, ffrind Duw, pawb ar fync, yn pilio darnau o'n gwisgoedd yn ôl, yn dangos clwyf neu ddarn melyn, craffu a gweddïo. Roedd rhai eisiau help llaw; rhai eisiau llaw gan fod esgyrn eu dwylo wedi rhewi mewn siâp dal gwn a tydi hynny ddim yn beth defnyddiol i PoW. Roedd rhai eisiau *pace*, rhai eisiau gwell pen gwalltog i fod yn fwy *bello* i'r merched, rhai eisiau bod yn 'well' a ddim yn gwybod yn lle yn eu cyrff yn union i gychwyn.

Ond roedd Rodolfo hefyd yn ddoctor go iawn, meddai o. Doedd gennym ni ddim llawer i'w ddweud wrtho fo heblaw am y tro pan oedd yn rhaid torri coes chwith Oswaldo cyn i'w gorff cyfan droi'n wyrdd. Cawsom gyllell o fath gan Sgt White, anesthetig gan y cwc, ond Duw a ŵyr beth, ac roedd yn cwyno fel *cinghiale* am oriau. Yn y bore, roedd dannedd Oswaldo druan fel blodfresych, a'i goes wedi'i thaflu i rywle – i'r siarcod efallai. Ond doedd o ddim gwaeth ar ôl hynny.

(((

Ar y *Maloja*, ar ôl y clwyfau, roedd cariadon. Byddem yn galw Elmo yn Maria ar ôl ei Maria, Pietro yn Esmerelda, Tommaso yn Mamoni gan mai Mami oedd ei fyd o. Pwrs gan Mario, rywsut wedi'i gadw'n saff rhag yr Anzacs. Llun o ferch bochau crynion. Lledr coch. Petra, meddai. A chysgai hefo'i waled wag wedi'i gwasgu i'w frest fel bod honno'n siŵr o'i arbed rhag bwled. Bu pob un ohonom yn cysgu fel petai bwlcdi ar fin ein pledu, er mai diffyg bwyd oedd yn gwneud tyllau. Tyfai madarch hyd ein crwyn; ffwng bywiocach na ni.

Ac yna roedd ambell un heb gariad go iawn, na gwraig ychwaith. Rhy ifanc, rhy swil, rhy brysur. Ffodus, meddai rhai, dim ond un corff byw i boeni amdano. Neu anlwcus ddiawledig – *poverini* – erioed wedi rhoi ei law ar gorff merch. Ond *ecco*, ni allem gytuno ar bopeth, adar o'r unlliw ai peidio, carcharorion yn rhannu'r un aer ai peidio. Cipiodd un ohonom lun cariad y bachgen gerddodd y planc a'i roi yn ei boced ôl ei hun. Gwyddem pwy, ei gasáu a'i ddamio a damio ni'n hunain am beidio meddwl ynghynt na fo. Fin nos, gallem glywed ymyl bys ar bapur ffotograff o'i gyfeiriad o. Roedd dwyn cariadon yn ddigon cyffredin rhwng ffrindiau hefyd, yn enwedig rhai ffuglennol.

Oeddem ni'n genfigennus o gariadon ein gilydd yn dawel

bach? Yn dychmygu tynnu dillad Maria nes bod ei gwên welw hi'n O goch, yn O fawr, ac ysgwyddau ei ffrog felen am ei dwy ffêr. Oeddem. A Maria'n dlysach. Gymaint *pui bella* nag Esmerelda, dyna'r gwir. A Petra'n edrych fel chwaer pawb – mwya'r piti. Hogan iawn, mae'n rhaid. Byddai sawl un ohonom yn deffro â'n llygaid yn biws-felyn. Ar Maria oedd y bai, a'n breuddwydion amdani.

Ond yr un fath oeddem i gyd, Maria rhyngom ai peidio. *Ragazzo* ydi *ragazzo*, yr un breuddwydion gennym i gyd, hyd yn oed os oedd y manylion yn amrywio. Digon medrus, digon del. Hyfforddwyd ni sut i gerdded i'r un drwm, i wneud heb gwsg, i drin yfflon o ddryll – pawb yr un fath. Caru'n gilydd. A rhyngom ni, Sgt White yn patrolio. Byddai'n dod heibio bob rhyw hanner awr, cysgod lwmp ei wn ar ei glun. Dim ond y Giards oedd â gynnau erbyn hynny. Dim ni.

Cydiais yn y syniad o Pina heb ynganu ei henw. Doedd pawb ddim yn rhannu popeth yn syth bin. Roedd hi'n fwy delicet na'r Marias a'r Esmereldas, a wyddwn i ddim, petawn i'n dweud ei henw yn uchel, efallai y byddai wedi diflannu'n gyfan gwbl.

O'n gwlâu, roeddem yn gallu ymestyn a chyffwrdd bysedd ein gilydd yn y bwlch. Pietro yr ochr arall i'm gwely i. Gallem ddarllen gwefusau: un foch yn fflat ar y gwely â'n llygaid wedi'u lled-gau. Galwai rhai Sgt White yn llyffant, yn lwmp, yn hogan fach ac yn asyn y tu ôl i'w gefn; rhai eraill yn dweud *Buona Notte, 'Note, 'Note* ac eraill yn cyfnewid enwau o wely i wely: Maria, Esmerelda, Petra ...

(((

Alora, dyna oeddem ni: dynion heb eu cariadon a heb eu teuluoedd. Rai blynyddoedd cyn hynny, petai unrhyw un wedi gofyn sut fywyd hoffwn ei gael, rhyddid o lyffethair y teulu fyddwn i wedi'i ddweud. Teithio'r byd. Peidio poeni am gegau gwag adref neu dymor ffafriol i'r *pomodori.*

Deuem o deuluoedd anferth, y rhan fwyaf ohonom, fel fi. Deuai rhai o deuluoedd cefnog oedd wedi rhoi copr eu *batterie de cuisine* i gyd er gogoniant yr Eidal pan aethom i mewn i Ethiopia yn '36. Deuai eraill o deuluoedd llai oedd wedi rhoi eu pot polenta i'r un achos. A'r pot *risotto* oedd hefyd wedi bod yn helmed gwisgo-i-fyny i sawl cenhedlaeth. Popeth, a modrwyau priodas hefyd yn y pen draw. I gyd yn y pair, er lles ein *Duce*. A theuluoedd eraill allai ddim hyd yn oed fforddio digon o bolenta i fwydo pawb wrth y bwrdd, heb sôn am unrhyw beth copr, na thun ychwaith ar gyfer *zuppa*. *Non importa*.

Deuem o deuluoedd mynydd a môr a dinasoedd. Tylwythau cyfan yn tendio ar y pryf sidan ac yn gwneud heb gwsg er lles hwnnw, tylwythau eraill yn tyfu coed lemwn a'u meibion yn ogleuo'n iach, iach, o hyd, tylwythau â gwin yn eu wingars, a rhai heb dylwyth o gwbl. Fy nheulu 'i' oedd teulu pob un ohonom.

Prin oedd y rhai oedd yn dod o'r dinasoedd hefyd. Dwylo butrach gan rai oedd wedi arfer hefo bywyd slic. Milano – y gwaethaf. Dynion delicet yno, fel Rodolfo; roedd hwnnw'n dwyn menyn i'w rwbio i'w ddwylo ar ôl mymryn o waith. Ddim wedi arfer glanhau, ac yn sicr ddim callach beth oedd sgrwbio. Bechgyn da ond bechgyn meddal.

O gefn gwlad y deuai'r rhan fwyaf ohonom.

Ar y *Maloja* roedd ein bochau'n grafiadau haul ond eto'n llwyd, yn llwyd fel cig wedi'i ferwi. Roedd ein clustiau'n fawr, ein trwynau'n fawr, ein dannedd hefyd; roeddem yn galw *bellissimi* ar ein gilydd. Dannedd digon i frathu blaen bysedd merched bach. A phennau gwalltog du, bron bob un.

Wyt ti'n siŵr mai Italiano wyt ti? gofynnai'r Saeson a'r Anzaks. Roedd fy ngwallt yn rhy olau, ond o leiaf roedd y tywyllwch yn fy llygaid.

Pure Italian, meddai Mario wrth un.

Ond gwallt *angelo*, meddai Tommaso.

Hyd yn oed yn nhywyllwch bol buwch llong fetel, ganol

nos roedd gennym ni i gyd wallt yn disgleirio. *É vero, é vero.*
Ac ewinedd du bodiau ein traed heb weld golau dydd na dŵr,
er gwaethaf lle roeddem ni yn y *plenty water*. Dim ond hen,
hen sanau, ers dyddiau, ers wythnosau. Neb yn cyfri. Ers
tanto, tanto tempo.

Roedd Polentoni – y gogleddwyr – bwytawyr polenta,
Terroni – y lleill o'r de, Radiccioni o Treviso a'u boliau nhw
wedi'u gwneud o *radiccio*, Maiacati o Vicenza, bwytawyr
cathod – wir yr! Ac yna bois Rabatata o Belluno (roedd gan
hynny rywbeth i'w wneud â *terremoto* ryw dro – bu diawl o
ddaeargryn yno – yn ailadrodd raba-tat raba-tat raba-tat).

Raba-tat, raba-tat: dyna oedd sŵn ein penglogau yn erbyn
ochr y llong wrth i'r tonnau ei thrin. *Plenty water*, meddai
Beppe o Belluno a'i glustiau'n fwy na dail bresych.

Beth ydi ystyr hynny? gofynnais.

Bachgen ag addysg oedd o, teulu mewn tŷ tri llawr a'i lond
o lyfrau. Dim gair o Saesneg gennym ni'r gweddill.

Acqua, molta acqua, meddai, a gadael i'w fysedd lyfu ei
wyneb, fel bod hynny'n cyfleu dŵr. *Proprio*. Deffro, ddim yn
siŵr lle roeddem ni. Daeargryn? Na, oglau gwymon a thar
a physgod wedi pydru yn dod o'r waliau, o'r matresi hyd yn
oed. Na. Nid daear, ond dŵr. Dŵr-gryniad. Deffro ganol nos
i raba-tat. Yn union fel un dywysoges ar ddeg, yn flin hefo'r
bysen o dan ein matresi – ymhell o adref, ymhell oddi wrth
unrhyw un i ddweud ein bod yn bwysig, yn *principe* i rywun.

Yr un iwnifform oedd gennym ni i gyd: brown, brethyn
a dannedd iddo, yn gadael ôl ar groen gwan. Lot o bocedi.
Byddem yn helpu ein gilydd drwy rwygo coesau trowser y dyn
drws nesaf i wneud *shorts*. Gadael i'n pengliniau gael aer, fel
petai hynny'n hwb i'r ysgyfaint. Efallai ei fod o, *forse*. Roedd yr
un bach ar y bync uchaf wedi torri ei drowser ei hun a'i wneud
yn gam, a'r goes chwith yn hirach na'r dde, ei ben-glin fel coes
draenen. Y gwir oedd bod pob un ohonom yn edrych fel petai
doli glwt wedi'i gosod amdanom. Penderfynodd Oswaldo fod
y 'fo' go iawn yn dal i saethu tyllau ym mhennau'r Prydeinwyr.

Gwelai Pietro ei hun yn hel madarch ar fynydd Grappa; Elmo wedi hyfforddi ei hun i hedfan yn ei freuddwydion ac yn trio aros yno cyn hired ag y gallai. Roeddem yn gwybod bob tro y llwyddai. Anelai ei freichiau allan dros ochr y bync a baglu Sgt White.

Ar ôl bwyd a chyn bwyd – o hyd – roedd *filò*.

Breuddwydiais am Iesu Grist yn dawnsio mewn cae *fieno*.

D'wed wrtho fod pethau pwysicach i'w gwneud y dyddie yma.

Gwell na phlannu cae *fieno*?

Nage, gwell na dawnsio, *stupido*!

Breuddwydiais fy mod yn effro …

Parhâi'r ymladd i gyd yn ein breuddwydion. Iesu Grist yn actio'r ffŵl: iawn, roedd gennym ni amser i ddweud hanes hynny. Ond brwydr a thanciau ac anialwch? Na, na – câi hynny aros yn ddigon pell. Châi atgofion mo'u dweud mewn lleisiau uchel, ond aros rhwng ein clustiau, yn llenwi'r gofod rhwng ein hasennau. Ddeuai dim da o drafod erchyllterau na galar y byd. *Filò*: dod â'n tinau at ei gilydd. Amser stori. A phob un ohonom yn ymarfer hedfan yn ei gwsg wedyn er mwyn dod â stori yn ôl.

Buom yn malu awyr.

Buom yn sibrwd. Buom ni'n chwerthin fel mulod.

))(

Ac felly, ar y *Maloja*, straeon am y môr oedd rhai o'r straeon cyntaf. Roedd sawl un yn fab i bysgotwr, *certo*. On'd oes yna hen ddigon o fôr i'w gael o amgylch yr Eidal? Mab y môr – Oswaldo – roedd o'n gwybod am *acqua pazza*. Gadael i bysgodyn penfras wallgofi'n llwyr a llenwi'i ben â gwin mewn padell ffrio. Adroddem ryseitiau fel straeon. Byddai Oswaldo'n paldaruo am ddatys y môr mewn cawl a gymerai ddim ond hanner awr o'r môr i'r bowlen. Stoc o win ac olew a sudd tomatos; crystiau hen fara wedi'u rhwbio â garlleg. A'r datys môr â'u cregyn du yn dynn wrth ei gilydd mewn sosban. Doedd gan fois y Prealpi ddim clem beth oedden nhw, ond yn rhannu beth bynnag. Llyfu ein bysedd budron. Deuai Nonno Oswaldo â datys môr yn ôl adref gyda rhubanau o wymon ganol prynhawn a gwneud gwledd ar ddyddiau gwlyb. Neu'n ffrio *cicenielli* bach, mor bitw nes eu bod yn dryloyw, heblaw am y *pastrella* yn eu gorchuddio. Sŵn dannedd drwy esgyrn mân fyddai'n codi i'r llofft wedyn, meddai Oswaldo, a neb yn cyfaddef iddo glywed.

A Parthenope, stori Parthenope. Os ydi datys y môr yn tynnu dŵr o ddannedd, beth am Parthenope? Hi greodd Napoli. A hi oedd y bai am yr holl fechgyn ar waelod y môr a thwyni tywod. Parthenope, yn crafu byw ar Glogwyni'r Ceiliogod, ei thraed bach ar y graig a'i hadenydd yn hallt. Llais swynol oedd ganddi, y seiren, rhy swynol. Druain o'r morwyr wrth iddyn nhw ddychwelyd o frwydr. Druain, druain â nhw, *poverini*. Roedd hi'n ormod iddyn nhw – er bod y frwydr drosodd.

Gwrandawem amdani gan beidio meddwl amdanom ni'n hunain na'n ffawd yn ormodol. Petai rhywun wedi gofyn i ni bryd hynny, lle wyt ti eisiau mynd, at Parthenope neu ben y daith, byddai'r *frutti di mare* wedi ennill *forse,* a ninnau'n dweud: ydw i'n clywed Parthenope yn barod? I waelod y môr â fi! Meddwl am ganu, am hymian, am chwistlan, unrhyw beth tlws. Gwrando am leisiau ein seirenau personol wnaethom ni.

Dim ond stori oedd hi.

Yna, byddai meibion y *laguna* o Venezia yn adrodd hanesion *acqua alta*, nid *acqua pazza*. A Medusa yn bwyta merched del oedd yn ymweld o'r tir mawr. A bron pob un yn blasu *baccalà* ar ei ddannedd wrth i aer y môr ddod i mewn i'n cyrff rhwng ei ddannedd. *Baccalà in bocca*, meddai Tommaso gan lyfu'r aer. *Baccalà in bocca*, meddem ni bob un, hyd yn oed Mario, oedd yn casáu pysgod. Ein *bocca* mor wag, ein *bocca* yn ddim ond dannedd duon. Doedd dim *baccalà*, dim ond breuddwydion. Dynion yn eistedd fel teiliwriaid ar wlâu, yn gwrando, rhag ofn fod rhywun yn gwybod am fôr fel hwnnw'r tu allan. Fel y chwydu bomiau. Fel yr hitio pen a phoen bol o'r tonnau. Hwnnw oedd yn cnocio o fore gwyn tan nos. Raba-tat raba-tat. Ond na, doedd dim un môr fel hwnnw, meddem ni i gyd. Dim un môr oedd yn bwyta tu mewn i'ch clustiau nes bod y rheiny'n brifo. Daeth gwaed o'm clust chwith. Trychfil ddylai fyw dan y dŵr wedi dod o glust un arall, â chragen ar ei gefn. Dim un môr mor eger. Ac felly, os oedd bois glan y môr a'r porthladdoedd yn taeru hynny, credai bois y mynyddoedd nhw. Os oedd hyd yn oed y môr yn estron, lle bynnag oedd y *Maloja* erbyn hynny, rhaid oedd gweddïo neu regi.

Ac felly byddai'r amser yn pasio. *Una cosa tira l'altra.*

Sibrydem,

Signore, Signore, aiutami, guarda giu', dammi una mano, fammi tornare a casa. Dysgu crefydd fel cân i'n gilydd, rhag ofn iddo helpu.

Signore, Signore, aiutami, guarda giu', dammi una mano, fammi tornare a casa.

Arglwydd, meddem ni, Arglwydd, rho gymorth i mi, edrych i lawr, estyn dy law, gad i mi ddychwelyd adref.

Disgwyl y stori nesaf. Bwytaodd yr halen y geiriau.

Signor, Signor, iutame, varda do, dame na man, Fame tornar casa.

Roedd rhai ohonom yn deall hynny. Treiglodd y môr ein geiriau i bob un *dialetto.* A neb yn deall Oswaldo,

T'preg Signore, guard c'ca basc' e ramm nà man' pe mé fà turnà á cas'mij.

Neu ai Siren oeddem yn ei chlywed? Y *ramm nà man' pe mé* yn ei lais yn mwmian fel seiren môr. Duw yn unig a wyddai. *Solo Dio.* Os nad oeddem ni'n deall ein gilydd, Eidalwyr i gyd, pob un, yn cysgu fel cariadon yng ngheseiliau ein gilydd, yn rhannu chwys a dychymyg, pa obaith oedd yna? Dim ond Duw sy'n deall *dialetto.*

'Merica, medden nhw. Roeddem yn mynd i 'Merica. Ac i
'Merica roedd pob un ohonom ni eisiau mynd. I 'Merica fwy
nag adref.

Doedd dim syniad gennym faint o amser fyddem ar y môr
a doedd neb o'r Saeson yn ateb cwestiynau. Ond roedd Beppe
yn dod ymlaen yn weddol â Sgt White. Does dim rheswm,
byth, pam mae dau berson yn cymryd at ei gilydd, ond roedd
rhyw rym rhwng y ddau, fel cefndryd coll heb ddeall. Cafodd
pob un ohonom dameidiau bach o ffeithiau ac o gaws, ond
dim newyddion pellach. 'Merica. Cafodd Beppe gyfeiriad ym
Mhensylfania, rhywbeth Tri Tri Chwech. Roedd 'Merica yn
rhywle lle roedd lot o fwyd, dyna wyddem ni'n barod. Pobl
platiau cig eidion. *Feri gwd, feri gwd,* ac i'r gwely.

Bu chwydu ar ôl clywed am 'Merica – dim bai ar fan'no.
Ddeuddydd ar ôl Said, roedd y môr wedi bod yn dawel, digon
i'n swyno, ond ar y trydydd diwrnod, berwodd. I gychwyn, yn
araf, ond yna, *furioso.*

Wyddem ni ddim pryd na lle oedd diwedd ein taith. Neb
yn gwybod pryd byddai'r dyddiau cynnar yn dod i ben na
phryd oedd canol ein cyfnod ar y môr. Ddim yn siŵr lle
i hoelio gobaith. Ond roedd o'n *furioso.* Roedd ein llong
yn bum mil ar hugain o dunelli, ond ar y tonnau roedd fel
cwch pysgota.

Roedd tywod yr anialwch yn ein dagrau hefo'r chwd. Chwd
melyn, chwd piws, chwd â sbotiau duon nes gadael dim ond
bustl gwyrdd. Mae yna gân yn mynd fel yna, on'd oes, yng
Nghymru, am eifr yn newid lliw? – Oes gafr eto? Wel, oes,
mae 'na wastad – *Mamma Mia* – ar y rhywbeth rhywbeth
mae'r hen afr yn crwydro: gafr wen, wen, wen – ac wedyn pob
lliw dan haul fel chwd Eidalwyr ar long; o ie – ga-a-afr binc

a smotiau gwyrdd. Pawb ond fi. Rydw i wastad wedi cael fy ngwarchod gan y seintiau.

Mae'r llong yn un ddrwg, meddai rhai. Ddim i mi.

Mae'r awyren yna'n ddrwg, meddai rhai cyn hynny. Y tanc yna, ac ati. Ddim i mi ychwaith. *Niente male.*

Ac wedyn profais storm ar y môr a medru dweud, â'm llaw ar fy nghalon, *niente.* Cysgodd Elmo, *povero,* am bedwar diwrnod achos bob tro roedd o'n trio sefyll byddai ei fol yn dengyd o'i du mewn. Un arall o *provincia* Udine – Lucio – bwytaodd fel aderyn bach *passeridae,* hwnnw sy'n dwyn india-corn a briwsion. Beth fethodd Lucio ei fwyta, mi gefais i. Doedd dim i'w wneud ond edrych allan, *Santa Maria,* dyna beth oedd *acqua pazza.* Gweld, o'r lle roeddem ni, *destroyers* yn y tonnau, a meddwl am foliau'r criw ar y rheiny. I fyny ac i lawr, ar drugaredd y môr. Roedd hyd yn oed y *destroyers* yn fregus. Dim ond pymtheg mil o dunelli oedden nhw, o'i gymharu â'n pump ar hugain ni. Yn plymio i wal o don, ac yn ymddangos yr ochr arall yn un darn. O *lookout* ein caban ni, roedd edrych arnyn nhw'n ddigon i'n gwneud ni'n sâl. Roedd ein llong ni fel petai ar dennyn i barasiwt yn y raba-tat raba-tat. Ond roedden nhw ar y *destroyer* wedi magu boliau môr yn well na ni hefyd, *forse. Poveri,* Elmo, Lucio, lot ohonom ni … Roeddwn i wedi fy ngeni'n lwcus, ac roeddwn i'n lwcus ar ddŵr yn ogystal ag ar dir.

Erbyn y nawfed diwrnod, roeddem yng Nghulfor Gibraltar. Pob un heblaw fi yn udo'i grombil allan. Roedd y tu mewn i ni wedi'i wneud o fwsogl; o asbaragws; meillion; olewydd; llyffantod – gwyrdd, tameidiog, nadreddog, llawn sudd: cloroffyl. Roedd Pietro yn y bync yr ochr arall i mi yn methu cadw cwpan o ddŵr yn ei fol, heb sôn am swper. *Scusami,* fyddai o'n ei ddweud, ac yn gadael i'r chwd foddi ei ddannedd.

On'd oeddem ni'n byw tu mewn i fol y môr? Doedd o ddim yn naturiol. Ddim yn naturiol o gwbl. *Busta, magari, basta.* Byddai Pietro wedyn yn mynd am dripiau i'r sinc byth a hefyd, neu i fwced yn y gornel, 'nôl a mlaen, baglu ar draws

Lucio un tro – y ddau am y cyntaf i gyrraedd y bwced. Mae rhywbeth am gyfogi sy'n rhoi breichiau a choesau ychwanegol i ddyn, ac yn ei wneud yn drwsgl. Roedden nhw'n cael mynd i'r dec os oedden nhw'r Saeson yn meddwl fod pethau'n wir, wir wael arnom ni, a gormod o waith golchi'r llawr iddyn nhw. Es i hefyd. Dilyn Pietro. Rhoi hwb iddo bob tro y byddai'n rhoi ei ddwylo ar ei bengliniau. Roedd angen aer ar ddyn iach hefyd. Hongian ein pennau dros y rheilen wnaethom ni, at y tonnau, am sbel o awyr y môr. Nid fod hynny'n helpu ryw lawer; gweld chwd Pietro ac Elmo a Lucio yn disgyn i'r tonnau ac yn chwydu 'nôl i'n gwalltiau. A doedd dim tir, dim tir i'w weld yn unman. A'r Saeson, fel ni, yn sâl. Nhw oedd y meistri i fod, ond roedd y môr wedi profi nad oedden nhw'n feistri nac yn weision.

Byddai pob un ohonom, yn ei dro, mor benwan fel mai'r unig beth i'w wneud oedd gorwedd yn llonydd, a'n pennau'n chwyrlïo. Methu sefyll heb ddisgyn, aros. Gorfod gorwedd gan edrych tuag at y gwely uwch ein pennau nes bod y staeniau ar hwnnw'n dechrau edrych fel caeau a mynyddoedd adref. Wir. Roedd ambell un yn dweud, *credimi, credimi,* cartref – *eccolo,* yn y matras. Ond fyddem ni byth yn dweud y gwir wedi i ni ddod at ein hunain wedyn. Na, i be, d'wed? Arhosom lle roeddem ni nes angofio'n henwau ein hunain, heb sôn am i ble roeddem i fod i fynd.

Atgoffa fi, i ble rydym yn mynd?

Godomora.

Gwaelod y môr.

Hades.

A gweddïo'n uchel ar San Cristoforo hefo'n breichiau am ein boliau,

Caro San Cristoforo, Dove sei? Lle rwyt ti, *Mamma mia?*

Roedd rhai'n rhy wan i hynny. Gwell ganddyn nhw droi'n wyrdd a throi at y wal.

Bu farw'r un bach hefo trowser cam. Ganol nos oedd hi. Disgynnodd allan o'i wely. Dyna sut oedd y môr, yn ddigon garw i daflu dyn o'i wely – *normale, proprio normale*. A byddem ni'n deffro'r munud roedd ein tinau ar y llawr. Deffro a gweiddi hefyd. Disgwyliem iddo felltithio'r don a'i taflodd yno. *Santa pace, porca putana*, ie, ie, roeddem i gyd yn deall beth ddigwyddodd iddo. Dos 'nôl i dy wely, *bambino!*

Ond dim ond disgyn o'i wely wnaeth o – fflop – ac aros yno, lle roedd sglein y chwd. Dim ond ei sŵn yn glanio. Bachgen o Calabria a phawb yn meddwl amdano fel brawd bach.

Ac wrth i ni feddwl beth i'w wneud a fyntau'n rholio ar y llawr hefo hergwd pob ton, dal ein boliau roeddem, fel petai hynny'n ein hachub. Gweddïodd ambell un ar Parthenope, ambell un arall ar Churchill, Tommaso ar Dduw ei hun, ond y tro hwnnw roedd hi'n rhy hwyr. Haws oedd gorwedd, gafael, a throi'n wyrdd yn y tywyllwch. Ac ambell dro byddem yn deffro heb ddeall ein bod wedi cael eiliad o gwsg. Ton fyddai'n ein deffro. A doedd dim syniad gennym pryd fyddai ein gwlâu yn stopio symud. 'Nôl a mlaen fel blydi Italiani'n methu dod i benderfyniad. Fe glywem ambell un yn gweiddi am Mamma bryd hynny. Byddem yn gwybod pwy oedd bia'r llais hefyd. Ond yn dweud dim byd yn y bore, dim gair. Dim ond meddwl, tybed ble roedd hi, Mamma, y funud honno? Yn breuddwydio? Yn meddwl amdanon ni, tybed? Yn eistedd wrth y tân wrth y *ritonda*? Yn eiddigeddus ein bod ni'n cael gweld y byd?

Doedd neb yn gwybod i ba fôr yn union yr aeth ei gorff – yr un trowser cam o Calabria. Beth oedd ei enw? Beth, d'wed? Na, mae wedi mynd. 159050 i'r môr; ie, i'r môr, mae'n rhaid. Ond Duw a ŵyr lle roedd y llong bryd hynny, *Dio solo sa*. Felly wyddem ni ddim lle i anelu ein gweddi dros y bachgen. Môr yr Iwerydd? Neu'r Atlantig? Rhaid ein bod wedi pasio Italia cyn Culfor Gibraltar – *casa, casa* – a heb hyd yn oed synhwyro'r lle fel magned. Dim syniad pa gyfeiriad roeddem wedi'i gymryd ar ôl hynny. *Santa pace!* Cafodd rhywun arall ei drowser a'i droi'n rhacsyn am ei ben fel dyn drwg. Ac felly'r aeth yr amser. *Una cosa tira l'altra.*

Doeddem ni ddim yn mynd i 'Merica.

Inghilterra, medden nhw ar ail wynt. Roedd Beppe wedi clywed am dywydd tamp y Prydeinwyr. Dysgodd i ni ddweud: *Thank-you, no-thank-you* a phethau eraill hefo synau anweledig – y 'k' yn *I know* yn un. Roeddem wastad wedi'i ynganu'n ufudd. Doedd o ddim i fod yno. Na. *I -now* ddylai o fod. *I -now,* meddem ni. Ond wnaethom ni fyth goelio Beppe'n llwyr. Un clyfar oedd o, wedi cael ysgol. Dywedai fod Lloegr yn ynys fawr, fod yr Alban yno a bod Cymru *eccetera eccetera.* Bod llwyth o fewnfudwyr o'r Eidal. A bod yn gysáct, mwy o fewnfudwyr o'r Eidal nag oedd yna o Eidalwyr yn Venezia.

Ond doedd hynny'n dweud dim. Beth oedd Polentoni i ni a beth oedd Teroni iddyn nhw? Doedd neb yn gwybod.

Gwyddem fod y Prydeinwyr yn filwyr go lew a'u bod yn cogio bach bod yn fastards, ond mewn gwirionedd yn ddim byd tebyg. Roedd ein tadau wedi dweud eu bod nhw hyd yn oed yn filwyr heb eu hail. Bois da ond bois cryf. Bu'r Rhyfel Byd Cyntaf yn bwysicach ysgol iddyn nhw na dim.

Ond beth os mai celwydd oedd hynny hefyd? Jest stori. Wedi'r cwbl, roedd 'Merica yn gelwydd. Cyfeiriad ym Mhensylfania. Gwlad lle roedd *bistecca* enfawr ar blât i swper bob nos. Ie, i fan'no. Efallai Gwlad yr Iâ. Efallai adref. Efallai rhywle na chlywsom erioed amdano o'r blaen.

Efallai fod Pensylfania arall yn Inghilterra, meddai Elmo. Roedd popeth yn bosib.

Roedd Prydeinwyr ar y llong. Fyddem ni'n hoffi'r gweddill, tybed? Gwefusau llawn; talcenni llydan a rhywbeth llaethog amdanyn nhw, yn llond eu crwyn o *crema.* Tybed fyddem ni hyd yn oed yn medru caru ambell un ohonyn nhw? A chwerthin hefo nhw, fel mulod? *Mai,* meddem ni, byth, byth, byth, *mai,* ond gobeithio.

Roedd rhywbeth i'w ddysgu yn yr holl storïo yna. Diolch i'r un ar ddeg arall oedd hynny, dim fi. *Eccolo* – dysgais ar y *Maloja* mai math o deml ydi stori, neu gae gwyrdd – lle i fynd i mewn iddo a gwneud dim byd ond bod. Diddan ydi'r gair. Geiriau ydi stori.

Ydw i wedi dweud yn barod? Dim dyn *intelligente* ydw. Mae stori'n rhywbeth y gall rhywun ei hysgrifennu a'i gosod mewn llyfr. Ond, mae stori go iawn, dysgais, wedi'i gwneud i fod yn fyw. *Un attimo* yno; *un attimo*, wedi mynd. Peth i'w rannu ydi stori, a does neb, byth, i fod i gofio'r union eiriau.

Dw i'n cofio ymylon dail yn pydru yng nghoedwig Pietro; cofio blas tafelli lemwn ar blât hefo dim byd ond pinsied o siwgr arnyn nhw yn straeon Oswaldo; cofio ymylon caregog y ffordd i'r ysgol yn atgofion Beppe – ac yn teimlo'r camau yng nghyhyrau fy nhin; cofio pwysau casgen win ar fy ysgwyddau hefyd, er mai Lucio oedd yn cario'r ŵyn ar ei ysgwyddau ar fferm ei dad. Fi oedd bia pob stori. Digon i fedru ailadrodd pob un heb eiriau'r lleill.

Dyddiau dedwydd oedden nhw ar y *Maloja*, pan oeddwn i'n byw fel ffermwr ŵyn, yn tendio ar y gwyfyn sidan, yn cynaeafu lemonau ac yn bwyta melysion ar Via Garibaldi yn Milano, er na fûm yno erioed. Dyna sut oeddem yn aros yn fyw.

Y noson olaf ar y llong, yn ein *filò* morol olaf, dywedodd Oswaldo y byddai ei goes yn tyfu'n ôl, fel cangen coeden. Dyna ddywedodd o tra rholiai'r gweddill ohonom o gwmpas fel tatws mewn sach. A dyma ofyn eto,

Santa Benedetta, wyt ti'n hanner call? Lle gest ti'r syniad yna?

Dim ond ffydd sydd ei hangen, meddai.

Nodiodd Tomasso a rhoi'r gorau i'r chwerthin, wedi gweld llygaid y gweddill ohonom yn rholio gystal â'r môr.

Rhaid oedd cael dealltwriaeth ffermwr o natur pethau, meddai Oswaldo. Ond doedd hynny ddim yn broblem, meddai. Byddai ei goes yn tyfu'n ôl, fel cangen coeden, a dyna ni. Dim amheuaeth. Cododd gorneli ei geg a dangos ei ddannedd. Blodfresych. Pob un ohonom yn llwgu.

Gwerth cred, *caspita*!

(((

Cyrhaeddom, ond nid 'Merica. Nid 'Merica o gwbl, ond yr Alban. Dim byd tebyg. Dim bod yr un ohonom ni'n gwybod sut le oedd 'Merica *da verro*.

Un diwrnod ar bymtheg roeddem wedi bod yn teithio, ugain niwrnod ar y llong i gyd. Byddai 'Merica wedi cymryd lot lot mwy.

Mae'n rhy fach i fod yn 'Merica, dywedais.

Mae 'Merica ac Amalfi yr un maint os edrychi di arnyn nhw o long, *sai*, meddai Pietro.

Ond roeddem wedi dechrau dychmygu caeau breision Pensylfania; dychmygu blas y *bistecca*. Oglau Americanaidd ar yr aer. Beth oedd hwnnw? Rhywbeth fel *mess kit*. Roeddem wedi byw yno yn ein breuddwydion wrth forio a chwydu a chanu. Doedd dim byd allem ei wneud am y peth. Glasgow, Glasgow, pawb yn dymuno gweld y lle yna – Glasgow, er mai 'Merica oedd y freuddwyd.

Ganol dydd oedd hi pan gyrhaeddom. Pawb yn dotio at y caeau gwyrdd ar ôl gwyrdd ar ôl gwyrdd: Glasgow, ar ôl Alexandra, y gwynt a'r llwch, y lluwch a'r tywod, a hyd yn oed hwnnw wedi llosgi'n ulw.

Ac roedd y milwyr Saesneg yn glên, *proprio*, yn sydyn reit. Cawsom fynd ar y dec cyn cyrraedd y lan er mwyn gweld y tir yn dod atom. Peth hyfryd. Dyna oedd disgyn mewn cariad. Adre. *Casa*. Daeth y llong i'r harbwr. Daethom i gyd i'r lan, pob un. Awr neu fwy gymerodd hynny. Camau pitw, sathru sodlau'r bois o'n blaenau.

Mi dispiace.

Rwyt ti'n un lletchwith yn Inghilterra!

Rwyt ti'n denau yn Inghilterra!

Rwyt ti'n lot mwy *sexy* yn Inghilterra!

Va via!

Beppe – gan fod hwnnw'n gwybod popeth – roedd o'n *expert* go iawn yr eiliad welodd o dir. Cofio llwyth o English. Dweud eu bod nhw'n bwyta bwyd amser te i frecwast. Dywedodd eu bod nhw, y Saeson, yn rhoi siwgr mewn reis hefyd. Roedd hynny'n arswydus i ni wrth lusgo mynd yn ein blaenau. Bara a jam i frecwast? Ni oedd yn ddigon *stupido*, wrth gwrs, i beidio'i goelio!

A menyn, meddai.

Ond os mai dyna oedd y gwaethaf amdanyn nhw, byddem yn byw.

A menyn?

Barbari.

Sì, sì, sì, pob un ohonom ni ar hast, ond yn mynd ymlaen yn ara deg, yn edrych tuag at y lan yn lle at ein traed. Diawl o oglau. Gwylanod marw, esgyrn, pysgod. Ac roedd aer Glasgow'n rhynllyd, yn enwedig wrth stelcian fel yna. Gwaeth fyth, roeddem ni i gyd mewn trowsusau cwta. Migyrnau oer a chroen gŵydd ar bob un. Byddai rhywun yn meddwl fod ofn arnom. Roedd lorïau, rhes ohonyn nhw mewn ciw. Aros amdanom ni oedden nhw. Nid bysys. Lorïau i'r *muce. Muce* – buchod oeddem ni. Nid carcharorion na milwyr nac Italiani, ond *Muu!*

Glasgow. Lle llond ffenestri tai doliau, lle llwyd – yr awyr a'r waliau a siwtiau'r dynion. Sbeciau coch ar eu bochau nhw, dyna fyddem yn ei gofio am byth. A'r bwiau coch yn y dŵr fel brychni hefyd: y môr yn trio bod fel y dynion neu'r dynion fel y môr, *sai?* Wyddem ni ddim byd.

Doedd dim un ohonom yn hŷn na deg ar hugain yn gadael y *Maloja*. Un yn bymtheg; minnau'n ddeunaw a'r ieuenga'n farw eisoes. Nid bod oedran o bwys. Fyddem ni byth yn hen – dyna feddyliais i. *Era così.* Cyrhaeddom yn ifanc, heb wybod pryd y byddem yn gadael, neu a fyddem yn gadael o gwbl.

Fel llond jar o geiliogod rhedyn wedi'n tywallt ar ddarn o dir, dyna lle roeddem ni, yn y Glasgow yna, a dau o'n deuddeg eisoes wedi'n gadael ni:

Organ dal Zotto
Pietro Ponti
Rodolfo Fumagalli
Elmo Pavan
Lucio Venchiarutti
Tommaso Ballarin
Beppe Bardello
Oswaldo Iaccarino
Mario Bianchi
a fi, Guido Fontana.

Erbyn hynny, roedd pob un ohonom wedi dysgu sut i gysgu mewn llefydd cul a sut i ddweud celwydd. Gwyddem beth oedd llwgu. Dim byd sbesial. *Proprio normale.*

Math o gerdded y planc oedd cerdded i'r tir: o 'mlaen i, roedd mulfran â'i phen yn ddu fel ein pennau ninnau, y rhan fwyaf ohonom. Camais i'r lan, cerdded fel milwr, wir: syth ymlaen, syth ymlaen, gan feddwl am wraig Lot. Croesodd pob un ohonom heb droi'n biler o halen. O le saff wedyn, yn y lorri, gweld ein llong, ein *Maloja*. Roedd y môr, o'r tir, yn llai. Beth bynnag oedd y tu hwnt iddo, roedd yn rhy bell ac wedi stopio bod.

I *sorting camp* mewn cae melyn oedd ein hanes ni wedyn.

Daethom drwy giât y camp, heibio coed a safai'n sythach na ni, ac i mewn i le wedi'i weindio mewn weiren bigog. Roedd llwyni pigog hefyd yn rhimyn ac ymhellach, yn gylch mwy fyth, roedd deri. Ni oedd yn y canol.

Roedd y Rhufeiniaid wedi teithio'r ffordd yna, dyna feddyliom ni. Ffordd syth fel *stecco*. Ac on'd ydi ffordd syth yn beth hir i'w cherdded, wastad? Gollyngwyd ni ar rimyn pella'r camp, ac wedyn roedd yn rhaid mynd ar droed heb fynd rownd y *potholes*: mẁd yn ein bodiau; esgidiau *inutile*. Heibio'r rhimyn llwyni, heibio'r rhimyn deri, heibio'r weiren bigog. Martsio – *proprio fuori della vita, fuori* – allan, allan o'r byd, martsio i storfa i aros i'r rhyfel orffen. Ac i bendroni, am ba hyd fyddem ni yno? Pryd fyddai'r giât yn agor eto?

Chwe mis, ddywedodd rhai. Chwe blynedd, meddai eraill. Tan i'r mes ddisgyn, meddai rhai. Un tymor, dau eira? Tan i'r 'Mericans gael eu lladd bob un. Byth. Tan i'r 'Mericans gipio pob darn o'r blaned, meddai'r rhai oedd wedi cael mymryn o addysg; tan i afonydd droi'n goch, meddai'r rhai oedd â thadau'n cofio'r Rhyfel Byd Cyntaf. Dyna oedd yn nodi diwedd rhyfeloedd: afonydd y ddaear yn rhedeg fel gwythiennau corff, fel y gwnaeth afon Piave, ond doedd dim dewis gennym; martsio i mewn wnaethom ni felly, allan o step, allan o rythm, allan o'r byd.

Trwy'r dydd, byddai sŵn agor a chau'r giât bren, nid fod hynny'n gwneud gwahaniaeth. Ond roedd pob un ohonom yn gwenu, gwenu bob dydd; mwy neu lai'n rhan o'n hiwnifform: dangos dannedd.

Un o'r pethau cyntaf wnaethon nhw oedd rhoi hancesi gwynion i ni, un yr un. *Credimi!* Hancesi gwynion fel petaen nhw'n dweud, 'Ffansi ildio'r eilwaith?' *Dai!*

Yna, ein stripio ni o bopeth personol oedd ddim wedi'i guddio dan ein tafodau neu i fyny'n tyllau tinau, gan gynnwys yr hancesi gwynion ddefnyddiom ni i chwifio atyn nhw yn yr anialwch. A rŵan, roedden nhw'n rhoi rhai newydd i ni.

Ildio be, rŵan? meddem ni. Does gennym ni ddim blewyn!

Cawsom fag hefyd; o leiaf roedd sens yn hynny, hyd yn oed os nad oedd gennym ddim i'w roi ynddo heblaw hances a hicyps. A beth oedd pwynt hances i neb ond ledi fach ddelicet?

Ac wedyn, cafodd pob un ohonom anwyd *orribile*, un ar ôl y llall fel dominos. Roedd y rhai oedd wedi gwrthod eu hances yn llawn snot a *cavolo* hyn a *cavolo* llall. Trwynau coch fel y patsys ar ein hiwnifform; hawdd oedd dweud pwy oedd yn PoW a phwy oedd wedi arfer hefo Glasgow. Roedd ambell Sgotyn yn glên ac yn rhoi ei hances i ni. Dyna oeddem yn ei wneud hefo'n hamser: chwarae *calcio* neu basio hancesi drwy'r tyllau yn y ffens. Hancesi cochion oedd yn eu hiwnifform nhw. Beth oedd hynny'n ei olygu, d'wed? Bod ildio'n amhosib? Hyd yn oed petaen nhw'n trio – dim ond cadach coch i darw yn eu pocedi nhw.

Thank-you, meddem ni am eu cadach coch a chwythu'n trwynau'n galed. Doedd prin ddim *grazie* ar ôl ynom erbyn hynny, ond gallem wasgu *thank-you*. Doedd hynny ddim yn golygu'r un peth.

Cawsom fath hefyd – un go iawn mewn twb, nid afon na llyn na gwter. Ac un cynnes. Pob un ohonom â bochau fel merched wedyn – *caspita!* Cawsom ein sgwrio â disinffectant ond wna i ddim manylu ar hynny'n ormodol. Llosgi fel danadl poethion, yn enwedig ceseiliau a cheilliau! Ond bath, dŵr cynnes, *da vero*. Digon o ddŵr i foddi Venezia.

Erbyn i hynny i gyd orffen roedd siwtiau newydd ar ein

cefnau. Doedden nhw ddim yn ffitio chwaith, ddim bob tro. *Non importa* am y maint. Roedd hi'n rhy oer i gwyno. Byddem wedi cymryd dwy siaced y maint anghywir heb gwyno. Y dyddiau rhwygo trowser hefo dannedd i wneud trowser bach y tu ôl i ni: byd arall, *Mamma Mia*. Un drws yn cau, un arall yn agor; un byd wedi mynd, un arall wedi cymryd ei le.

Mae'n rhaid eu bod yn bobl drefnus. Cyrhaeddodd saith cant yn yr un llwyth â fi, ac o fewn awr, roeddem wedi colli ein dillad (beth oedd dros ben), wedi gweld doctor a bathrwm, pethau eraill, cael cornel i gysgu a phlatiaid o fwyd. Ac fe'n gwahanwyd ni.

(((

Camp. Erbyn hynny, doedd y gair 'camp' yn golygu dim i ni. Mainc yn yr awyr iach, pabell, twll waliau mawn. Roedd yn rhaid ei weld i'w goelio. Ond 'sorting' oedd hwn. Siop sortio. Sut oedden nhw'n gwybod pwy oedd i fynd i ble? Tynnu enwau o het? Neu ddewis yn ôl ein sant? Na, doedd dim rheolau. Lwc oedd hi, yn ôl lle roeddem ni'n digwydd bod wrth lanio, fel dafnau glaw; lwc, dim ond lwc – *era cosi*.

Ond roedd mwy o fwyd yn fan'no nag oedd yna ar y llong. Tatws a maip a thatws a swêj a darn o eidion, rhyw saws brown a rhywbeth o'r enw *porridge*. A bod yn deg, roedd y milwyr Prydeinig ar y llong eisiau bwyd heblaw'r cyrris yna, cystal â ni. Wnaethom ni ddim marw, naddo?

Yn ein dillad newydd, roeddem ni i gyd yr un ffunud heblaw am ein llygaid a'n trwynau. Cardinals hefo clytiau mawr coch a melyn ar ein trowsusau ac ar ein cotiau – digon hawdd ein gweld ni'n dod filltiroedd i ffwrdd. Dyna oedd y syniad, siŵr o fod. Ein stopio ni rhag swcro drwg. Dyna oedden nhw'n disgwyl i ni ei wneud: drwg. Digon ohono. Bechgyn drwg.

Dyfeisiodd Sex gôd i alw'r naw arall ohonom. Uwchben y pennau a'r parablu mewn pabell ginio – Sex. Ei lais, fel ar y llong, yn aflonydd. Fo oedd o – dim amheuaeth. Cân yr Alpini 'La Canzone dell'Edelweiss', cân agos at galon ambell un ohonom, un estron i rywun fel Oswaldo, ond eto roedd o'n un ohonom ni ar ôl y *Maloja*. Fo ffeindiodd Sex gyntaf. Un goes neu beidio, roedd o'n un cyflym. At ei gyfaill â fo. Canodd y ddau. A dyna sut y bu hi. Blodyn gwyllt yr *edelweiss* a llais Organ yn dod â ni at ein gilydd fel cariadon coll. Pietro welodd fi. Roedd o wedi arfer gweld cefn fy mhen i, Pietro annwyl! Tu ôl i mi mewn patrôl, mewn tanc, mewn ciw am frechiad hyd yn oed.

Daethom at ein gilydd i eistedd ar wlâu eto. Ni. Ymysg cannoedd. Deg. Gwlâu, eto fyth, mor gul fel mai dim ond dau beth allem ei wneud yno: cwrdd neu gysgu. Dim mistimanars a dim merched beth bynnag. Cwsg lympiog. Matras a chwilt. Roedd dogni ar led y gwlâu hyd yn oed. Byddai'n rhaid trio peidio meddwl gormod am hynny. Dim ond gwneud drwg oedd meddwl gormod, roeddem yn gwybod hynny. Ac ar ôl dod mor bell, beth oedd diben ymennydd beth bynnag?

Fyddai Rodolfo ddim yn cytuno. Fo a fi oedd yr unig ddau o ddeg y *Maloja* i gael rhannu cwt yn Glasgow. Creadur stiff. Ond siŵr fy mod i'n od i rai hefyd. Mae fy nghlustiau i'n rhy fawr, er enghraifft, ac roedd ganddo yntau draed rhy fawr i'w gorff. Un gwely i lawr o f'un i oedd o, fel y gallwn weld ei draed o'r gwely, fel *radicchio trevisano* yn yr oerfel. Rywsut, roedd hi'n braf gwybod ei fod o yno hefyd. Rodolfo Fumagalli – lleidr yr ieir: dyna oedd ei enw. A'r Italiani o'i gwmpas yn meddwl fod hynny'n ddigon i biffian chwerthin pan oedd dim byd arall i'w wneud. Ond roedd boi o'r enw Mezzanote o *provincia di Ferrara* yn y caban hwnnw hefyd – Paolo Ganolnos. Anaml iawn y gwelai hwnnw ganol nos am ei fod o'n gysgwr trwm. A Falaguerra, gwrddais i yn rhywle hefyd, ond nid yn y caban hwnnw yn Glasgow – yn rhywle yn ystod y rhyfel, creadur o'r enw Gwneud Rhyfel – *caspita*. Ac wedyn roedd Secondo Acquistapace yn yr anialwch – Secondo Prynu Heddwch. Chafodd o ddim llawer o lwyddiant. Fo oedd yn celcio'i *lira* er eu bod nhw'n werth mwy fel papur sychu tin lle roeddem ni. Welais i mohono fo fyth ar ôl hynny. Creadur diniwed ydw i, *lo so,* gwn yn iawn, ond tydi Fumagalli ddim yn enw mor od â hynny. Siŵr fod gen i hendeidiau oedd wedi dwyn ambell iâr yn eu hamser. Ac roedd gan bob un ohonom rywun yn rhywle yn llwgu yn ein teuluoedd. Roedd gan Rodolfo a finnau a phob un Falaguerra, rhyfel neu beidio, leidr yn ei linach.

Dyna'r unig ryfel oedd ar ôl i ni afael ynddo erbyn Glasgow: gweld gwahaniaethau a rhesymau dros ffraeo am fod ein henwau'n od. Ac edrych trwy'r ffenest, yn fodlon ein byd mai dim ond hynny oedd o'i le. Enwau dwl. Traed hyll. Clustiau mawr. Gwrando ar Rodolfo'n torri gwynt yn ei gwsg, yn edrych ataf bob tro roedd o'n ffansi gêm o ffwtbol. Tyrd. Neu'n edrych trwy'r ffenest bitw yna hefo'n gilydd – rhy fychan i ffitio pen-ôl drwyddi, maint llyfr *forse*. Doedd yr un ohonom ni wedi gweld llyfr ers sbel, ychwaith.

Waeth i Glasgow fod yn stori mewn llyfr ddim; doedd o ddim yn fwy byw i ni na hynny. Fyddem ni ddim wedi medru mynd ymhell o gwmpas y Glasgow oer yna, cyn i'w rhew frathu'n bodiau ni.

Cefais freuddwyd fy mod yn effro, meddai rhywun, ac i ffwrdd â ni eto. *A posto.*

Filò, ragazzi! Lucio, fel arfer. Fo ddaeth i arfer â Glasgow gyflymaf. Bachgen y mynydd. Bachgen tawel, un ag awyr y copaon y tu mewn i'w lygaid am ei fod o wedi edrych arnyn nhw cyhyd yn ystod ei fywyd cwta. Croesawodd ryfel hefo heddwch, rywsut. Dim syndod nad oedd Glasgow, ychwaith, yn broblem. Roedd yna draddodiad o hynny ymysg carcharorion tawedog, rhai crefyddol. Nid un crefyddol felly oedd Tommaso; roedd yntau'n byw fel petai arian byw ar ei gorff. Ond Lucio, roedd o wedi dysgu crefydd gan y tir. Efallai ei fod hefyd yn garcharor cryfach am ei fod o'n medru troi ei law at greu pethau. Fo fyddai'n cynnig gêm OXO mewn mŵd neu dywod, yn creu gêm neidio at linell. Fo oedd y gorau am fyw oriau o dawelwch heb daro rhywun neu fwyta ei ewinedd, ond y cyntaf i ddweud, *filò, ragazzi*. Gallem bob un, mewn ffordd, godi'r tu hwnt i realiti carchar. Gallem ddweud stori.

Sì, Lucio, fyddem ni'n ei ddweud, fel wrth blentyn. Cawn stori.

Weithiau, roeddwn yn dychmygu fy mod yn dywysog Ottoman, yn aderyn rheibus, yn gawr. Yn dawel bach, ar fy mhen fy hun, byddwn yn dychmygu bod fel Lucio, â'i lygaid *edelweiss*. Cysgodd o yn ein caban ni un noson yn y camp hwnnw. Bechgyn yn y llefydd anghywir oeddem ni i gyd. Sylwodd neb. Aeth adref i'w gaban cyn y wawr, fel angel.

)))

Ar ôl rhyw ychydig bach, cawsom bensiliau ganddyn nhw. I be, d'wed? A chawsom gerdyn i ddweud pwy oeddem ni, hefo llun ohonom ar ein gwaethaf arno. Rhif. Ni oedd: 159042, 159043, 159044, 159045, 159046, 159047, 159048, 159049, 159050, 159051. Ni oedd rif y gwlith.

Ac am y tro cyntaf: yr hawl i ysgrifennu adref. Yn y cantîn, daeth swmp o bethau ysgrifennu o gwmpas ar ôl pwdin – afal a barrug ynddo – ac yna papur sychu tin i ysgrifennu.

Sôn am *caos*. Consurwyr, nid milwyr, oeddem ni: yn giamstars ar farw ac atgyfodi, marw ac atgyfodi. Gwnaeth sawl un ohonom ni hynny – dod yn ôl.

Roedd 'adref' ambell un ohonom wedi cael cerdyn yn dweud: UCCISO IN SERVIZIO KILLED IN SERVICE, *dead gone* fel oedd hi. Felly roedd rhyddid i ni, rŵan, i fod yn berson newydd.

Mamma mia …

Ond roedd yn rhaid i ni eistedd lle roeddem ni ar y meinciau yno. *Stay put*, medden nhw, fel ysbrydion o'r ochr arall yn ysgrifennu'n ôl i'r byd go iawn i ddweud, *ciao* – diolch i ras Duw, rydym yma, rydym yma o hyd. Heb wybod sut yfflon i ysgrifennu mwy nag X fawr ychwaith, y rhan fwyaf ohonom ni, mewn unrhyw iaith. X. Heb sôn am wybod pa effaith fyddai ein traed brain ni'n ei gael, ar yr ochr arall, waeth beth oedd y geiriau'n eu dweud.

Dwi wedi troi'n 'Merican.

Dwi wedi fy nghladdu yn rhywle pell.

Mae fy mraich yn yr Aifft a'r gweddill ohonof mewn *tin hut* yn nhwll-tin-nunlle.

Fydda i ddim adref am *anni* ac *anni*.

> If you see a llyffant going up a tree,
> pull on its cynffon and think of me.

Roedd rheolau am gynnwys ein llythyrau. Doedd dim hawl i ddweud rhywbeth fel:

> Rhowch *abbraccio* mawr i Mussolini … Na!
> Mae'r English yma i gyd yn Pinocchios. Na!

Felly, beth oedd pwynt ysgrifennu dim byd? Roedd y drws hwnnw wedi'i gau. Waeth iddyn nhw anfon y llythyrau mewn poteli gwydr i waelod y môr ddim – i ble'r aeth corff y bachgen llau a chorff ein brawd bach a choes y llall, i fan'no – lle ddaw pethau ddim yn ôl. *Finito.*

Ond, hefo ychydig bach o help, llwyddodd pob un ohonom i roi rhywbeth ar ein papur. Byddai rhai'n ysgrifennu dros y lleill.

Inghilterra
Tuto verde
Tuto umido
Tuto bene
Auguri.

Byddai ambell un yn rhoi *airs and graces* fel mae pobl yn ei wneud yn Inghilterra, yn rhoi X i olygu sws. Y pethau od mae pobl dramor yn eu gwneud. X i ddweud *baci*; X i ddweud, dwi yma. Ddim X i ddweud *morte* fel i unrhyw Italiano call. Neu oedd *la morte* hefyd wedi cuddio yn eu swsys X nhw? Ond doedd *proprio* ddim pwrpas i'n llythyrau. Ffuglen oedd lle roeddem ni i bawb adref, felly ffuglen oedd adref i fod hefyd.

Hefo'r bensel, ysgrifennu rhywbeth arall wnes i – dyddiadur o fath i gychwyn. Dechreuais fel hyn,

"Ricordi e racconti, scritti per chi tanto amo".

Gallwn fod wedi ysgrifennu enw Pina, a'i chyfarch. *Ricordi e racconti per Pina* ... Atgofion a straeon wedi'u hysgrifennu ar gyfer yr un rwy'n ei charu. Rywsut, byddai hynny wedi dinistrio'r preifatrwydd, a wnes i ddim. Llythyr at unrhyw un oedd o felly, yr unrhyw un nad oedd yn gwybod fy hanes. Roedd gan bawb eu Pina.

Meddwl oeddwn i, petawn i'n ysgrifennu fel hynny, na fyddai neb yn sensro'r geiriau, y byddai fersiwn o Pina yn y dyfodol yn cael bod hefo'r fi hwnnw oedd yn garcharor.

Stupido oedd hynny. Bob tro y byddwn i'n ysgrifennu rhywbeth, roedd rhywun yn conffisgetio neu'n cipio'r peth.

Era così. Cyn gadael yr Aifft, felly roedd hi. Roeddwn wedi ysgrifennu hanes y frwydr a'r carchar, fesul diwrnod, ac aeth hwnnw i ddwylo rhyw Anzak. Ac wedyn yn Glasgow, *raid* un bore cyn i ni ddod at ein coed yn iawn. Aethon nhw â geiriau Pina oddi arnaf a rhyw eiriau maniffesto roedd Rodolfo wedi bod yn eu cadw o dan ei fatras.

Gwell dweud stori wrth y gwynt mewn rhyfel – mwy o siawns iddi gyrraedd o un wlad i'r llall. All neb sensro llais. Maen nhw'n dweud, on'd yden nhw, mai dweud stori i ddiddanu ein hunain rydym ni'n gyntaf. Tydi o ddim wastad o bwys pwy sy'n gwrando, nac a oes rhywun *yn* gwrando. Gwynt, *solo il vento*.

Un *povero e ignorante* ydw i, ond dyna dwi'n ei gredu. Efallai mai dim ond gwneud sŵn ydw i drwy adrodd stori, fel *zanzare* yng nghlust rhywun.

Ildiais i ysgrifennu. Dechreuais wneud llun. Nid llun ond sgets; rhyw chwarae hefo pensel i ladd amser. Chwynnyn *attaccaveste* oedd o: hwnnw sy'n gludio'i hun wrth fest rhywun. Y planhigyn gorau erioed i unrhyw blentyn; byddwn i'n ei daflu at gefn fy chwiorydd ond byth at Mamma. *Attaccaveste* wedi *attacare* i wal y *Nissen hut,* pensel ar wal. Dechreuais hefo llinell, drodd yn ddeilen eiddil, drodd yn seren o ddail fel sydd gan y chwynnyn hwnnw, ac yna'n blanhigyn. *Niente importante,* fyddwn i'n ei ddweud. Gwyliodd Rodolfo fi heb ddweud dim. Bachgen o Firenze hefyd. O un seren o ddail i goesyn hirach, hirach, dros arwyneb anwastad y *Nissen hut,* reit i'r nenfwd â'r bensel yn crafu. Wrth y nenfwd: stopio. Roedd pleser ym mhob llinell o wneud iddo dyfu; mwynhau'r tawelwch, mwynhau Rodolfo a'r Fiorentino'n tawel-wylio, mwynhau cysgu wedyn, yn dilyn yr *attaccaveste* i gornel ucha'r *hut.*

Roedd Mamma'n arfer gwneud te hefo'r planhigyn hwnnw i ni, blant, pan oedd hi'n dywydd chwilboeth o gwmpas gŵyl Ferragosto. Stwffio cwlwm ohono i sosban hefo dŵr poeth cyn ei wasgu drwy liain. Roedd y ddiod yn oeri'r cnawd, meddai. Potel dŵr poeth fyddai wedi bod yn well peth yn Glasgow, ond llun o'r *attaccaveste* wnes i. Lluniau o bethau eraill wedyn.

Primula – dim siwgr i wneud *marmellata* ohonynt; dim olew i wneud *salsa* i salad. Eu darlunio felly a'u sglaffio'n amrwd o'r cae: dail a blodau fel fferins. Gadael ymylon y camp yn wag o flodau erbyn nos, a'r *primula* yn dod 'nôl bob tro.

Lami purpureo – ffefryn Pietro mewn salad. Hoffai siapiau calon, fel fi.

Dente di leone – fy nghyfaill, fy mlodyn ffyddlon. Blas mwy *gradevole* na *tarassaco,* er mor debyg. Dant y llew. Darluniais hwnnw tu ôl i goesau fy ngwely, lle gwelodd Oswaldo ei Dduw, ei bry cop mewn breuddwyd. Well gen i feddwl fod dannedd llewod yno.

(((

Nid ni anfonodd y llythyrau. Nhw. Llond dyrnaid o Saeson mewn gwisgoedd oedd yn eu ffitio'n iawn, â'u tafodau allan. Nid ni gafodd ddewis ein henwau newydd ychwaith. Na'n rhifau. Na'n ffasiwn. Llanwyd ein boliau hefo stwff i adeiladu byddin – *magari* – i beth oedd eisiau gwneud hynny? Ond nhw oedd yn dweud. Ar ôl wythnos gron yn eu corlan nhw, roeddem hyd yn oed yn dechrau edrych yn debycach iddyn nhw: bochau cochion, dotiau bach lle roedd pryfed mân wedi'n cael ni, rhai'n dweud *aye* hyd yn oed, fel llond cae o Eidalwyr yn dweud *occhio* – 'llygaid'; 'eye' mae Saeson yn ei ddweud, 'de? *Quello spectacolo!*

Fin nos: awyr frown yn gaead ar goed. Ben bore: awyr frown yn gaead ar goed. A phob awr rhwng y ddau amser, yr un fath. Dim yn newid ond ambell dryc newydd o ddynion yn cyrraedd.

Cabanau igam-ogam, gwlâu dim gwell na hamocs, siâp tinau'n tolcio'r matresi, ninnau'n dal ein pengliniau. Doedd ond un peth o unrhyw sylwedd yn y stafell: ofn. É *vero*. Felly, digon o amser i ddychmygu Mamma fel oedd hi i fod, yn fodlon ei byd adre. Digon o amser hefyd i basio negeseuon ac arwyddion i'n gilydd: heno, cwt hwn-a-hwn, ar ôl y 'Last Post'. Daeth pob un o'n deg ni (Oswaldo'n hwyr), a fan'no fuom ni'n hel straeon. A chwerthin fel mulod.

Diolch i'r nefoedd a'r awyr frown nad oeddem wedi mynd i 'Merica. Roedd nadroedd rhuglo yn fan'no, rhai oedd yn brathu drwy drowser brau, digon i ladd mewn dwy eiliad a hanner. Tommaso: fo eisteddodd i lawr ar fync rhyw foi o Firenze ac adrodd hanes neidr ruglo.

Roedd bachgen yn cerdded i lawr lôn un prynhawn braf, meddai. *Ragazzino bello*, a bod yn gysáct, gan fod bechgyn straeon o Venezia wastad yn ddel. *Tipico!* A daeth y *ragazzzino bello* ar draws llwybr y neidr ruglo. Hen un. A gofynnodd y neidr, '*Ti bocia, e poi portarme su, su la zima de la montagna par piazer?*'

Per favore, meddai Oswaldo, be 'di hynny mewn Italiano go iawn?

D'accordo, d'accordo, meddai. *Per favore, ragazzino, puoi portarmi in cima alla montagna?*

Un gwrtais oedd y neidr yma.

A sut mae Veneziano yn gwybod beth ydi mynydd, felly?

Tasi su, dywedais. Cau dy geg! A'r lleill hefyd, yn eu tafodau nhw eu hunain.

Chiudi la bocca, meddai Tommaso mewn Italiano go iawn.

Siare le boce, meddai Lucio.

Chiur' a vocc', meddai Oswaldo.

Roedd y neidr eisiau gweld machlud am y tro olaf cyn gweld ei gwell ac eisiau cael ei chario i gopa'r mynydd.

Na, *Signora Rattlesnake*, meddai'r *ragazzino bello*. Mi frathi di fi mewn chwinciad, a fi fydd yn gweld fy ngwell wedyn.

Ysgydwodd y neidr ei phen gwelw.

Na, wir. Ar fy llw, meddai. Wna i ddim brathu. Jest dos â fi i gopa'r mynydd.

Wedi meddwl am y peth, dyna wnaeth y *ragazzino*, yn glên: mynd â hi i'r mynydd – *mandarlo al montagna!* Gwyliodd y ddau'r machlud o'r mynydd, a hwnnw'n gochach na gwaed gafr.

Mmm, mor braf, meddai'r neidr.

Ac ar ôl iddi weld beth oedd i'w weld, a llenwi ei hen lygaid blinedig, gofynnodd i'r *ragazzino*,

Dwi wedi blino. Dos â fi adref, wnei di?

Pigodd y *ragazzino* hi i fyny a'i chario wrth ei frest, yn ofalus yr holl ffordd i lawr i'r cwm i'w gartref ei hun. Rhoddodd fwyd iddi yno. Daeth o hyd i le clyd iddi gysgu. Ond y diwrnod canlynol roedd y neidr eisiau mynd i'w chartref ei hun.

Prego … meddai eto. Mae'n amser i mi adael y byd hwn, ond dwi eisiau mynd adre'n gyntaf.

Gan fod y *ragazzino* wedi bod yn saff y tro cyntaf, nid oedodd. Cododd y neidr i'w frest. Cariodd hi'n ofalus i'r goedwig. Yr eiliad cyn iddo osod y neidr i lawr ar wely o redyn, cododd y neidr ei phen gwelw a brathu'r *ragazziono* yn ei frest. Criodd y *ragazzino*, criodd â'i holl nerth.

Signora Rattlesnake, pam? Pam wnaethoch chi hynna? Dwi'n siŵr o farw rŵan. Edrychodd y neidr i fyny ato a dweud,

Roeddet ti'n gwybod beth oeddwn i cyn fy mhigo i fyny, *ragazzino*.

A dyna oedd diwedd y stori, gyda 'zz' galed a bys yn pwyntio at neb-yn-arbennig.

Does dim *serpente* o'r fath yn yr Eidal, meddai Rodolfo, dim ond *viperi*.

Sut wyt ti'n gwybod? Oes yna laswellt hir i guddio nadroedd yn strydoedd Milano'r dyddiau yma? meddai Sex. Roedd o'n gwybod, ac yntau'n fachgen oedd wedi'i fagu i fwyta mwy o laswellt nag o lysiau.

Da ydi ffrae rhwng ffrindiau.

Chwarddodd pawb. Stori – yn ôl at y stori.

Beppino nesaf. Ar ddydd Mercher cynta'r mis, byddai'n nôl jar o'r tu ôl i'r sosban polenta. Ei *nonna* fyddai wedi llenwi'r jar â *vipere* – un wrth yr afon wrth wneud y golch, un arall tu ôl i'r toiled neu'n llechu wrth gwt yr ieir. Roedd hi wedi magu llygad am *vipera*. Unwaith roedd ganddi bump *vipere*, byddai'n cario'r jar i weld y fferyllydd ac yntau'n eu godro am eu gwenwyn i wneud *antivenom*. Roedd Beppino yn ei arddegau pan sylwodd nad godro fel gafr oedd godro'r fferyllydd.

Dwl ydi *vipere*, meddai, *ignorante* – *tutti*. Rho di nhw mewn pot gwydr, a fydd dim un yn llwyddo i ffeindio'i ffordd allan. Ac fel hynny roedden nhw – y carcharorion, meddai Beppe, yn ein helpu ni i ymladd gweddill y *vipere*. Deall? *Capisci? Siamo tutti vipere. Vipere* ydym ni i gyd.

Mae pob math o *vipere*, meddai, rhai clên a rhai sy'n brathu. Pwyntiodd ata i yn gyntaf ac wedyn at Tommaso. Ond dim nadroedd rhuglo.

Erbyn y noson honno doedd neb yn sôn am y stêcs nad oeddem yn eu bwyta. Straeon am nadroedd yn lle stêcs. Dywedodd Sex nad oedd erioed wedi clywed am nadroedd peryglus yn Italia, ond ar ôl ambell ddiwrnod o storïo am *serpente a sonagli* fo oedd yn dweud eu bod yn byw tu ôl i bob ysgol, gan fod gwaed plant yn felysach, a'i fod wedi'i frathu a'i ladd deirgwaith. Mamma achubodd o, *magari*, bob tro. Gwell peidio bod yn 'Merica. A blasus oedd tatws trwy laeth, yn ei ôl o.

Ers y noson honno, bob tro y clywaf am Glasgow, byddaf yn dychmygu daear frown, glaswellt dwl ac awyr fel y mŵd – ac yn y *camouflage*, nadroedd rhuglo. Yn y glaswellt hir ar hyd ymylon y camp, y briallu, y marddanhadlen coch a rhuglo'r nadroedd rhuglo. Dychmygaf nhw'n dringo ymylon tal yr adeiladau llwm yn yr harbwr. Dychmygaf nhw ar ein platiau, hefo'r tatws.

Gall stori newid rhywun; newid sut gwelwn ni'n tirwedd a pha anifeiliaid fydd yn cadw cwmni i ni. Roedd stori gan Oswaldo am bysgodyn yn hedfan ag adenydd tryloyw fel gwas y neidr uwchben tonnau'r môr; wedyn, stori gan Lucio am anifail-ddyn yn y mynyddoedd, ac roedd gennym ni i gyd, dwi'n credu, stori am ddynes yn cael ei chreu o ddim byd – o wynt, o flodau, o fôn braich. Roedd hyn i gyd mewn cae ar gyrion Glasgow, a welsom ni mo'r bore'n dod. Fe ddaeth – *una cosa tira l'altra*, o hyd – o'r tu ôl i Pietro, gan mai fo oedd y cyflymaf yn gwneud popeth. Ymddangosodd yr haul tu ôl i'w ben, trwy'r twll ffenestr. Yno, roedd golau'r wawr yn gryfach ac yn gynhesach na'r haul am weddill y dydd. A daeth y *filò* hwnnw i ben ond, yn gwmni i ni trwy'r dydd, roedd y neidr ruglo, y pysgodyn hedog, y bwystfilod mynydd a'r merched amhosib.

Gallai stori newid cwrs y rhyfel i ni. Dyna ddwedom ni yn y *Nissen hut* hwnnw. Dewisais fyw trwy ein straeon, ac nid beth bynnag oedd tu hwnt i'r haenau dirifedi o weiren bigog.

(((

Roedd un ffrind gennym ni yno – un – a hwnnw'n dod o Newcastle. Siaradai Eidaleg parchus a *dialetto* gwael. Bianchi oedd o, fel Mario, ond roedd Bianchis ym mhobman. Doedd y ddau erioed wedi clywed am ei gilydd, wrth gwrs. Sut oedd hwn yn Glasgow, *alora*? Wel, dyn o Venezia oedd ei dad. *Credimi.* Ha! *Santa Bernedetta,* mae rhyfel yn beth da! Rhoddodd hwnnw orchymyn i dri deg chwech ohonom ni wneud rhywbeth yn arbennig iddo. Gang o'r gogledd yn unig, meddai. Gwyddai am y gogleddwyr. Gweithwyr da. Ffwrdd â chi! Ac felly aethom ni ati, tri deg chwech dyn da, i adeiladu'r gwersyll iddo.

Daeth rhywun â chwarter buwch i ni am yr holl straffaglu. Bwytewch hwnna.

A dyna wnaethom ni. Ac fe ddaeth o ag un arall wedyn. Digon o de hefyd. Ond y Royal Engineers roddodd y weiren bigog rownd y top. Roedd honno'n beryg o rwygo dwylo dyn yn les ac roedd ganddyn nhw fenig mawr. Dynion dwl. Ond digon clên. Felly roeddem yn deall ein gilydd yn barod. Yn ffrindiau oes, o fath. Dyna mae rhywun yn ei ddweud mewn rhyfel: ffrindiau oes. Gan wybod na fyddem ni'n gweld ein gilydd byth eto. *Arrivederci,* Amen. A phan ddaeth y dydd i adael, o leiaf ni oedd y bechgyn da. Ni oedd yn y rheng gyntaf. Gennym ni oedd y stori orau.

((

Breve oeddem ni yno. Byr o amser – *breve.* Unwaith roedd lluniau ohonom ni wedi'u tynnu – mynd, mynd, mynd oedd hi eto. I *labour camps* y tro hwnnw.

Ychydig gamau o'r giât, roedd lorïau, bob amser, yn barod. Wyddem ni ddim i beth. Roeddem ni'n chwarae *calcio* wrth aros. Ac yn cryfhau hefyd – jam da ganddyn nhw, er yn brin, gwsberis a mefus. Ond allem ni ddim penderfynu am eu tatws. Roeddem ni'n llawn *Benedici, Signore,* bendithiwch ni, Arglwydd, ni a'r rhain, dy anrhegion, ac ati ac ati, ond doedd y tatws ddim yn teimlo fel llawer o fendith. Ta waeth, *Bendici, Signore,* a sglaffio'u stwnsh chwd cath. Da ydi unrhyw fwyd i ddyn llwglyd. Feiddiai neb gwyno.

Pan symudodd y lorïau, roedden nhw'n ysgwyd yn union fel lorïau anifeiliaid, y ffenestri dur a'r tincar yn deffro. Wedi dod i'n nôl ni oedden nhw. Ni, y *muce*. Aethom ni oddi yno fesul dau, tua'r gorllewin, am ddeg o'r gloch un diwrnod. Jest fel'na. Diwedd un stori, dechrau un arall.

Ychydig filltiroedd o'r camp roedd stesion. Ac ar ôl tair wythnos, ni oedd yn y stesion. Fi oedd wedi fy nethol. Roedd symud yn well na gwneud dim byd. Gwell peidio gwybod gormod fel PoW. Mynd fel plant ar drip, peidio gofyn gormod. Gwenu. Gorfod gwylio trwy'r ffenestri am arwyddion ffordd, os oedd rhai. Pethau prin oedden nhw gan fod y rheiny wedi'u symud oddi yno rhag ofn i'r *storm troopers* gyrraedd. Dim lot o gliwiau er mwyn medru dweud: *ecco*, rydym yn y lle hwn, dyma ni. Dim arwydd na chroes na phin mewn map. *Una cosa tira l'altra*, o gamp o gamp, o wastadeddau i lcoedd bryniog i Fanceinion.

Ffarweliais â'm ffrind Pietro Ponti yn Glasgow. Cafodd ei drosglwyddo i Gamp 41. A hynny ar ôl bod hefo'n gilydd ers Ionawr 1942. Tydi pethau felly ddim yn deg. Roedd o'n fyw. Yn dal yn fyw. Yn garcharor fel fi, ond ar lwybr arall. Diflannodd hefo'i ffordd unigryw o wneud lleisiau a gwisgo sanau ar ei glustiau fel asyn. Glynodd ei straeon, y cerdded Monte Grappa i ffeindio madarch *porcini* nes oedd bodiau ei draed yn llaith, ei annwyl Esmerelda gyda'i hofffter o gaws *asiago* a'i bysedd fel *asparagi* gwyllt. Cerais hi oherwydd iddi hi ei garu o.

Yn yr Aifft byddem ni wastad yn teithio mewn wageni – pethau ar gyfer nwyddau, ond mynd *third-class* oeddem yn nhrên Prydain. Fel *second-class* yr Eidal. Un awr ar ddeg. Mewn un orsaf cawsom de gwan hefo llefrith, pawb yn ciwio wrth ddesg ar y platfform a dwy ddynes o'r eglwys yn tywallt te, llefrith, te, llefrith, te, llefrith. Dwylo mewn menig.

Sugar? Sugar?

Byddai Pietro wedi eu dynwared. Sefais yn y gwynt yn gwylio'r bobl leol. Daeth rhai allan o'r Waiting Room, aeth eraill i mewn. Wrth ddod allan, bydden nhw'n rhoi eu dwylo yn eu pocedi. Gwyliais ddwy yn rhannu brechdanau o rywbeth wedi'u torri'n sgwariau maint bocsys sigaréts, yna'n sychu eu dwylo ar hancesi yn eu llewys, y ddwy yr un pryd mewn tawelwch. Roedd eraill yn yfed te fel ni. Plant yn yfed dŵr neu lefrith o wydrau enfawr.

Meddyliais mor rhyfedd oedd o nad oedden nhw'n fy ngweld i; nid fi – *ni* oedden nhw'n ei weld. Petaem ni'n cwrdd eto ryw dro, fydden nhw ddim callach ein bod wedi treulio'r amser yno'n gwylio ein gilydd ar brynhawn o wynt miniog. Roedd eu hwynebau'n goch ar yr ymylon, yn crychu yn erbyn y gwynt. Hyd yn oed y merched. Ac roedd Victoria yno, fel ym mhob gorsaf. A hefyd lot o ferched â dagrau yn eu llygaid. Merched y te, er enghraifft.

Sugar? Sugar?

'Cefais freuddwyd fy mod yn effro,' meddyliais – oeddwn i'n breuddwydio? Na, roedd bywyd go iawn, gwaith, cymdeithas i ni, mae'n debyg – *tutto bene*, ac ar ôl trên a thrên arall a lorri arall, dyma gyrraedd mewn llwydwyll. Ie, fan'no oedd pen draw'r lle dyfnaf erioed, dyna oeddem ni'n ei gredu. Cnewyllyn dyfna'r byd. Lle del, ond lle gwlyb. Lle daethom i'w adnabod fel Llandrillo, lle mae darn o enaid hwn a'r llall hyd heddiw. Os ei di i chwilio. Yn y cloddiau, y waliau, y danadl poethion.

Gwelodd Lucio'r mynyddoedd i'r gorllewin a dweud:

Ecco, rydym wedi cyrraedd Slofenia.

*(((*

Rhif oedd ein cartref – Camp 101, cangen Llandrillo. Gwelem eglwys. Dyna ni. Dwi'n siŵr fy mod i'n gwneud llanast o'r enw hyd heddiw, enw amhosib i'w ynganu: Llandrillo. Lle ag eglwys a thri llo, medden nhw. Penderfynom ni mai pobl ddoniol oedd y Saeson. Cawsom ein cywiro yn *quick pronto* hefyd. Cymry oedd y Saeson yno.

Yn Camp 101 Llandrillo, doedd dim lle i fwy o PoWs, dim lle yn y llety! Dim gwlâu a dim corneli sbâr. Ond wedyn, roedd llond trên, llond trenau, a dyna lle roeddem ni, yn ffeindio lle o rywle ac o nunlle. Fel cwningod: angen mwy o le? Cloddio twnnel a thwll arall. Ond rhai glân. Glân fel petai *mamma* pob un ohonom wedi bod yno'n dawel bach. Gormod o amser ar ein dwylo. Dyna feddyliom ar y dechrau. Bod dim i'w wneud ond eistedd yn y *Nissen hut* yn cyfri ein bodiau. Feddyliom ni ddim fod gwaith go iawn i ni.

Gwaith? meddai Oswaldo, ddim yn siŵr a oedd o'n fodlon o gwbl.

Oedd. Beth arall wnewch chi hefo llond cae o garcharorion? Hyd yn oed rhai ag un goes chwith yn dal heb dyfu 'nôl.

Mynd i'r gwely 'run pryd â'r ieir a chodi hefo'r ceiliogod. Blino wrth weithio, ffeindio egni drwy chwarae fel plant lleol.

Gweithio mewn gangs oeddem. Bob bore erbyn wyth, roedd yn rhaid bod wrth y brif giât. Y noson cynt, deuai neges gan y rhai oedd yn deall pethau: pa ddyn i ba lorri, pa dywydd i'w ddisgwyl. Ac felly, yn y bore, cyn belled â bod bwyd yn ein boliau, roedd pethau'n mynd rhagddynt yn weddol slic. I ffwrdd i blannu tatws, codi ffos, malu wal. Popeth wedi'i drefnu'n daclus. Ambell fòs yn go lew, ambell PoW ddim. Ambell un heb fawr o awydd gweithio ac ambell un arall ddim yn medru sefyll yn llonydd: gwaith, gwaith. Felly, dewisodd y bosys eu dynion.

Roedd ein bywydau bob dydd yn well os oedd gwraig fferm ar gael, *sai*. Doedd y Cymry ddim yn rhai drwg, yn arbennig os oedd hi'n digwydd bod yn amser te. Ond os nad oedd yna wraig fferm, wel, byddai rhai ohonom ni'n codi stŵr, yn codi tatws, yn eu rhoi mewn bwcedi ac wedyn eu plannu eto, o sbeit. Codi ffos ond ei thagu hefo tatws, hefo cerrig mawrion, hefo unrhyw beth. Tybed pryd sylweddolon nhw? Syniad Oswaldo oedd o. Mabwysiadodd ambell un ohonom enw fel *Good Boy for Work* ac eraill i'r gwrthwyneb.

Pan welodd Rodolfo fuwch yn piso am y tro cyntaf, edrychodd arnaf, ac yna yn ôl at y fuwch, yn ôl ata i –

Mae'n dal i fynd, meddai, ac yn dal i fynd, *ancora, ancora*.

A thra oedd o'n llafarganu un ochr i wrych draenen wen, roedd y fuwch yn chwalu ei phiso dros y meillion ar yr ochr arall.

Pistyll, meddai Rodolfo. Sut mae o'n cadw'r hylif 'na i gyd tu mewn iddo fo?

Hi ydi buwch, dywedais, a'i bwnio. Sut mae *hi*'n …

Dyna beth wnaeth stori dda yn y *filò* y noson honno. A phob tro y gwelwn fuwch yn piso wedyn, byddwn yn aros i'w gweld yn gorffen, ac yn meddwl am Rodolfo'n crafu ei aeliau.

Byddai Elmo'n edrych ar waliau'r Cymry â diddordeb, finnau'n edrych ar eu tir: roedd ambell gae yn barod i'w blannu, llysiau mae'n rhaid. Mynd ati i hau hadau ŷd mewn ambell le arall. Pobl drefnus. Ond bydden nhw'n edrych yn ôl atom â llygaid cul. Beth oedd ar eu meddyliau nhw, d'wed? Ninnau'n cael ein bugeilio o gwmpas i wneud yn siŵr nad oeddem yn mynd yn rhy agos atyn nhw – drwy eu strydoedd, drwy eu caeau, a'u hiaith nhw wrth siarad hefo ni mor syml ag iaith treialon cŵn defaid, yn 'cer o'na' a 'dal draw' a 'bachgen da'.

Ond weithiau – petaem ni'n camu'n agosach atyn nhw, bydden nhw'n ymateb yn union fel gwartheg wedi cael braw. Syllu a syllu heb symud blewyn. *Caspita!* Ninnau'n rhoi stamp bach a nhwythau'n rhedeg i guddio tu ôl i'r goeden agosaf. O, cawsom hwyl hefo ambell un. Dynes fechan fechan â menig gwynion un tro, yn cerdded wrth ochr y ffordd a ninnau'n cael ein cario o'r camp i waith yn rhywle. Aeth i guddio tu ôl i flwch post nes i ni i gyd fynd o'no. Roedd rhai yn llai dramatig, ond yn dal i edrych arnom ni hefo llygaid cul.

Yn y camp ar ôl gwaith, chwarae oedd yr unig beth i'w wneud, ac rydw i'n cofio mwy am y chwarae nag ydw i am y gwaith. Scopa i gychwyn. Pan fyddem ni'n diflasu ar hwnnw, troi at Briscola, Tresete, wedyn Briscoa. Yn ôl at Scopa eto a mynd mewn cylchoedd. Iaith *giochi* yn haws nag ieithoedd go iawn. Rodolfo, Elmo, Mario a Beppe oedd y gorau am ffwtbol.

Roedd Tommaso'n anobeithiol. Lucio yn dal i wneud siapiau *hopscotch* yn y mẁd – taflu carreg wen at rifau.

Mewn ysbeidiau rhwng y gwaith, gwyliem ddefaid ar y fferm yr ochr arall i'r ffens hefyd: Ty'n Bryn, defaid fel pob fferm arall: *stupidi*. Chwarae gwyddbwyll hefyd, chwarae Trecks, canu, smygu, bwyta cyrins, creu *grappa* a distyllu pethau cudd hefo tatws a ffrwythau.

Byddai Oswaldo'n gweiddi *Mint Sauce* ar yr ŵyn! A Mario'n casglu darnau o wlân o'r gwrychoedd gan daeru y byddai'n gwneud rhywbeth defnyddiol hefo nhw, heblaw stwffio'i obennydd. Byddai Tommaso'n gwneud beth oedd y mwyafrif yn ei wneud. Fo, fel y defaid, yn dilyn. Ac wedyn, Organ, yn pwdu neu'n brolio. Ac yn canu – wrth gwrs. A finnau? Hyfforddais ji-binc i eistedd ar fy llaw. Rhoddais o rhwng dwy dafell o fara un noson. Mae pobl yn gwaredu at y syniad o wneud hynny'r dyddiau hyn, o beth glywaf i, ond doedd dim byd arall i'w wneud. Ac roedd twll siâp a maint ji-binc yn fy mol yn go aml.

Byddai pob un ohonom yn astudio'r Cymry. A'r olygfa. A'r defaid, yr holl ddefaid.

Bydden nhw'n dod allan o gefn sied Ty'n Bryn, yn dilyn tinau ei gilydd: dow-dow fydden nhw'n ei ddweud, y Cymry – dow-dow mae'r defaid yn dod, pennau ysgafn a chynffonnau trymion. Gaeaf y tu mewn i'w gwlân, pendwmpian ar bedair coes, ond hefyd yn 'ledis', yn gwneud rhyw weithred i'w chofio, jest cerdded allan ar fore oer: defod. Dysgem ganddyn nhw. Roedd angen i ni fagu amynedd fel defaid i fod yn PoW, i fod yn fyw.

Weithiau roedd un yn cyrraedd clwt o laswellt ac yn oedi, yn syllu yn ei blaen. Byddai'r lleill y tu ôl iddi'n cerdded yn eu blaenau nes cyrraedd ffin arall – meillion, cachu, danadl poethion – ac yna'n oedi, a syllu hefyd. A ninnau ddim yn siŵr beth oedd tu hwnt i'w llinell nhw.

Nid fod hynny'n para'n hir.

Ci atyn nhw.

Chwalu eu styfnigrwydd nhw. A bydden nhw'n mynd i bob cyfeiriad, wedyn. Ond, weli di, am un eiliad, gwta, roedd ffin. A dim ond nhw a ni oedd yn ei gweld hi.

Roedd un arall yn gweld ffiniau anweledig. Ein *chef*, ein daliwr llwy bren, dynes glên, llygaid dyfrgi.

Mae'n ddrwg gen i am y camp, fyddai hi'n ei ddweud.

Fango! Fango italiano! Mae mẁd Eidalaidd ym mhobman. Byddai'n pwyntio at ymyl llwybrau, rhiniog ei chegin, rhiniog ein *Nissen huts*.

Gallai ddweud enw pob llysieuyn, ffrwyth, pysgodyn a chig mewn Eidaleg, a'r gair 'mẁd' hefyd – *fango*. Dim byd arall. Dim Helô na Diolch nac Os gweli di'n dda.

Carote, patate, svedese, fagioli, funghi, mela, pera, mora, nocciola, salmone, trota, trippa, montone, manzo, maiale …

Ond *doedd* dim mẁd yn ein camp ni. Fel dywedais i, roedd fel petai Mamma wedi bod yno cyn i ni roi troed trwy'r giât.

)))

Nissen huts. Dyna lle roeddem ni eto, mewn *Nissen huts*, mewn cae gwahanol. Tri dwsin ym mhob un, teulu go dda. Traed mawr Rodolfo yn dioddef o'r oerfel er ei bod hi'n wanwyn. Doedd dim un gwrthban yn ddigon hir. Mario'n lluosi yn ei gwsg. Finnau'n ei gywiro. O leiaf am y tro, roedd y naw ohonom ni ar ôl o'r llong mewn un caban. Rhyw Santasuosso o Calabria – trwyn fel y bachgen gladdwyd ar y môr, Rino Ghiringheilli a Pablo rhywbeth o Toscano. Ond wedyn roedd hi'n bosib cwrdd ar ôl i ni gael ein cloi i mewn. Ein teulu yn un darn, heblaw am Pietro yn ei Gamp 41. Dychmygais o ar lan y môr, dychmygais o ar ben mynydd hefyd. Dychmygodd pob un ohonom ein ffrind mewn camp gwell na ni, yn cael *pasta con sugo*, gwin hefo'i bryd a merched i weini, beic i fynd i'r *Messa* bob bore Sul a bath cynnes cyn gwely.

Roedd gennym wely bob un, blanced a matras. Un lamp drydan rhwng pawb. Roedd stof fechan, gron yn y canol.

Digonedd o lo. Pawb yn meddwl fod hynny'n jôc a hanner: ein bod yng ngwlad y glo. Ond welsom ni ddim pyllau. Gwartheg, ŵyn, tamprwydd, llechi, do. Ond dim pyllau glo.

Ond efallai fod yna rai dros y mynydd, dyna fyddem ni'n ei ddweud.

Pwy a ŵyr beth sydd tu ôl – a phwyntio at fryn, at fynydd.

Ac yna byddem ni'n edrych tua'r llawr eto, gan fod hwnnw'n fwy sicr. A'r llawr wedi'i wneud o slabiau carreg: cerrig beddau, llechi. Popeth yn lân. A'r doctoriaid yn dod i wneud eu rownd, ddim ond i insbectio'r *lle* – y lle, dim ni – dim ond y pedair wal, fel petai'r waliau'n medru dal ffliw, neu gangrin, neu waeth. Efallai mai ofn beth fydden nhw'n ei ganfod petaen nhw'n dechrau codi crysau oedd arnyn nhw. Ffliw, gangrin neu waeth. Y gwir ydi – fyddem ni ddim yn cymryd llawer o sylw o salwch ychwaith. Os nad oedd coesau'n disgyn i ffwrdd neu ddynion yn disgyn yn farw, a bod bwyd ar y bwrdd, doedd dim llawer o'i le? *A posto.*

Ambell dro byddai storm eger, a deuai dŵr i mewn i'r *Nissen hut*. Ond mae croen fel chwîd gan Eidalwyr – *alora*, nid fel y rhai ifanc yma heddiw, *caspita!*

Era così.

Tawelwch oedd yr unig broblem, a deuem at ein gilydd o gwmpas y gwacter rhwng gwlâu a chreu *filò* unwaith eto, dim ond *filò.*

Draw tu hwnt i rimyn pren y drws, tu ôl i flaen y danadl poethion, roedd byd lle roedd pobl yn godro merched yn fasnachol, meddai un ohonom, yn bomio dinasoedd hefo hadau blodau gwylltion, yn tyfu cig o goed criafol, yn gwneud stêcs o lindys, babanod yn llwgu ac yn bwyta'u bysedd eu hunain. Ond doedd dim bwys gan fod y bysedd yn tyfu'n ôl, ac roedd dynion yn dodwy wyau deirgwaith maint wyau ieir, a neb wedyn yn llwgu. *Era così*, ac roeddem yn coelio pob gair fel *bambini* bythol. Gallai unrhyw beth fodoli tu hwnt i'n drws ni, heb sôn am du hwnt i'r *montagne*.

Buom yn sibrwd. Buom yn chwerthin fel mulod.

Ond yn gyntaf, y camp.

Ambell dro, fyddai ein straeon ni'n ddim byd mwy nag adrodd ac ailadrodd geiriau newydd: 'uwd' ac 'araf' a 'Rhosllannerchrugog'. Canfuom yn ddamweiniol, drwy ddweud 'Rhosllannerchrugog' deirgwaith, fod cymylau glaw yn cadw draw. Weithiau, fyddai'r Cymry ddim yn deall pŵer eu geiriau eu hunain. Felly pawb, *forse*. Tydi tafell enfawr o bob ymennydd yn segur – dyna maen nhw'n ei ddweud, yn'de?

Rhosllannerchrugog, Rhosllannerchrugog, Rhosllannerchrugog.

Byddai dweud hyn yn gweithio fel swyn yn erbyn storm yn Trieste, yn Timbuktu neu Tobruk, am y gwyddem ni, ond doedd Tobruk na'r anialwch ddim yn bodoli erbyn hynny.

A dyna oedd yn drysu'r rapsgaliwns staff o gwmpas y lle. Rhosllannerchrugog, Rhosllannerchrugog, Rhosllannerchrugog. Gwerth ei ddweud, *é vero*, jest i'w gweld yn crafu pen. A byddai'r cymylau'n newid cyfeiriad – wir – yn mynd at Loegr.

Ac roedd eu ffordd nhw o gyfarch ei gilydd yn suro llaeth.

Roedd eu hymddiheuro nhw'n swnio fel cyllell trwy fenyn.

A phan nad oedd Rhosllannerchrugog yn gweithio a'r nefoedd yn tipian glaw – byddai hynny'n digwydd hefyd – bydden nhw'n dweud mai merched ac nid dŵr oedd yn disgyn ar eu pennau nhw. Beth oedd arnyn nhw ei angen fwyaf? Llymed ynteu gariad? Byddem ni'n edrych tua'r cymylau, ddim yn siŵr a ddylem ni ddisgwyl cariad ynteu Mamma neu hyd yn oed Nonna.

A byddem yn dweud,

Mewn mis, pwy a ŵyr, bydd merch, Mamma, Nonna …

– fel pader. *Dio mio*. Pwy a ŵyr? Efallai fod *anni* i fynd. Dyna ydi rhyddid: peidio gwybod pryd y byddai diwedd pethau, i sicrwydd. Gorfod bodloni ar gyfri dafnau glaw, heddiw, *oggi*, a phob dydd yn ei dro.

Mario oedd meistr y stof; roedd hynny'n well canolbwynt

i lond *Nissen hut* o Orpheus Italiano ifanc. Lucio fyddai'n gwahodd ac yn gofyn, Gawn ni *filò*, ffrindiau? Byddai hynny ar ôl deg o'r gloch fel arfer, â golau dydd yn wan drwy hollt o dan y drws. Tommaso fyddai'n diweddu â *Padre, Figlio e Spirito Santo*, ond wyddem ni fyth faint o'r gloch oedd hynny: Lucio'n pendwmpian a finnau'n gorwedd ar fy nghefn yn clywed hanes bwystfilod môr Venezia gan Oswaldo, na welodd erioed y fath le, Rodolfo'n adrodd cerddi ac Elmo'n dweud rhywbeth o dan ei wynt fel carreg ateb i Tommaso.

((((

Y cyfieithydd oedd ein brenin; Robin oedd ei enw – dim ond *pettirosso*. Aderyn sy'n canu 'run peth ym mhobman, dwi'n meddwl. Aeth rhai misoedd heibio cyn i ni ddeall mai aderyn oedd 'robin'. Dyn â chyrls tu ôl i'w glustiau fel petai hynny'n ei helpu i glywed yn well, llygaid main a siaradwr ara deg, ara deg, ara deg. Roedd pawb eisiau bod yn ffrindiau hefo fo. Llwyddodd rhai. Roedd ganddo wendid am siocled. Dropyn o gwrw weithiau. Rhyw ddarn o newyddion. Am ychydig o laeth gafr wedi'i ddwyn o fferm, gallem gael clust mochyn gan Robin. *Non importa* am eiriau, roeddem ni'n dysgu Cymraeg yn ddigon da ar ein pennau ein hunain.

Uwd.

Araf.

Rhosllannerchrugog.

Danadl poethion.

Os oedd o mewn tymer dda, am lond sach o ddail *tarasacco*, byddai'n rhoi lwmp o lard i ni. Cyfnewid, dyna oedd cyfieithu. Dwylo dan y bwrdd. Ysgwyd llaw a darn o fara yn ein dwylo. Giamstars.

Roedd ffyrdd eraill o smyglo pethau i mewn i'r camp hefyd.

Dim ond *spot-checks* roedden nhw'n ei wneud, mewn parêd o flaen y tryc ar ôl diwrnod o waith lle bynnag roeddem ni wedi bod. Chwilio rhyw un ohonom ym mhob cant; felly roedd cymryd risg yn ddigon call. Pob un ohonom ar fin disgyn ac eisiau swper, nid *spot-check*. Ta waeth, aros oedd raid, aros yn ein rhengoedd i weld pa un fyddai'n cael ei bigo allan a'i archwilio.

Byddem yn rhoi bara yn ein llewys. Ffowls hyd yn oed a chwningod ac adar o dan ein clogynnau tywydd drwg. Mewn pocedi: blawd lli, brigau, papur i wneud tân yn y stof fin nos a chwcio ffesantod ar ôl y 'Last Post'. Arian, yn enwedig hanner coronau a darnau tair ceiniog; sgriws; hoelion yn sodlau ein hesgidiau, yn ein cegau hefyd. Papurau chweugain wedi'u rholio fel sigarennau. Byddai gan ambell un dabledi lliw o ffatri wlân – gan Mario, os dwi'n cofio, nes i'w ddeintgig droi'n wyrdd fel oen gwanwyn un tro. Dail te a grawn coffi o'r ceginau, glud o esgyrn pysgod, crwyn nionod, mwyar a ffrwythau digon bach i'w rhoi mewn dyrnau, pwlp moron, bresych coch, mefus a blodau'r ysgaw. Resins mewn pocedi, sanau, esgidiau ac yn ein gwallt – y rheiny oedd y ffrwythau mwyaf defnyddiol a hefyd yr hawsaf i'w smyglo. Doedd dim iws i mi – roedd fy ngwallt yn rhy olau – ond i'r lleill, *perfetto*.

Byddai *contraband* yn cael ei adael yn y lorri dros nos weithiau, a ninnau'n gobeithio cael yr un lorri fore wedyn. Morthwylion, pleiars, llifiau, sgriwdreifars a phethau felly'n dynn yn erbyn ein cyrff, lledr o seddau ceir, gwiail i blethu. Ambell dro, byddai'r Commander yn fodlon anwybyddu ambell beth, cyn belled â bod dim gormod o ffraeo na gwrthod gweithio.

A phetai'r gwaethaf yn digwydd a ninnau'n cael ein dal hefo resins yn ein cyrls neu forthwyl yn ein hosan, y *calaboose* amdani. Carchar mewn carchar, bara a dŵr a dim arall am saith niwrnod fel arfer. Rhif hudolus, *sai*, saith. Digon i wneud i ddyn ddod allan wedyn un ai'n meddwl fod Duw yn ddiawl neu fod Duw i'w gael mewn encil. Waeth pa ffordd, roedd gweld ein gilydd eto'n trwsio pob drwg. Daeth Tommaso allan fel petai wedi gwneud dim byd ond cnoi ei lewys ac adrodd y rosari i'w arddyrnau ar ôl cael ei ddal hefo pecynnau bach o flawd yn cadw hem ei drowser yn drwm. Dim ond eisiau gwneud pasta i ni i gyd oedd o, *povero*. Ond roedd Lucio wedi smyglo sachau enfawr o resins yn ystod yr wythnos. Cerdded allan i wledd wnaeth Tommaso, beth bynnag. Fo fyddai'n smyglo'r rhan fwyaf o bethau ar ôl hynny. Croesi ei hun, *Padre, Figlio e Spirito Santo*, a ffwrdd â fo. Coes oen un tro, i lawr ei drowser.

Ond os nad oedd dim yn cael ei ffeindio yn y parêd, aros am y 'Last Post' fyddem ni: ymarfer cyfri yn Gymraeg – *uno* i *dieci* – ac am ddeg o'r gloch, ar y dot, byddem yn clywed nodyn unig y biwgl. Y golau'n diffodd a ninnau'n codi o'n gwlâu. Wyau a llysiau a slywennod a phwy a ŵyr beth yn dod hefo ni – y *cuccina Italiano* yn dal yn fyw. Ac o'r resins fe wnaem *graspa*. Digon i roi dyn ar dân, neu o leiaf i ddwyn ei lais fel ei fod o'n gorfod rhoi baton adrodd straeon y *filò* i'r dyn nesaf. Byddai Organ yn canu ei gân os oedd digon o *graspa* i diclo'i donsils. Dyna oedd ein democratiaeth. Bob nos, nôl ein poteli cudd. O dan gloriau'r system garthffosiaeth oedd orau, ond roedd Organ yn cuddio pethau yn y danadl poethion fel buwch yn cuddio'i llo.

Does dim angen cwsg ar ddyn sydd wedi breuddwydio drwy noson y *filò*.

Cefais freuddwyd fy mod yn effro: Oswaldo yn tyfu coes, tyfu gwreiddiau, tyfu adenydd. Lucio byth a hefyd yn trawsnewid yn anifail. Iesu Grist yn y *fieno* eto. Finnau'n gweld Pina weithiau yng Nghymru, yn siarad Cymraeg, a dim ond weithiau y byddai hi'n fy adnabod. Roeddwn i wedi cyfaddef wrthyn nhw ei bod hi'n bodoli erbyn hynny; wn i ddim pryd yn union, ond daeth hi i mewn i'n straeon fel petai hi wedi bod yno erioed. A Rodolfo'n mynnu ei galw'n Guiseppina. Finnau'n mwynhau ei gweld hi'n byw yn ei straeon yntau am Milan a'r siopau fferins ac ym mreuddwydion Oswaldo ger y môr, ac yn nofio fel môr-forwyn, hefyd. Doedd dim angen papur newydd na radio pan oedd bywyd mor amryliw fin nos.

I ddechrau, doedd dim radio. Cawsom un o rywle. Breib … ffafr gan Robin. *Forse.* Nage, ychwaith, Mario roddodd honno at ei gilydd hefo ychydig o hud a gobaith a darn o fawn o rywle. Roedd hi'n gwneud radio grisial go lew, ond druan â fo, pwy bynnag ddaeth â'r mawn i mewn dan ei grys. Siŵr ein bod wedi perswadio Oswaldo i'w gario dan ei fogel. Roedd hi'n ddigon llaith yno i fagu pryfed genwair am wythnosau.

Rhywbeth craciog oedd y radio, a llais Italiano llawn tyllau lle dylai fod llafariad. Llais yn dod o bell. Cawsom ddigon o synnwyr ohoni un noson i ddeall fod talaith Ossola, o Gravellona i Domodossola, wedi cyhoeddi ei bod yn *repubblica* annibynnol, nid hefo'r Eidal, ond *repubblica piccolissima.* Ond wyddwn i ddim lle roedd Ossola. Felly allai neb goelio'r radio, wrth gwrs. Dim mwy na fyddem ni'n coelio'r hyn ddywedid mewn *filò.* Stori arall. Beth bynnag, doedd gennym ddim diddordeb mewn clywed am Mussolini. Malais y radio hefo Elmo un bore, ar ôl i'r lleill fynd am frecwast. *Era così.* Ond doedd neb *eisiau* clywed llais o'r ochr arall. Wnaeth neb gynnig ei thrwsio. Tarfu ar dawelwch oedd o ddiddordeb i ni, ac roedd stori'n gwneud hynny'n gymaint gwell.

Wedi iddyn nhw wneud yn siŵr nad oedd neb yn torri tyllau mewn waliau, torri llwybr er mwyn dianc, torri rheolau – mae'n rhaid fod rhywun wedi gofyn, beth am wneud yn siŵr nad ydyn nhw, hefyd, ein PoWs, wedi torri?

Iechyd oedd popeth am sbel – *caspita* – ydi dy gorff di'n dal yn un darn? Dim jest ein cyrff ond, fel pwl o wynt o rywle, bydden nhw eisiau gwybod am y pethau yn ein pennau. Trio rhoi geiriau i gymylau duon. Ac fe wnaeth rhywun clyfrach fyth i ni ysgrifennu'r atebion ar ddarnau o bapur melyn. Waeth *beth* oedden nhw eisiau i ni ysgrifennu, roedd rhoi unrhyw air mewn unrhyw iaith i lawr ar bapur yn rhy gymhleth i rai. Hanner y dynion efallai: roedden nhw wedi bod yn rhy brysur hefo'r gwyfyn sidan, y cynhaeaf, y gwinllannoedd a'r cario coed i fynd i ysgol. Mario a Rodolfo yn helpu, finnau hefyd. Prin y medrai Elmo daro'i enw ar bapur.

Dim ond Oswaldo oedd yn ddigon dewr i gyfaddef nad oedd o'n medru trin pensel o gwbl. Cafodd gyfweliad yn lle hynny: rhoi'r atebion gorau a chael y jobsys gorau i gyd. Dyna wers i ni. Cafodd adael y camp bob dydd i weithio mewn siop flodau! Torri coesau rhosod oedd y peth anoddaf wnaeth o am fisoedd. Ambell friw pitw i'w fys; dŵr oer. O! Dyna'r cwbl. A gwell na chwmni gwraig fferm – roedd gwraig y siop, ac wedyn roedd pob un wraig ddeuai drwy'r drws. Merched sy'n prynu blodau, meddai o, os oes rhywun o gwbl yn prynu blodau. Nid dynion yn prynu blodau i'w merched – nid gan amlaf. Eistedd ar ei din yn bwyta cacen grîm tu ôl i gownter wnaeth o fel carcharor, *caspita*!

)))

Roeddem ni'n well ein byd na'r criw aeth i 'Merica. Dynes y *cookhouse* – pob un ohonom mewn cariad â hi. Y llygaid dyfrgi, y gwallt fel mêl a'r smotyn ar ei boch chwith fel petai hi wedi bod yn crio siocled. Hi. *Fango! Fango Italiano!* Siaradai Eidaleg hefo llafariaid Slofeniad.

Roedd hi'n dweud Bore Da wrth bob un dyn wrth i ni fynd i mewn i'r cantîn i eistedd i lawr. Bore Da Bore Da Bore Da.

Miss Bore Da fyddem yn ei galw hi. Enw da i ferch fel hi mewn ffrog ysgafn a cheirios drosti. Unwaith, aeth hi heibio mewn ffrog bron yn dryloyw wrth adael ei shifft. Dim iwnifform. Dynes go iawn â dwy foch gron.

Rhoddais lun pensel o flodyn pys y ceirw iddi ar ei phen-blwydd. Cochodd fel y ceirios a dweud, *Blimey! Eggs and bacon* oedd enw'r blodyn hwnnw yn Saesneg. Oeddwn i'n gwybod hynny? Siŵr iawn nad oeddwn i'n gwybod hynny! Enw digon dwl ydi o hefyd, os oedd hi'n dweud y gwir.

Wedyn, roedd hi eisiau gwybod a oeddwn i'n trio rhoi neges gudd iddi? Archeb i'r gegin? Doedd dim lot o obaith, meddai. Gallwn weddïo a darlunio, ond yr unig *eggs and bacon* o gwmpas y camp fyddai'r *eggs and bacon* oedd yn tyfu'n drwch rownd ymylon y ffens yn ein cadw ni i gyd i mewn.

Y diwrnod wedyn, diolchodd am ei blodyn. Dywedodd ei bod wedi'i roi yn ei Beibl i'w gadw'n saff.

Beth bynnag, yn y *cookhouse* roedd tri *chef* arall i'w helpu – Italiani go iawn – ond ddim yn yr un iwnifform â ni. Roedden nhw'n cael gwisgo gwyn fel *chefs*. Roedd un o'r CEOs yn dod o Calabria. Fo oedd â gofal o'r gegin ar ôl Bore Da. Bwyd Eidalaidd fyddai o'n ei wneud. Ond bwyd rhyfel. Ac roedd yn rhaid i ni wneud y tro â beth bynnag oedd ar gael. Beth bynnag oedden nhw'n ei roi i ni a beth bynnag allem ni ei bigo, ei gasglu, ei ddwyn, ei gyfnewid. Dibynnu pa mor lwcus oedd Tommaso a pha mor hael oedd Robin.

Heb i ni orfod defnyddio triciau, roedd digon o gig dafad. Byddem yn eistedd mewn rhes yn llowcio stiw. Digonedd o hwnnw ar gael. Blas rhyfel. Blas injan. Roedd eidion i'w gael hefyd. A thatws. Pasta: dechreuodd y boi o Calabria wneud pasta ei hun. Blawd oedd yn broblem. Doedd dim llawer o hwnnw ar gael. Roedd digon o datws. Fe gawsom ni *gnocci* ddigon, hefo garlleg gwyllt, neu hefo dim byd ond y talpyn lleiaf o fenyn a phrin binsied o halen. Ond eto, pan fyddwch chi yn Rhufain ... Felly roedd hen ddigon o *fish 'n chips* ac roedd hwnnw'n mynd i lawr yn dda.

Yna roedd becws. Ni gododd hwnnw hefo brics sbâr ar ôl codi wal y stesion, ychydig o faw ac ychydig o nerth bôn braich.

Ond roedd *pasta con sugo* weithiau a dyna oedd bwyd go iawn – syml, ond stwff go iawn. Pasta a saws. Wfft i'w tatws nhw wedyn! Tydi bwyd cartref, oddi cartref, yn blasu'n well na dim byd erioed? Pan oeddem ni'n bwyta hwnnw, dychmygem fod Pietro hefo ni, a'i wên o glust i glust.

Pietro ddysgodd i ni beth oedd ar goel gwlad yn ei ardal o, am goginio pasta. Un *filò* cyn i ni gael ein gwahanu, dim ond adrodd ryseitiau allem ni, a'r straeon yn tarddu o'n boliau gweigion. Ei *nonna* oedd wedi'i ddysgu. Elmo wedyn oedd yn ailadrodd y rysáit fel petai'n eiddo iddo fo erbyn Camp 101.

I goginio pasta sy'n ennill cariad Nonna, rhaid – wyt ti'n barod ...? Rhaid cael –

Un dyn crintachlyd ychwanegu halen i'r dŵr.

Un dyn doeth ychwanegu'r finegr.

Un dyn hael ychwanegu'r olew.

Ac un dyn gwallgof droi'r saws – a'i droi dri deg dau o weithiau.

Digon *pazzo* oeddem ni hefyd, bob un. *Qualificati* i wneud y troi, *proprio pazzi*. Ni a nhw'r Cymry mor wallgof â'n gilydd yn y camp, hefo'n gilydd, glaw neu hindda, mewn cae yn rhywle. Ac yn sicr yn *pazzi* llwyr am rywbeth i lenwi bol.

Byddai Elmo'n adrodd y pedair rheol fel dyn ar long, dyn ar y *Maloja*, yn siglo. Gofyn caniatâd i anghytuno wnaeth Rino, dyn dŵad i'n *filò* ni. Cam-draddodiad oedd gan Elmo, meddai. Dyna sy'n digwydd i stori dros amser, ond roedd o eisiau cynnig y stori gywir, y rysáit gywir. Ddeuai dim da o ryseitiau anghywir. Felly, fel hyn yr aeth hi.

Rheolau i wneud salsa i salad oedd y traddodiad i ddechrau, meddai. Ac fel hyn oedd y rysáit i fod – roedd angen:

Un dyn doeth i ychwanegu halen.

Un dyn crintachlyd i ychwanegu'r finegr.

Un dyn hael i ychwanegu'r olew olewydd.

Ac un dyn amyneddgar i droi'r saws i mewn i'r salad – a'i droi, nid dri deg dau o weithiau ond tri deg pedwar!

Mario oedd y dyn ffigyrau yn ein mysg. Mae popeth yn y ddau droad ychwanegol yna, meddai – dyna'r gwahaniaeth rhwng amynedd a gwallgofrwydd i chi. Dau dro garddwrn.

Chwarddodd Elmo ddigon i ddisgyn o'i wely. Chwarddodd Rino ar ôl gweld hynny.

Caiff Miss Bore Da droi'r pasta cymaint neu gyn lleied

ag y mae hi'n ffansi, meddai rhywun. Ond nid hi oedd yr un
â chyfrifoldeb am y pasta. Roedd digon o Italiani i wneud
hynny. Pethau fel cacennau cri fyddai'n dod ganddi hi. Pethau
da. Fyddem ni byth yn anghofio'r rheiny. Miss Bore Da yn
dysgu'r tri yn y *cookhouse* a ninnau'n cael un yr un. Dim
ond un! Ac wedyn, byddai ambell ŵyl yn dod yn ei thro,
a rhywun yn nôl ei rholbren a chychwyn ar y bara. Roedd
blawd i bethau sbesial. Bara dydd gŵyl. Pasta go iawn, fel
adref. Ond fyddem ni ddim yn meddwl heibio'n boliau am
'adref'. *Basta*. Dweud straeon, a phawb bellach yn gyfarwydd
â'r hen ddyn, Nonno Oswaldo, a'r stori am ei fysedd tew, yn
medru coginio dim ond un peth yn y gegin. Dod adref â datys
y môr pan oedd neb yno i ysbïo. Gweiddi enwau'r teulu oll,
o'r sgwâr heulog i'r gegin oer, ei lais yn cario i fyny'r grisiau:
Francesca, cara, yn gyntaf bob tro. Yna, *Luca, Leonardo,
Eleanora, Alba, Oswaldo?* Ac os nad oedd neb yno, estyn
sosban ei fam ers talwm. Paratoi'r datys mewn cawl hefo sudd
tomatos, crystiau ddoe wedi'u rhwbio â garlleg. Hanner awr
yn unig o'r môr i'r bowlen. Symud y lliain bwrdd o'r ffordd i
osod lle i un; bwyta gan edmygu ymyl *crochet* hwnnw. Llaw
ei ferch, llaw Francesca, Mamma Oswaldo, y person cyntaf y
byddai'n chwilio amdani yn y tŷ, er na fyddai hi yno i geryddu
ei damaid rhwng pryd. Felly mae rhai dynion – yn arbennig
dynion da. Os colli plentyn, gwrthod eu gollwng. A byddem
bob un yn adnabod ei bryd bwyd, er nad oeddem ni, y rhan
fwyaf ohonom, wedi blasu datys na galar am blentyn. Yna
byddai stori am *baccala*. Byddai stori am *risi e bisi*. Byddai
asparagi cynta'r tymor hefo wy ffres. A boliau pawb yn dweud
alfine, bwyd go iawn!

Roedd ein crwyn yn frychni fel cyrins eu cacenni cri nhw
dan haul Cymru. Ein piso ni'n Gymreig. Eu 'O Dad, yn deulu
…' yn eistedd o dan ein tafodau mor gyfforddus â *mangia
bene, caca bene*. Eu geiriau nhw'n newid siâp ein gwefusau.
Ylwch arnom ni, yn defnyddio cyhyrau ein laryncs am y tro
cynta: ch, ch, chwistlan. Cerrig mân yn clystyru'r tu ôl i'n

dannedd. Cyrins yn rhoi wlseri ar dafodau. Tannau newydd tu mewn i ni.

Uwd, araf, danadl poethion, ffos, Rhosllannerchrugog.

(((

Ar ôl adeiladu becws, penderfynom wneud y camp gorau ar wyneb yr ynys fawr, Brydeinig. A dyna wnaethom ni. Roedd un Cymro yn hoffi *narcissus*. Fo oedd yn gofalu am y lorris gwaith, amserlenni gwaith, pethau fel'na. Ond dyn â man gwan am flodau melyn oedd o.

Meddai un ohonom ni,

Dos i nôl y bylbiau ac fe rown ni fwy o *narcissi* i ti na welaist ti erioed.

Doedd yr oerfel ddim wedi dod eto. Ac fe gawsom ni lwyth o fylbiau am ychydig o jin a siocled a chwe chwningen.

Ble fyddwn ni erbyn i'r rhain ddod allan? dywedais, a neb yn gwrando.

Ac fe ddaeth y *narcissi*. Doeddem ni ddim yno erbyn hynny, wrth gwrs. Ddim adref, a ddim yn y camp. Wedi mynd gam ymhellach. Ond y mis Mawrth canlynol, yn ôl y sôn, roedd *civilians* yn dod i gael pip ar y camp. Parêd o bobl yn pwyntio.

Gadewch iddyn nhw chwarae hefo'u rhyfel. Ylwch arnom ni. Rydym ni wedi cyrraedd, *Italiani* sy'n gwneud i'ch blodyn cenedlaethol dyfu o'r tir. *Siami qui*.

(((

Roedd ambell un ohonom yn fachgen drwg hefyd.

Dysgom hynny gan bwten o ferch oedd bob amser yn gwisgo trowser cwta'i brawd. Gwyliai hi ni'n chwarae ffwtbol. Gwyliai hi ni'n chwarae gwyddbwyll. Gwyliai hefyd pan nad oeddem yn gwneud dim byd ond cicio'n sodlau a gweiddi ei geiriau yn ôl ati. Chwarddodd nes bron disgyn o'r wal.

Byddai hi byth a hefyd yn pigo blodau neu chwyn ar ei hochr hi, ac yn eu dangos o'i lle uchel. Hi ddysgodd i mi ddweud:

O Dadyndeulu dedwydd, ydeuwnadiolchor newydd, cansothlaw ydawbobdydd, ynlluniaethan llawenydd.

Dyna pam.

Un dau tri pedwar pump.

Beth arall, d'wed?

Gwylia'r danadl poethion.

Haf oedd ei henw. Roeddwn yn ei charu. Penderfynais wrth ei gwylio fy mod wedi tyfu, wedi newid, rywbryd heb sylwi, bod y rhyfel wedi fy nghymryd fel bachgen ond yn sydyn, o flaen y Gymraes bach gyrliog yna, meddwl oeddwn i – braf fyddai bod yn dad un dydd. Mor amhosib y teimlai hynny ar y pryd. Felly roeddwn yn caru Haf, y ferch a garai'r garreg anwes yn ei phoced. Pan fyddem ni'n cael ein galw i wneud rhywbeth a hithau ar ei phen ei hun eto, byddai'n estyn ei charreg allan, ei throi a'i hesmwytho ac yn sgwrsio. Roedd hi'n garreg wahanol i'r rhai o gwmpas y patsys lle buom ni, yn wahanol i'r wal lle'r eisteddai. Doedd dim cen arni, er mor dlws oedd hwnnw. Roedd ei lliw yn las fel ei llygaid, a streipen wen yn ei thorri yn ei hanner fel petai Duw wedi bod wrth ei bethau'r diwrnod hwnnw. *Santa Maria*, fe wyddai Haf sut i drysori pethau tlws. Ffitiai'r garreg yn ei llaw fel dwrn plentyn i dad.

Yr unig broblem, i ddechrau, rhaid dweud, oedd ei mam. Byddai'n codi Haf a'i rhoi o dan ei chesail bob tro y gwelai hi'n eistedd ar ei wal ac yn llygadu'r carcharorion. Dynes fel mop – tenau, rhy denau, a'i gwallt fel gwallt ei merch.

Dyna sut fyddai'r rhan fwyaf o'r dyddiau: ni'n gwylio'r Cymry a'r Cymry'n ein gwylio ni. Ond fe gawsom gaws o un fferm a'i roi i mam Haf un diwrnod. Roedd popeth yn iawn ar ôl hynny. Tommaso oedd wedi smyglo hwnnw, mae'n rhaid. Wastad Tommaso.

Beth mae carcharorion i fod i'w wneud? Dengyd? Ie, *forse*. Ha! Ond doedd dim dengyd. I beth fyddem ni wedi gwneud peth felly, a'r byd mor agos i baradwys fel roedd hi? Ond eto, roedd ambell un *pazzo*.

Roedd rhai wedi colli'u pennau. Dwi'n cofio un Italiano, un tro, *pecato*. Wyddem ni ddim byd am ei stori i ddechrau. Un tawedog oedd o. Gwyddem fod ganddo wraig, fod ganddo ardd a bod hynny'n ei boeni. Sut oedd y ffa? Sut oedd y nionod? Ond dyna'r cwbl. Tyfodd nionod tu ôl i'n *Nissen hut* ni.

Ond pam oedd o eisiau dengyd? Wel, roedd ei wraig, yn ôl adref, wedi cysgu hefo 'Merican. Roedd newyddion yn ein cyrraedd weithiau. A phan ddigwyddai hynny, dim ond stori oedd adref i'r rhan fwyaf ohonom. Byd nad oedd go iawn. Ond am yr un dyn yma, a glywodd am ei wraig mewn gwely hefo 'Merican. Yn ei wely o, mwy na thebyg. Roedd hynny'n fyw iawn iddo. Hyd yn oed os oedd yna ddwy fil o filltiroedd rhwng y ddau. Wedi hynny, roedd o'n PoW enwog a phawb yn gwybod amdano. Tawedog ai peidio.

Sut wyt ti am fynd yn ôl? Rwyt ti ar ynys. Cofio?

Ond roedd hwn wedi anghofio sut i gyfri i *uno, due, tre* heb sôn am ...

Mae'r darn byrraf o'r Sianel yn saith milltir ar hugain a'i lond o slefrod môr. Wyt ti'n medru nofio?

Na. Na. Heb gyfrif. Rhwng Dover a Calais, *stupido*. Saith milltir ar hugain. Felly roedd rhywun yn siŵr o ddal y boi, neu ...

O leiaf chafodd o ddim carchar. Roedd hynny'n bosib, *sai*: ein rhoi mewn carchar o fewn y carchar. Unwaith mae rhywun yn meddwl ei fod yn y canol, mae 'na le dyfnach.

Rhowch slap dda i'w glustiau o – dyna ddwedom ni. Nes bod ganddo glustiau fel bresych, ond dewch â fo'n ôl atom ni. Jest dewch â fo'n ôl. Mi fydd yn iawn wedyn.

Ond roedd hi'n rhy hwyr. Cyn ei ffeindio, chwerthin wnaethom i gyd yn y *Nissen hut*. Chwerthin a chwerthin gan fod pawb yn gwybod fod ei wraig wedi mynd hefo 'Merican. Chwerthin heb *graspa*. Chwerthin nes i filwr ddod rownd a dweud wrthom ni am roi clep arni, fod gwaith fory.

Iawn, syr. A chwerthin fwy fyth.

((§

Dyma beth oedd un o'u syniadau nhw: ein cadw'n ddigon prysur rhag ofn i ni wneud pethau dwl fel y boi hwnnw. Gadael y camp, dod yn ôl i'r camp. Roedd gwaith. Pa waith …?

Drainage

Codi wal gorsaf Llangollen

Codi ffos

Aeth criw ohonom i'r *calaboose* am wrthod garddio yn y glaw un tro. Rhyw sarjant o'r Alban yn hoffi rhegi a sychu ei drwyn a rhoi gorchymyn i ni chwynnu mewn trochfa. Bore wedyn, ciwed o swyddogion yn mynd â ni o'r camp mewn jîp.

Come on in, Prisoner 159042, oedd hi, fesul un, ond chawsom ni ddim dweud llawer o ddim. Gwrando. Mynd i'r *calaboose. Sempre cosi.*

Hydref rywdro daeth dyn i'r camp a gweiddi,

Pwy sydd eisiau gwirfoddoli i fynd i weithio ac aros ar fferm?

Dyna'r cwbl ddywedwyd. A'r ychydig eiriau hynny'n golygu fod y gelynion yn ffrindiau a'r ffrindiau'n gymdogion. Roedd yn rhaid i ni gasáu'r Almaenwyr yn lle hynny. Os oeddem yn dewis dilyn cyfarwyddiadau, wrth gwrs: doedd pawb ddim.

Roedd digon o ddadlau wedi bod mewn ambell *Nissen hut*. Cedwais yn ddigon pell. Roedd ambell un wedi'i eni â chrys du'r *fascisti* ar ei gefn. Rydym yn dweud fod genedigaeth hefo crys ar ei gefn yn lwcus: y sach amniotig, honno, fel crys – peth anghyffredin, hudolus, os ydi babi'n dod allan hefo honno'n dal amdano – lwcus am oes. Ond crys *du* oedd ar y rhain, *nero come il corvo,* fel y frân, *nero, nero,* o'r diwrnod cyntaf un. Pob gair o'u genau'n damnio'r sêr ar siwtiau byddin y brenin, y Regio Esercito. A theuluoedd cyfan ddim yn gwybod beth i'w fwyta yn yr Eidal ers dechrau'r rhyfel. Doedd gen i ddim amynedd clywed eu traethu nhw. Mae pen draw i bob stori, mae pen draw i bob amynedd. *Alora, per fortuna,* daeth y cwestiwn syml yna: pwy oedd eisiau gweithio hefo'r gelynion, byw hefo nhw, bwyta o dan yr un to â nhw? Y Cymry? *Andiamo,* meddem ni. Ychydig llai na hanner y camp wnaeth wirfoddoli, a phenderfynu mynd wnes i, Tommaso, Elmo, Mario, Beppi, Organ, ac Oswaldo. Daeth Lucio wedyn hefyd, ar ôl oedi. Roeddem wedi colli Rodolfo yn y *caos* ond roedd gobaith, siawns, iddo fo hefyd, meddem ni, yn y jîp. Roedd hynny'n golygu gadael y crysau duon a'r siarad *fascista.* Ond cawsom ein gwahanu, eto.

Bradwyr oeddem ni i rai. Petai Mussolini wedi ennill, byddem wedi cael twll bwled yn ein pennau yn ogystal â cheg i ddweud straeon ar ôl mynd yn ôl.

Co-operators.
Bradychwyr.
Grŵp dethol.

(((

Hydref 1943 oedd hi. Doeddem ddim yn elynion, nac yn garcharorion, ond yn Gymry o fath, yn *Churchill's Helpers,* meddai rhai. Fel helpars i *Babbo Natale.* Yn rhydd i fynd allan o'r camp ar ein pennau ein hunain, ond dim ond mewn cylch o bum milltir. A beics! Gwneud hynny ar ein beics newydd! Gwneud hynny ar dractor fferm hefyd, ac ar y ffordd i bawb gael gweld – ylwch arnom ni wrth y llyw ar dractor! Gwneud hynny yn ein hiwnifforms newydd – dim clytiau gwirion coch arnyn nhw. Gwneud hynny a mynd i'r pentrefi a chael gwario ein harian, prynu unrhyw beth. Yn hytrach na phapur plant i'w wario yn y camp, cawsom ni chwe swllt yr wythnos a dwbl hynny o sigaréts o'r Wafi. Naw swllt, os oeddem yn fechgyn da – mewn *sterling*. Prynais ddol i Haf.

Cawsom hawl i siarad hefo pobl yn y stryd, pobl mewn siop, agor ein cegau i ddechrau sgwrs hefo pobl heblaw'r staff a ffermwyr a ffariars. Cael mynd i'r Post a chael anfon dau lythyr *airmail* y mis i Allied Occupied Italy, ac roedd fan'no erbyn hynny fel petai'n bodoli, er yn bell, bell. Cael mynd i sinema ond nid i dafarn, oni bai fod neb yn ein gweld, ac wedyn roeddem ni'n gallu gwneud hynny hefyd. Cael dal bws – cyn belled â'n bod ni ddim yn cyrraedd tennyn pum milltir. Ac os oedd y Cymry'n dweud,

Tyrd am baned,

Ddoi di i mewn,

Neu'n agor y drws, gallem ninnau ddweud,

Sì, grazie.

Felly, nid oeddem yn garcharorion. Ddim go iawn. Sut allem fod? Os oeddem ni'n rhannu'r un gelyn? *Collaborators* neu *non-collaborators* oeddem ni wedyn. Ond doedden nhw ddim yn gwybod beth i'w wneud hefo ni, dyna'r gwir. PoWs oeddem iddyn nhw o hyd.

Gwelsom fod pawb, wedi'r cwbl, mor ddwl â deilen seleri. Mussolini a ninnau a phawb *in-between*. Roedd yr Eidal yn dal mewn twll, er gwell ac er gwaeth, a ninnau'n dal i garthu baw defaid a thail gwartheg. Roedd cachu 'run peth ar y ddwy ochr.

Ond, cyn gynted ag y clywom ni'r newyddion gan Bardello, aethom i gyd fel *viperi* o frown i wyrdd. Iwnifforms newydd, croen newydd, calon newydd. Ni: hefo'r Prydeinwyr.

Baner yr Eidal ar yr iwnifform o hyd, ond dim patsys coch.

Allwch chi ddim printio *Free Italian* arna i? gofynnais.

Daeth Beppino â phapur newydd o'i fferm i *filò*.

Roedd hyd yn oed y bobl leol yn cael eu cosbi fel carcharorion. Mae'n gwneud i rywun feddwl beth ydi rhyddid o dan unrhyw lywodraeth ac unrhyw frenhiniaeth. Roedd dirwyon, a hynny am beth oedd y papur yn ei alw'n 'Acts of Kindness'. Cafodd dynes ddirwy o chwe swllt am helpu PoW; lleian o Landrillo yn cael dirwy am wastraffu crystiau; dirwyon am dorri'r rheolau newydd yn lle'r hen rai hefyd. Roedd y No Frat yn dal i fod tan '46, ond os oedd drws rhyw aelwyd yn agored, roedd *fraternization* hefyd a phawb yn gwybod hynny.

Esboniodd Padre'r camp ystyr hynny, fel petaem ni i fod i ddeall pob gair o Ladin. Ein hiaith 'ni', gwneud *frater* o bobl – brawd. Roedd hynny'n rhy hwyr erbyn iddyn nhw feddwl gwneud rheol am y peth. Y Cymry oedd ein brodyr.

Cawsom ein dewis fel lloi pasgedig yr hydref hwnnw: un PoW i'r fferm yma, y llall i'r nesaf.

Pwy sydd eisiau gwirfoddoli? Wel, roedd o'n rhywbeth i'w wneud. Gwyddai pawb fod Eidalwyr o'r gogledd yn weithwyr da. Pobl leol wedi bod yn clebran,

Fo yn fan'cw – bachgen da – GWD BOY FOR WORK.

Roeddem ni'n ffermwyr da. Gweithwyr da. Dynion da. Ac er i ni gael ein gwahanu, yr unig beth pwysig oedd chwarae gemau er mwyn gwneud yn siŵr ein bod yn cael dychwelyd i'r camp ar brydiau. Roedd *Messa* ar y Sul. Roedd *filò* bach ar y slei.

Doedd dim pen draw i'r siarad Ni a Nhw:

> yr *allies* a'r *enemies*;
> ymysg yr *allies*, y Cymry a'r Eidalwyr;
> ymysg yr Eidalwyr, y *co-ops* a'r *non co-ops*;
> ymysg y *co-ops*, y gweithwyr da a'r drwg, y *dialetti*, y rhai del a'r rhai oedd yn saff eu gadael hefo merch y tŷ …

Ac felly y byddai pethau'n mynd, hollti blew, byth yn cyrraedd cnewyllyn. Methu deall pwy wir oedd 'Ni'. Efallai nad oedd yna 'Ni', dim ond 'Fi'. *Aye – forse*.

Dylem fod wedi meddwl. Roedd ambell un yn ein mysg yn gyndyn o fynd allan i weithio, i gonsortio hefo'u math nhw – y Cymry, y Saeson. Nid am eu bod yn ddiog. Doedd Rodolfo, er enghraifft, ddim yn fachgen diog. *Delicato* ond nid diog. Roedd o, dybiwn i, fel ambell un arall, ar ochr arall y ffens. Allan mewn gangs yn glanhau toiledau oedd o, *forse*.

Lot o wynebau tomatos. A neb yn cwyno'n uchel. Malu awyr. Sibrwd. Chwerthin fel mulod.

(((

Camp, fferm, camp, fferm. Yn ôl a blaen. *Una cosa tira l'altra*. Yn y croesi ffin rhwng teuluoedd lleol ac Eidalwyr oddi cartref, treiglodd ambell air.

Doedd y Cymry ddim callach beth oedd *contadin*. Rhoddom oslef Eidaleg i'w gair Cymraeg, felly – *fferm* oedden nhw'n ei ddweud. Trodd *fferm* yn *ferma* – rhywbeth oedd yn perthyn i ni i gyd. Ambell *ferma* yn lle da, ambell *ferma* arall yn ein gwneud ni'n falch o fynd yn ôl i'r camp i weld ffrindiau ar y Sul. Y gorau o ddau fyd.

Roeddwn i wedi cael reiffl yn y camp. A dyna lle roeddwn i, erbyn y gwanwyn: carcharor yn cerdded o gwmpas hefo gwn. Dim ond i saethu'r adar yr oedd y reiffl, *magari*, gan fod y rheiny'n bwyta eirin. Byddwn i'n gadael i ddigon o adar ymgynnull fel eu *filò* eu hunain ar ganghennau. Digon i mi gael gwneud *spiedo* wedyn – un aderyn ar ôl y llall wedi'i rostio, wyneb yn nhin, wyneb yn nhin ar sgiwar uwchben tân. Byddai'r plu'n llosgi'n ulw ymhen dim a'r adar blasus yn rhibidirês. Adar duon, drudwy, bronfraith. Prydferth. Ond roedd y berllan hefyd mor dlws; felly, doedd dim i'w wneud ond Bang! Fi, carcharor a reiffl! A byddai unrhyw un welai fi'n dweud,

A! Ta waeth, Guido ydi o. Rydym yn ei adnabod *o*, mae *o*'n iawn. Popeth *a posto*.

Rhannu'r eirin hefo pawb wedyn. Rhannu'r *spiedo* hefyd. *Proprio a posto*.

Dim ond un waith doedd bwyta adar mân ddim *a posto*. Cyrraedd *ferma* o'r enw Nant Rhiannon. Dim reiffl i'w gael yn fan'no. Es i ati i fyw fel petawn i adref, er nad oeddwn i adref. A nhwythau'n fy ngweld i'n od. Bwyta danadl poethion, bwyta malwod, bwyta adar mân. Doedden *nhw* ddim yn gwneud hynny, er y rhyfel, er eu bod yn dda. Ac roeddwn i wedi mynd ati i wneud trap. *Proprio normale*. Defnyddio drws y beudy wedi'i dynnu oddi ar ei golyn. Ar ôl gwasgaru hadau'r ieir hyd yr iard, gosod y drws wedyn hefo un pen ar ddarn o bren neu garreg neu rywbeth, ryw droedfedd uwchben y ddaear. Ac aros. Doedd y Cymry ddim yn rhai da am aros. Lucio a finnau oedd y gorau ymysg y PoWs – ac yntau hefyd â hoffter o adar, yn arbennig mewn cae gwair. Dychmygu fy hun fel crëyr glas fyddwn i'n ei wneud wedyn, aros, *'spettare 'spettare* sydd ei angen. Dyna'r cwbl. Crëyr: dim clem ei fod yn amyneddgar gan ei fod o felly o hyd. Ei draed yn y dŵr, ysgwyd ei fodiau *forse*, yn meddwl am y cyrff bach blasus yna'n ymgynnull i fwydo. Fy nghorff i a chorff y crëyr – yr un peth, *proprio*. A wham! Dymchwel y darn pren oedd yn dal y drws i fyny. Gadael iddo glepian i'r llawr. A dyna lle roedden nhw o dan slaffar o ddrws: llond sosban o adar. Wedi'u fflatio braidd, ond wedi marw mewn fflach. Eu hesgyrn gweigion yn feddal fel pannas ifanc. Da mewn potes. Gair Cymraeg, potes. Gair da. Ond Cymreig oedd yr adar hefyd, hyd yn oed os nad oedd y Cymry'n arfer coginio'r pethau oedd dan eu trwynau.

Roedden nhw'n chwilio am yr un rhinweddau ynom ni ag yr oeddem ni'n chwilio amdanynt mewn adar mân. Ysgafnder ysbryd. Gwên. Cân neu stori. *A posto*. Nhw oedd pia ni. Ni oedd yn gwneud y potes gorau yn eu caeau nhw.

Dal i weithio wnaethom, newid ochrau yn y rhyfel neu beidio.

Rheilffyrdd

Coedwigoedd

Ond fyddai yna ddim llawer o waith mewn coedwigoedd. Roedden nhw'n meddwl fod coed yn rhy beryg i 'Talians. Coed ar hyd y lle ym mhobman a ninnau ddim yn cael trin na dringo dim un ohonyn nhw. 'Dim ffiars', dyna oedden nhw'n ei ddweud.

Dim *fierce*?

Coed *feroce*?

Wir.

Chwerthin nes bod ein boliau ni'n brifo.

Coed peryg – meddwl am y coed fel creaduriaid a blas am waed Eidalaidd. Dweud straeon tan berfeddion nos am dderi yn cau eu genau am y rhai iau. Dychryn Elmo a gwneud iddo adrodd ei dablau fel carreg ateb i Mario. Ar ôl blynyddoedd o *filò*, roedd ffin wedi'i walpio rhwng ffaith a *fabula*, ac ar ôl deg o'r gloch, yng ngolau cam nosweithiau Cymru, hawdd oedd coelio'r ddwy. Fi oedd y bai am stori'r coed yn cerdded. Y coed yn camu dros foroedd, a'u gwreiddiau'n nyddu i wneud cwch. Tyllau tylluanod yn gegau fel Orpheus yn cega, yn storïo, yn rhegi dynion mewn siwtiau. Draenen wen yn mynychu priodasau i ddarparu conffeti. Cerddinen yn gwneud ei gwin ei hun, a jam hefyd. Derwen yn adrodd barddoniaeth. Pinwydd yn llyncu plant, a dyna pam nad ydi adar mân i'w gweld yn eu canghennau – roedd blas drudwy a bachgen dwyflwydd yn debyg. Masarnen yn mudo o wlad i wlad – hadau'n glynu wrth bennau gwalltog pobl sy'n croesi ffiniau, yn plygu gwreiddiau a changhennau i greu cychod, yn defnyddio gwreiddiau hyd yn oed fel coesau ac yn camu dros y moroedd. Onnen yn dangos i ni i gyd sut i fyw – ei brigau'n troi at y nefoedd, bob un. Plesiodd hynny Tommaso, ond nid Elmo. Cododd hynny ofn arno nes bod ei fochau'n ddu o rwbio'i lygaid yn y llwydwyll. Babi Mam, meddem ni i gyd wrtho, Mamoni, tithe hefyd, Mamoni ni. Taerai Oswaldo mai coeden *oedd o* mewn gwirionedd, ac y byddai ei goes yn dod yn ôl fel cangen. Fe welwch chi, meddai, fe welwch chi.

Yn y Convenzioni di Ginevra roedd rheol, mae'n debyg: PoWs ddim yn cael cwympo coed mawr. Roedd damweiniau wedi bod, a choed wedi byrstio boliau bechgyn oedd ddim wir yn perthyn i'r wlad, byrstio'u boliau a chwalu eu pennau yn erbyn clogwyni. Duw a ŵyr pam oedd o bwys iddyn nhw, os oeddem ni'n fyw neu'n farw, cyn belled â bod coed yn cael eu cwympo. Roedd eu bois nhw eu hunain yn llai annwyl iddyn nhw, yn amlwg. Welsom ni un boi bach deunaw oed, oedd wedi bod yn rhy dwlali i fynd i ryfela, yn dringo pinwydd fel mwnci. Dim rhaff na dim. Roedd o i fod i dorri'i brig hi'n gyntaf, a'r bòs i lawr yn y gwaelod yn torri'r brigau mân a pharatoi i hollti wejen allan i'w chwympo'n ddiogel. Ond cyn i'r bòs orffen hefo'r brigau mân, roedd y canghennau ucha'n grwgnach ac yn cracio, a'r bachgen yna'n disgyn drwyddyn nhw hefo'i ben yn gyntaf a'i freichiau'n troi fel melin. Ychydig eiliadau gymerodd o. Torrodd ei gefn, ynghyd â phethau eraill, ond ei gefn oedd y drwg. Gwelais o ryw dro wedyn, ar fainc a glafoer i lawr ei ên.

Fyddem ni byth yn deall ond eto'n fodlon derbyn y rheol. *D'accordo.* Dim dringo coed i ni.

Daeth pob un ohonom i'n lle – ymgartrefu, canfod ein *casa* personol. Dim centiwria, dim gard, dim byd, bron. Doedd dim eisiau *preocup... preocup...* poeni – allen nhw ddim fod wedi'n saethu ni beth bynnag; doedd dim bwledi yn eu gynnau'r rhan fwyaf o'r amser! Doedd dim arian i hynny. Dim bwledi. Dynion da. Weithiau, gallem anghofio mai carchar oedd y lle i fod.

Roedd cyflog. Ond chawsom ni ddim gweld llawer ohono, ddim go iawn. Ond roedd o yno, yn rhywle, yn cael ei gynilo ar ein rhan ni fel plant bach. Roedd o'n mynd yn syth i ryw fanc, system gynilo. Siŵr eu bod nhw'n prynu gynnau hefo fo y tu ôl i'n cefnau. I ddechrau, roedd o'n dod mewn *lira* – fel petai hwnnw o iws, wedyn mewn punnoedd ac fe gawsom ni ychydig fel pres poced. Siocled oedd hi wedyn, a neilons a chaws weithiau.

Ar ôl gweithio ryw ychydig bach ar reilffyrdd, mewn coedwigoedd, ar *ferma* o'r enw Cefn-y-meirch, Ty'n Coed, lle arall hefo'r Dderwen yn ei enw ac yn ei ardd, dyma weithio yn Nant Rhiannon, a dim ond Nant Rhiannon i mi. Canfod ffrindiau wrth edrych i lygaid estroniaid. Eu dwyn nhw i mewn i'r straeon *filò* pan gefais gyfle i fynd yn ôl i'r camp. Ambell dro, roedd un neu ddau o'n criw ni yno yr un pryd a byddem yn dod at ein gilydd drwy osod carreg wen yr un o dan ffens Haf. Cwrdd yno cyn 'Last Post', os oeddem mewn *Nissen hut* gwahanol. Dechreuodd Haf hefyd ddeall ein system, hithau'n tyfu, ond yn dal i garu'r garreg yn ei phoced. Ei chwrls yn llacach ac yn hirach, ei hwyneb yn fwy caregog ond yn annwyl.

Bachgen Drwg, fyddai ei llais yn dweud drwy'r ffens.

Bachgen Drwg, fyddem yn ei alw yn ôl ati, hefo llaw neu salíwt neu winc.

〰

Cyrhaeddom ein *ferma* fel cyrraedd ynys. Fe'n gadawyd dri chan llath o'r drws ffrynt, neu ar ben y ffordd, a rhywun yn dweud,

Dos – gan wybod mai ni oedd nesaf. Gwaedd,

Nant Rhiannon, Huws family, Fontana, 159042!

Roedd y ffermydd yn debyg iawn i'w gilydd. Y tymhorau oedd yn newid, a'r cymeriadau wrth gwrs. Yn gyntaf, gwraig neu ferch yn dweud llond ceg o nonsens a Bòs, Bòs, rhywbeth rhywbeth a Bòs. Deall fod o – y Bòs – yn bwysig ac yn air ddigon handi i'w ddysgu.

Cawsom welingtons.

Buom yn cyfathrebu drwy arwyddion dwylo.

Gweithiom fel ffyliaid. Doedd dim syniad gennym pam.

Wedi meddwl, aeth neb ati i'n gorfodi i weithio. Ein bai ni oedd gwneud hynny, neu ein dewis. Rhywbeth i gymryd lle sgwrs. Roeddem ar lwgu o hyd, ond roedden nhw'n ddigon hael hefo bwyd gan amlaf. A phan gawsom ni fwyd, roedd gan rai ohonom ofn cnoi'n rhy swnllyd a chael ein hanfon o'no. Buan y daethom dros hynny hefyd.

Ferma Nant Rhiannon oedd y *ferma* a ofynnai amdanaf amlaf; gofyn am Beppe hefyd pan oedd y gwaith yn drwm. Y noson gyntaf – mewn gwely arall, eto fyth. O wely i wely, *una cosa tira l'altra*; roedd bywyd fel pigo ffordd dros afon heb wlychu. Daliais fy mol a'u bwyd nhw ynddo, aer oer ar fy mhen-lin tu hwnt i'r cwilt. Gwlâu culion oedd gwlâu benthyg, a gwrthbannau culach fyth. Nid matras *palliasse* blew ceffyl, fel y camp, oedd ar ffermydd. Cwsg dynion rhydd oedd brethyn a chotwm. O'r lle y gorweddwn i, roedd yr aer yn llac. Y noson cynt, roedd Lucio mewn bync lathen o'm trwyn, a'r noson honno teimlais golled bod mewn lle cyfyng. A phob un ohonom, o bell, yn rhannu'r un teimlad, am wn i. Roedd gofod. Ac wedyn roedd golau o'r gorllewin. A chwyrnu hefyd o'r gwely arall lle cysgai Trebor, y gwas fferm. Chwyrnwyr oedd y Cymry, yn arbennig ar ôl cwrw – yfflon o sŵn. Pa syndod fod y gweision fferm yn ddibriod!

Pa air neu eiriau bynnag roedden nhw wedi'u dweud wrthom ni yn ystod y dydd, byddwn i'n eu hailadrodd wrth fethu cysgu. Eu *dialetto* nhw'n dalismonau yn y tywyllwch.

Y noson gyntaf yn Nant Rhiannon allwn i ddim cysgu. *Preoccupato,* dyna'r drafferth, *proprio.* Ni allwn gofio lle rhoddodd y Bòs fy mhac. Fi oedd pia fo. Lle roedd o? Yn y gegin, y parlwr, y cwt dan staer? Dyna sy'n digwydd pan mae mwy o le ar gael – mae dyn yn ei lenwi ac yn colli pethau. I ddechrau, allwn i ddim darllen eu hwynebau nhw ddigon i wybod a ddylwn i roi fy mhac i lawr. Wedyn, ble oedd yn addas? Ac wedi'i roi o i lawr, panig. Ond doedd dim byd o werth ynddo fo. *Niente di prezioso.* Ond *niente* fi. *Lira* amhosib ei wario; braslun oeddwn i wedi'i wneud o Pina, ond roedd ei llygaid a'i dwylo'n rhy fawr ynddo; ffotograff o ferch arall oedd yn bwysig i ryw foi arall a finnau wedi'i hachub hi; Brylcreem; hances goch … Lle roedd y pac? Feiddiwn i ddim mynd i chwilio amdano. Ac wedyn roedd eu bwyd nhw'n casglu'n gwmwl o bryfed genwair yn fy mol.

Dylwn i fod wedi arfer mynd o le i le, o gamp i gamp, ond roedd teulu – rhywbeth *precioso* – yn fy nghadw'n effro, er y gwely, y cysur. Efallai y baswn i wedi cysgu'n well ar fy nhraed fel tylluan wedi'r cwbl. Y byd yn aildrefnu ei hun i greu stori ddel yn aros amdana i'r diwrnod wedyn a finnau fel *bambino* cyn dyfodiad San Nicolò. Dyna oedd Cymru i ni, gwlad *santo dei regali*. Ni – y *bambini*. A *regali* rif y gwlith – anrhegion i'w cael bob bore fel gwên gwraig uwchben sosban uwd, fel welingtons yn ffitio, fel haul bore bach ar farrug, fel te yn fy mol wrth i ni gerdded dros eu caeau nhw. Fel Cymraes yn dweud gair cyfrin, gair tu hwnt i'w byd hi – *Bondì* yn Solighese. A gwenu fel petai gair hud ganddi. Nid Bore Da. Nid Buongiorno. Nid Ciao. Nid Salve. *Bondì,* fel bore yn Pieve, fel merch o 'myd i, fel adre. *Bondì* i ddechrau'r dydd.

Felly ffeindiais rywbeth arall i boeni amdano: beth petaen nhw'n fy nghael i'n amherffaith rywsut? Doeddwn i ddim yn *proprio proprio* holliach. Ac nid bachgen bron-yn-holliach oedden nhw wedi'i archebu, dybiwn i. Ar hyd fy mol, fel map gwlad ffuglennol, roedd marciau rhyw bla.

Meddyliais am Beppino yn fy nghyhuddo o fod yn waeth na *stupido*.

'Di'r tipyn doctor yna'n gwybod dim byd. Sut all dyn o dy faint di gael salwch dyn tew, d'wed wrtha i?

Non lo so.

Neu salwch plant. Faint ydi dy oed di, *dimmi*? Wel, efallai bo' ti mor denau â ffon gerdded, ond dwyt ti ddim yn blentyn mwyach, Fontana. Mae'r rhyfel wedi cnocio hynny allan ohonot ti, ha! Ac mi weles i ti'n edrych ar Miss Bore Da.

Mi welest ti'r blodau yma ar fy mol i, Beppi. Yli! Yli!

Roedd y marciau wedi bod yno ers cyn i ni adael yr

Aifft. Madarch, ddwedon nhw, oedd yno. Cyn hir, yn magu gwreiddiau, a'r rheiny'n plannu eu hunain ym mha bridd bynnag oedd agosaf. Gorau po gyntaf i'r rhyfel ddod i ben, dywedais wrthyf fy hun, neu byddai'r pridd yn bridd go bell o adref. Mae madarch mewn symbiosis â'i gilydd ac â'r holl blanhigion drwy'r pridd, meddai Pietro; meddyliais amdanyn nhw'n rhannu nitrogen drwy fy nghorff. Gwell oedd peidio.

Roeddwn i'n weddol hoff o'r madarch, er hynny. Allwn i ddim eu teimlo fin nos, wrth orwedd ar fy nghefn, ond roedden nhw yno, yn fy ngwreiddio yng Nghymru bellach.

Mynnai Beppino, siawns os oedd ffansi merch gen i, fy mod i'n iach. Fod awch byw yn fy nghorff, a dyna'r unig beth oedd yn bwysig i'r bobl bwysig.

Dwi'n cymryd fod gen ti. Oes? Oes gen ti awydd?

Oes, meddwn innau wrth Beppino y diwrnod hwnnw.

Bachgen da! Yn Gymraeg ddywedodd o hynny, *anche*. Nid Eidaleg na Saesneg, ond Cymraeg ag acen dda.

Gofynnais yr un cwestiwn yn y gwely cul yn *ferma* Nant Rhiannon y noson gyntaf yno. Wyt ti isio, allet ti? Nid dyhead am *honno* roddodd groeso i mi beth bynnag. Roedd godidogrwydd iddi, yn arbennig am ei bod mor lletchwith am y peth. Ond hefyd, mor welw fel gallwn i fod wedi gweld reit trwyddi, petai'r golau'n iawn. Golau Venezia fyddai wedi gwneud y tric: llawn llewyrch dŵr ond eto'n gynnes fel tu mewn i rawnwinen. Mewn golau fel yna byddai Gwyneth Harriet wedi bod yn dryloyw.

Ac felly, doedd dim cwsg, *madonna mia*. Gwthiais fy nhrwyn i'r gobennydd, troi, pwnio, rhoi pen-ôl oer allan o'r flanced, trosi, meddwl efallai fod y dyhead wedi mynd. Allwn i ddim meddwl am ddim byd ond y lle newydd, Nant Rhiannon, yn dŷ hefo waliau lled braich a'r byd newydd yn y tywyllwch i bob cyfeiriad a sŵn cloc yn rhywle hefyd – cloc tic-toc swnllyd – a'r ffaith i mi addo mynd yn ôl i'r camp ddydd Sul ond, yn sydyn reit, doeddwn i ddim mor siŵr. Dim beic. Allwn i ddim. Ac roedd y lle'n rhy dawel i mi gysgu wedyn, ar wahân i'r tic-toc ac anadlu Trebor yn y gwely yr ochr arall i'r ystafell. Ac roedd hwnnw'n anadlu mor eiddil â chwythwr gwydr yn ei drwmgwsg – chwyrnu wedi tewi. Doedd gen i mo hynny fel esgus erbyn perfeddion nos. Disgwyliwn am anadl Oswaldo a Beppi o'r byncs yn y tywyllwch – neu Mario yn gwneud ei dablau – ond roedden nhw yn eu gwlâu culion eraill. Meddyliwn wedyn fod Oswaldo a Beppi yn farw yn eu cwsg. Deffrais o'm hanner cwsg a deall lle roeddwn i. Siŵr fy mod i wedi pendwmpian rywbryd.

Dylwn fod wedi arfer. Sawl noson oeddwn i wedi cysgu ar fy nhraed? Ond o roi gwely i mi orwedd ar fy nghefn, doedd dim gobaith. Roeddwn i wedi blino gormod i gyrraedd cwsg. A *hi* – mor brysur – bron i mi feddwl: 'peth fach brysur'. Mor bell oedd hynny o'r gwir. Sut oedd hi wedi tyfu mor dal mewn gwlad heb haul, a'i mam hi mor fychan?

Gwyneth. Tlws. Ewinedd caled ganddi, rhai sgwâr. Llaw yn crynu ar ymyl y drws, on'd oedd hi? Ei hwyneb yn olygus ond nid yn hardd. Rhywbeth fel Madonna amdani – a'r peth odiaf un, welais i erioed berson mor welw. Y clytiau pinc ar ei bochau, ei thrwyn a blaen ei chlustiau yn ei gwneud yn real, *proprio*. Yfai fel pysgodyn a bwyta fel dryw. Dim gwin ar ei bwrdd, ond dyna roeddwn i'n ddisgwyl. Roedd hi wedi'i chreu i fod yn hanner cant, rywsut. Fyddai hi byth yn colli ei thlysni – hynny oedd ganddi – er mor od. Gwyneth.

Gwyddwn ystyr 'Gwyn'. Roedd dau filwr o Gymru yn Gwyn rhywbeth neu'i gilydd. Roeddwn yn adnabod hanner y ferch yma felly, penderfynais. Gwyn: *bianca*. A dyna oedd hi.

Yn hogyn bach, arferwn wisgo crys llewys cwta gwyn i chwarae pêl-droed er mwyn i'r baw ddangos yn glir. Dyna oedd y ferch yma: gwelw-lân, perygl o'i staenio. Sensitif. Ei gwallt melyn â gwawr binc yn yr ymylon. Penderfynais hoffi Gwyneth. Roedd hi'n dweud *Bondì* fel petai'n iarll, iarll â mwstásh a bol mawr a phawb ofn dweud yn blwmp ac yn blaen ei fod yn dew: dyna pwy oedd ei *Bondì* hi. Iarll o Valdobbiadene. *Sì, sì*, dyna wnes i'r noson ddi-gwsg gyntaf yna – penderfynu hoffi'r Gwyneth yna. Ond penderfynais aros cyn dod i unrhyw gasgliad am y lleill: y Bòs; y ddynes, Morfydd; a Trebor.

Byddai Mario'n dweud bod iaith fel adeiladu wal sych, bod angen ffeindio'r darnau – eu bod nhw i gyd yno ond i ni fagu'r gallu i sylwi. Felly ystyriais yr 'eth' yn Gwyneth. Cawres. Duwies o ryw chwedl. Oedd chwedlau yn y wlad yma fel yn yr hen Rufain, tybed? Oedd ganddynt Maia, duwies twf, tybed? Ond allwn i ddim ffeindio geiriau Cymraeg i ofyn cwestiynau mor Eidalaidd. Ddim hefo'r chydig swmp o eiriau oedd gen i'n rhuglo yn fy mhen. Felly, gwnes fy stori fy hun iddi – *sì, sì,* 'mawr' oedd ystyr 'eth', mae'n rhaid, fel 'issimo' ar ddiwedd ansoddair. Weithiau, roedd iaith mor hawdd â hynny, hyd yn oed os oedd cymalau a chwestiynau am dduwiau ac enwau planhigion ac esbonio beth i'w wneud hefo pladur neu beth oedd yn fy mhen go iawn yn amhosib. Ond hawdd oedd dadansoddi Gwyneth, y gawres wen; petai hi wedi trio, gallai fod wedi lapio'i braich am fy ngwasg ddwsin o weithiau. Mewn oes arall, byddai wedi'i thaflu i'r llewod ac wedi byw. Byddai'n santes. Neu'n cael ei gosod fel piler i gadw palas yn solet yn erbyn tywydd drwg, ffrwydriad folcanig, daeargrynfeydd. A dyna ddywedais wrthyn nhw yn y *filò* nes oedd pawb eisiau cip arni.

Gwyneth. Roedd y syniad ohoni'n ddigon i gadw cwsg allan o fy nghyrraedd. Rhestrais bethau eto.

Danadl poethion; uwd; araf; ffos; Rhosllannerchrugog. Cefndryd; ŵyn; mathau o laswellt; ffrwd geiriau yn prancio a meddyliau pell, nes sylwi fy mod i newydd ddeffro a ddim yn cofio'r ffin rhwng dwy stad ddeffro. Ond cysgu wnes i, mae'n rhaid, ac yn drwm.

Yr hen law Cymreig fyddai'n dod wedyn. Y bore ar ôl i ni gael ein rhoi ar ffermydd, daeth fel math o fedydd.

Rydych chi, garcharorion, bellach yn feibion i'r teulu yma, neu'r teulu acw. Yn perthyn.

Roeddem ni i gyd yn chwerthin i mewn i'n blancedi o gorneli gwahanol cefn gwlad. Ond wnaeth hynny ddim rhoi stop ar y Cymry. Croen *waterproof* ganddyn nhw, ddim fel rhai Italiani. Glaw i lenwi welingtons oedd glaw'r diwrnod cyntaf ar *ferma*.

Autumn, meddai'r Bòs, ben bore, a'i drwyn at yr ardd. Gair estron ar y pryd – *Or Tum* glywais i. Cofiais y doctor yn sôn am *tummy* drwg.

Hydref, meddai wedyn, yn Gymraeg.

Rydw i wedi dysgu'r ddau air erbyn hyn wrth gwrs. A'u cofio.

Autunno. Pwyntiodd a gwelais gymylau hydref. Ysgydwodd ei ben. Gwgu. Hydref oedd Cymylau. A dyna lle roedden nhw.

Rhosllannerchrugog, Rhosllannerchrugog, Rhosllannerchrugog, dan fy ngwynt …

Roedd gen i ofn mai rhywbeth mwy oedd wedi newid wrth i mi gyrraedd Nant Rhiannon. Neu rywbeth wedi cyrraedd hefo fi, wrth fy ystlys, gam wrth gam o'r lorri i'r giât i'r ardd ac i'r tŷ; roedd o hefyd wedi newid yr aer rhwng cadeiriau'r gegin.

Chwipiai'r gwynt rai o frigau ucha'r onnen fel eu bod nhw'n crafu'r ddaear gan droi rheswm a threfn ar eu tin. Pwy bynnag oedd wedi treulio'r noson yn fy hen wely yn ein *Nissen hut* y noson honno, fyddai dim un chwinciad wedi'i gael o dan y twrw a'r tamprwydd ac anadlu dwfn dynion mawr ag ysgyfaint gwan; pa *Fascista* bynnag oedd o, gobeithio na chafodd winc o gwsg.

Roedd Trebor eisoes wedi codi a mynd i rywle – gwas da – gwaith ar ei feddwl. Trwy'r ffenestr welais i o: Be mae'r *pazzo* 'na'n ei wneud?

Allan, meddai Bòs Evan, yn Gymraeg.

Gair da, 'allan'. *Fuori.*

Y Bòs oedd yr unig berson wnaeth i mi feddwl erioed mai pryder oedd yn achosi glaw. Yn y gofod rhwng ei aeliau fe glywais law. Glaw. Glaw. Neu gur pen.

Gwaith. Gair da arall. *Lavoro.*

Swêj, meddai wedyn, a throi at y drws. Allan i'r glaw.

Bûm am fis yn codi swêj. Roedd ychydig o bladuro rhedyn i'w wneud i amrywio'r dyddiau – dyna'r cwbl. *Era così.*

Roeddwn i wastad yn un da am guddio mewn gwaith. Cadw'n brysur. A byddai bob bòs yn fodlon hefo fi ar ôl diwrnod o gwmni mewn gwaith. Bòs Evan hefyd. Ciliodd y glaw. Aeth y swêj i'r seler rywsut. Bachgen da am waith, fi. Âi hwnnw rhagddo heb eiriau na chyfarwyddiadau, ac mae rhywbeth am waith tawel sy'n dlws. Pan mae rhywun heb iaith a heb ffordd o gwyno na ffordd o adael i'w dafod fod yn rhydd am rywbeth *non importa*, wedyn, mae dyn yn gweithio'n ddwfn. Edrycha di ar ddyn wrth ei waith. Mae yna olwg ddifrifol arno wrth iddo roi sylw i'w symudiadau, yn union fel dyn cyn iddo roi sws i ferch.

Wedyn, byddai rhywun yn y cae yn dweud un gair bach gofalus, rhywbeth fyddai pawb yn ei adnabod fel …

cibo, cinio.

Roedd cyfnewid geiriau bron fel cyfnewid cusanau hefyd, yn ymdrech i gyrraedd rhywun, i deimlo'n fyw, i gofio ein bod ni'n dal i fod, nid mewn stori, nid mewn breuddwyd, nid mewn rhyfel hyd yn oed. Yma.

That's what. Così.

Dysgais sut i ddweud yn Gymraeg – *io non parlo gallese* – dwi ddim yn siarad Cymraeg. Bòs Evan Huws oedd fy athro, a Trebor y tu ôl iddo'n awchu am fynd yn ôl at waith. Erbyn i mi ailadrodd y frawddeg i'w blasu, roedd Trebor yn sefyll ar ei fodiau ei hun ac yn tuchan.

Dwi ddim yn siarad Cymraeg.

Dywedodd Trebor rywbeth gan nodio ac wedyn dweud,

Siarad Cymraeg. Siarad Cymraeg. Dweud oedd o fy mod i rŵan *yn* siarad Cymraeg os gallwn ddweud y frawddeg – dyna dybiais i. Chwarddodd y ddau gan fwrw ati. Siarad Cymraeg. Pwyntio ataf. Siarad Cymraeg. PoW Siarad Cymraeg.

Roeddwn i'n berson gwahanol yno. Rhywbeth mwy *idiota* amdanaf. Symlach. Weithiau'n ddigwilydd. Dro arall, pan oeddwn i'n trio ffeindio gair, byddai'n cyrraedd yn Saesneg, fel *cavolo-come-si-dice-horse*? *Come-si-dice-house*? O leiaf roedd f'ymennydd i'n dal i gysylltu hefo 'ngheg i. Cadw sgwrs i fynd mewn *mescola* o ieithoedd. Dangos iddyn nhw: dwi'n medru siarad, dwi'n medru dangos i chi, gallwn sgwrsio. Does gen i ddim geiriau. Nid y rhai iawn. Ond ylwch arnom ni'n deall ein gilydd – chi'r Cymry a fi'r tramorwr. *Capisci?* Deall?

Ac yna byddai Beppe yn dod i weithio wrth f'ochr. Fo a fi a Trebor yn chwyrnu a chwislan trwy'r nos ac yn tuchan wrth waith yn y dydd. Iaith ryngwladol; iaith y corff.

Byddem yn gweithio mewn cystadleuaeth hefo'u cŵn defaid. Ar ôl aredig, llyfnu; hau ceirch; carega a rhowlio'r caeau gwair; y cynhaeaf gwair ac yna'r cynhaeaf ŷd. Doedd dim seibiant. Codi swêj a thatws; cael trefn ar y rhedyn; torri; llosgi; cysgu. Breuddwydio am redyn a bysedd gwydn. Ond troi am adref mae dyn eisiau ei wneud ar ddiwedd y dydd, ac yno, tu ôl i onnen fawr, roedd Nant Rhiannon a'i ffenestri gwyrdd fel y mwsogl yn y lawnt.

(((

Neuaddau gweigion oedd ein ffermdai. Prin ond solet oedd y dodrefn. Main ond solet oedd y Cymry, er yn annwyl. Annwyl *proprio*.

Byddai digon o le i ddawnsio os mai dyna oeddem ni'n ffansïo'i wneud. Ond doedd Cymry ddim ffansi giamocs fel yna fel arfer. Llefydd cwrdd, eistedd a sgwrsio oedd eu ffermdai. *Filò* heb *filò*. Anodd ydi dweud stori lawn heb eiriau. Ond fe ddaeth straeon hefyd, hefo ystumiau a llygaid dwl.

Straeon caru oedd y Cymry'n eu hoffi, ond ddim rhai rhy gnawdol.

Golau cannwyll, golau paraffîn. Nosweithiau hir a rhywun wastad yn brwydro beicio i ba *ferma* bynnag oedd yn gwneud *cucina Italiana* – ni a'r Cymry ar nos Sul. Gadael yn yr haf, cyrraedd ganol gaeaf weithiau. Glaw? Cenllysg? Doedd o'n ddim byd i ni. Llwyddodd y Rhufeiniaid, on'd do! Ac roeddem ni'n goddef unrhyw beth os oedd hynny'n golygu cyrraedd pen y daith a chael ein gwerthfawrogi ychydig bach. Doedd aer tamp yn ddim byd wedyn. Byddai'r swper yn well os byddai Elmo'n cael gafael ar lwy bren. Ac os byddai digon o olew ar gael.

Paratoi digon o basta i bawb fyddem ni. *Con salvia e olio.* Ffrio'r *salvia*'n grimp a gweld y Cymry'n gwaredu at ddefnyddio *olio* fel bwyd yn lle ffisig. Rhyw ddeiliach gwahanol os oedd hyd yn oed *salvia* yn anodd ei gael. Ein pryd dyddiau-prin. Roeddwn wedi dysgu ei wneud yn saith oed gan Nonna. Byddwn i'n ei baratoi wrth redeg brawddegau Cymraeg trwy fy mhen.

Dwi'n cocinio. Nage. Dwi'n coginio. *Eccolo*, Dwi'n coginio pasta hefo *qualcosa – cavolo – come si dice*? Wrth aros i'r dŵr ferwi, byddem yn dechrau'r *filò* a ddim yn stopio. Byddai Bòs Evan yn gofyn i mi adrodd yr un am ddyn mewn ffos – *fosso*.

Mae'r Gymraeg a'r Italiano'n syndod o debyg weithiau. Yn arbennig am bethau mawr bywyd. Rydym ni i gyd yn diweddu ein bywyd mewn *fosso* – ar ôl byw mewn *guerra* neu gadoediad.

Dywedodd Bòs Evan wrthom ni am ryw ferch gerddodd am filltiroedd heb esgidiau i brynu Beibl – nid esgidiau, ond Beibl! Roedd ganddi flaenoriaethau od. Byddai hyd yn oed Italiano da yn nôl esgidiau gyntaf. Roedd sawl un yn ein mysg wedi dwyn esgidiau oddi ar gorff rhywun llai ffodus na ni fel roedd hi.

Roeddem ninnau wedyn yn cyfnewid un o'n straeon ni. Neb yn cofio stori pwy oedd hi erbyn hynny. Stori 'ni', yn'de?

Ni, hefo'n gilydd. Ydi rhywun yn medru perchnogi stori fwy na mae o'n medru perchnogi dyn? *Non importa*, roeddem ni'n falch fod yna wastad rywun i gofio'r darnau amrywiol i adeiladu ein stori, i wneud un stori gyfan hefo'n gilydd.

Dyma ni'n mynd, *ecco*: stori bugail roedd rhywun yn ei adnabod. Hwnnw'n mynd â'i wartheg i fyny'r Pre-Alpi i bori'r gwanwyn a'r haf. Mewn fersiynau eraill o'r stori: mynd i'r Dolomiti oedd o. Byddai pobl y dref yn meddwl fod bywyd o'r fath yn fywyd meudwy. Felly, ar ddiwrnod ei angladd, dyna lle roedd ei gymdogion â'u cegau'n agored, *tutti stupiti* fel gwartheg, pob un yn synnu gweld enaid byw yn yr angladd, heb sôn am dyrfa. Roedd nifer enfawr wedi dod o Belluno, yr ochr arall i'r mynydd. Rywsut, roedd o wedi adnabod pobl wedi'r cwbl. *Alora*, nid gwahanu ond cysylltu mae mynydd.

Una storia bella?

Appunto.

Bella, meddai hyd yn oed Bòs Evan, os nad Trebor. Mi gymerodd ychydig mwy o amser i'w berswadio fo nad oeddem yn mynd i roi gwenwyn yn y te. Ond roedd hanner gwên ganddo, hyd yn oed, ac edrychom at eu mynyddoedd nhw a meddwl am Belluno 'rochr draw. Roedd unrhyw beth yn bosib.

Roeddem yn ddwfn yn ein byd storïo. Ninnau eisiau bod yn nhw, a nhw'n byw ein straeon ninnau. Mae'r cof yn beth dethol, y drwg ddim yn ein cyffwrdd, na galar y byd ychwaith. Syml.

Buom yn malu awyr.

Buom yn sibrwd. Buom ni'n chwerthin fel mulod.

〈〈〈

Sei stupido fyddem yn ei ddweud wrth ein gilydd, fel brodyr, *sei stupido* drosodd a throsodd nes ein bod ni'n clywed y *muce* a'r bobl leol yn ei ddweud yn ôl wrthom ni. Digon clên oedd Bòs Evan. Dweud dim pan oeddem ni'n cwrdd am *filò* bach yn y sied wair. Digon o wres yr haf dan ein tinau. Trwy'r gaeaf byddai'r tolc yn y bêls yn mynd yn fwy ac yn fwy fel ein bod ni'n gorweddian ac yn chwarae fel dyfrgwn fin nos erbyn yr haf, a'r haul fel *persimmon* mawr. Doedd y Cymry ddim callach ond *persimmon* oedd eu haul – neb wedi clywed am *persimmon. Poveri.*

Doedd neb yn ein gweld ni yno yn y bêls, *nessuno, nessuno, figurati.* Italiani mewn gwlad estron ac yn *incognito.*

Cyrhaeddodd Lucio unwaith, wedi benthyg *oilskin* ei fòs ei hun. Doedd dim hawl gennym ni i wneud pethau felly, ond pwy fyddai'n beirniadu'r bòs am ei garedigrwydd? Pwy hanner-call allai weld bai? Felly, cyrraedd wnaeth Lucio, yn wyrdd o'i ysgwydd i'w ben-glin, a choler ddu, y marciau PoW ddim yn dangos. Deuai Oswaldo hefo sbarion swper – wastad yn lwcus, fel fi. Mwy o groeso iddo fo. Deuai Beppi weithiau, Organ a Tommaso hefyd, a rhyw foi roeddem ni wedi cymryd ato wrth godi ffos yn y tîm gwaith o'r camp – Santosuosso arall, fel y boi bach o Calabria.

Byddai'r Cymry yn eu tai a ninnau yn y cwt. *Sei stupido* yn bownsio o un i'r llall. Lucio am feiddio gwisgo fel Cymro. Oswaldo am dderbyn anrheg o fwyd gan ei deulu o. Pawb eisiau bod yn *stupido* am rywbeth. Dim *muce* yn ein *filò* fel adref. Dim o'u gwres a dim o'u hanadl, dim o'u shyfflan o gwmpas yn ychwanegu ebychiadau i'n straeon yn y llefydd iawn a'r llefydd anghywir. Ac yng Nghymru roedd hyd yn oed mwy o angen gwres. Roedd hi'n fwy tamp hefyd. Dim ond anadl 'Talians yno. Dim merched ychwaith, dim ar y dechrau, ddim nes i ni dorri mwy fyth o reolau.

Dove sono le ragazze? meddem ni i gyd, *dove sono le ragazze* – ble mae'r merched? Gofynnem yn ein *diversi dialetti* ein hunain. Doedd prin neb yn deall ei gilydd ac felly doedd dim ateb i'r cwestiwn. Dim ond cegau mawr yn parablu wrth ei gilydd ac Organ weithiau'n actio fel merch ac yn canu, 'O mio babbino caro'.

Zele dove le tosate? meddwn i, yn Solighese.

Ndulà son lis frutis? meddai Lucio, yn Friulano.

A rò stann' è uaglione? meddai Oswaldo, yn Napolitana, wrth gwrs.

Weli di'r broblem? Ni, Italiani – roeddem mor wahanol ag ydi robin, nico a ji-binc mewn llwyn. Doedd dim un ohonom yn deall natur ein gilydd go iawn. *Nessuno capisce nessuno.*

Heblaw Duw. Roedd Duw yn deall.

Fyddai neb yn gofyn: hoffet ti eistedd wrth fy ymyl *i* yn y *filò*, Francesca, Filippa, Fausta, Gwen? Neb yn magu gobaith am gusan.

Wyt ti wedi cuddio merch yn y gôt yna, Lucio?

Magari!

Roeddem i gyd yn dweud *magari* o leia. 'Ni' y PoWs. Gair amhosib ei gyfieithu. Gallem ddysgu pobl i'w ddefnyddio ond nid ei gyfieithu – nid i'r Saesneg na'r Gymraeg. Mewn ieithoedd eraill, saib sydd mewn sgyrsiau lle byddwn ni'n ebychu *magari*. Mae'n golygu *aah!* Hwnnw hefo llygaid at Dduw. Rhyw fath o *efallai* ond nid hefo amheuaeth. Hefo gobaith. Dyna oedd gennym ni, haul a gobaith yn dod allan o bob darn ohonom ni.

Dysgais deulu Nant Rhiannon, fel hyn:

Y Bòs: allwn ni ddal ati i hel y gwair fory? *Magari.*

Ei wraig, Morfydd, fyddai'n cael trafferth – ond yn trio: *magari* bydd y briallu allan un o'r dyddiau yma; *magari* cawn ni dy gwmni di am flynyddoedd i ddod; *magari* rydym yn mwynhau'r rhyfel rŵan dy fod ti hefo ni.

Gyda gras Duw, gallwn. Os bydd y planedau'n cydrodio, gallwn. Magari. Dyna ydi o. Duw neu Dduwiau, Crefydd neu beidio.

A Gwyneth. Byddai hi'n ei ddefnyddio wrth siarad hefo'r sosbenni yn y gegin, hefo'r geifr, hefo'r ieir. Clywais hi. I fynegi gobaith ac anobaith, yn ei ddefnyddio'n berffaith.

Ac yn y *filò* roedd llond sied o *magari* rhyngom ni i gyd. Rhyw ddwyawr o *magari* fyddem yn ei gael rhwng y bêls. Ein tinau'n pigo a'n coesau wedi cyffio wedyn.

Magari, ac os oedd ychydig gormod o obaith, *sei supido* gan rywun. Ac er ein bod wedi'n cuddio mewn math o dolc yn y bêls, roedd y Cymry'n ein clywed. Ni, y fermin, y PoWs, yn cynnau straeon; mae'n rhaid fod ein lleisiau'n cario. Bydden nhw'n dweud *sei stupido* wrthom *ni* mewn Eidaleg ar brydiau, a'i feddwl o yn eu hachos nhw.

Cyd-destun ydi popeth. Dim ond i wneud hwyl roeddem yn dweud pethau cas yn y *filò* – sut mae cyfieithu cyd-destun hynny?

(((

Yn y diwedd, Gwyneth ddeuai i'r *filò*, i eistedd ym mha dolc bynnag oedd wedi'i wneud yn y bêls. Dod yn y gaeaf i ddechrau, fel llygoden yn bwyta i mewn i'r celc ŷd. Byddem yn ennill mwy a mwy o le wrth i'r tywydd oer basio a hithau'n gwneud cwrl â'i choesau ac yn swatio.

Gwyneth oedd yr unig un i ofyn ystyr y gair *filò*. Byddai'r Cymry'n dweud geiriau Eidaleg fel petaen nhw wedi bod yn cario'r geiriau yn eu cegau erioed. Ychydig llai o hediad cnocell y coed i'w hynganiad, ond byddai'r Cymry'n llwyddo i swnio'n hynod Eidalaidd gan amlaf. Yn ôl rhai, roedd siâp ein cegau yn debyg. Siâp beth, d'wed? Doedden nhw ddim wedi'u siapio gan fwyta adar mân a malwod, mae'n amlwg. Ond: *Caro,* caru – adar o'r unlliw.

Gan ein bod mor debyg, prin oedd y cwestiynau am iaith. Roedden nhw'n dueddol o'n derbyn ni, a ninnau'n eu derbyn nhwythau, ond am eu *ll* a'u *ch* – llyffantod nos oedd y llythrennau yna. Gwyneth, *però*, gofynnai hi fwy o bethau nag y gallwn eu hateb – un *povero, ignorente*, fel ag ydw i. Roedd hi wedi cael llond dwrn o wersi Ffrangeg yn yr ysgol.

Filò – llinyn, meddai, *fil* yn Ffrangeg.

Una figlia brava, bravissima.

Dychmygodd fod dweud stori fel gwau, a bod edafedd pob un ohonom ni'n creu'r noson. Cynigais eiriau eraill iddi.

Filetto wyt ti'n feddwl, dywedais. Llinyn ydi hwnnw.

Y noson honno, roedd Beppe, Tommaso a finnau'n rhyw oedi gan feddwl efallai y byddai Lucio yn cyrraedd, heb wybod i sicrwydd. Fo oedd yr un i gychwyn hefo 'D'wed hanes Orpheus, wnei di?' Finnau'n agor fy ngheg i adrodd gyntaf. Rhannu stori gyfarwydd i gychwyn, stori roeddem yn ei gwybod ddigon da fel y gallai unrhyw un ei hadrodd o'r dechrau i'r diwedd fel trên ar ei gledrau.

A pham ailadrodd rhywbeth? meddai Gwyneth.

Tydi o byth 'run fath, nac ydi, *una storia*. Mae rhywun yn dewis geiriau gwahanol heddiw i'r rhai fyddai wedi'u dewis ddoe. Mae'r bwyd yn ei stumog yn newid y geiriau sydd ar gael, ac yn newid ei seibiau. Efallai fod cân y gornchwiglen yn ychwanegu rhywbeth, efallai fod clun y person i'r chwith yn newid pwyslais pethau. Ond yr un stori. Adrodd a chydadrodd a charu gwybod i ble mae'r stori'n mynd, gwybod nad oes cyfrinachau, gwybod fod rhai pethau yn y byd yn sicr o leia, ac yn enwedig wrth i'r byd dywyllu ac oeri fel mae'n ei wneud heno. Mae *filò* yn gyson.

Rhywbeth fel yna ddywedais i.

Sei serio, Guido, meddai rhywun. Ond tydw i byth yn *serio* mewn gwirionedd, a tydi *filò* yn sicr ddim yn beth *serio*.

Glywsoch chi pa mor berffaith Eidalaidd oedd Gwyneth? dywedais.

Hi gochodd wedyn.

Agorodd Tommaso ei geg fel mul: *Padre, filio, spirito, santo.*

(((

Deuai Gwyneth i'r *filò* bron bob tro erbyn y diwedd. Byddai'n troi ei chefn ar ei Chymraeg a'i chegin ac yn dod atom ni, at ein Eidaleg tyllog, llawn *dialetti* amrywiol – Eidaleg y *straniera* yn fwy perffaith nag Eidaleg Italiani. Roedd hi wedi cael llyfr o rywle. Byddai'n sylwi ar rinweddau ein hiaith nad oeddem ni erioed wedi'u gweld. Dywedodd, un noson hir yn eistedd ar y bêls, nad oedd gennym ni 'W' yn ein hiaith. Wel – mae o yn yr wyddor, ond nid yn ein cegau. Gwir.

'P – o' ydych chi, meddai, *prisoners of*, ac wedyn *niente*, dim byd. *Prisoners of nothing at all.*

Appunto, meddem ni gan edrych ar y criw oedd wedi ymgynnull. Doedd dim golwg *prigioneri* arnom.

Byddai Gwyneth yn tynnu ei hesgidiau, ac roedd hi'n dipyn o demtasiwn i beidio â'u cuddio nhw fel jôc, ond wnaethom ni ddim. Gyda'i hesgidiau wrth ei chlun, ei hysgwyddau'n ymlacio, ei straeon yn ymdebygu i'n straeon o'r Eidal, edrychai'n debycach i gawres nag erioed. Ei brawddegau'n hirach, ei hanadl yn cario straeon yn bellach na'n rhai ni.

Ac felly, roedd *ragazze*, neu un o leia, mewn ambell *filò*. Roedd Oswaldo wedi mopio hefo hi ond yn dweud fy mod innau hefyd. Hithau'n meddwl ei fod o'n weithiwr tila. Fi oedd eu *good boy for work*. Dyna ddwedon nhw, dro ar ôl tro, er mwyn fy nghael yn ôl hefo nhw ar y *ferma*.

Byddai Gwyneth yn storïo'n well na'r gweddill ohonom hefo'n gilydd. Efallai fod straeon person a lle estron yn fwy diddan. Adroddodd hanes cawr o'r enw *corvo* fel yr aderyn, ond alla i ddim cofio beth ydi'r aderyn yna yn Gymraeg rŵan. Hanes rhyfel arall. Roedd ganddo ben mawr, *corvo* – milwr – *comandant* o fath. Roedd o fel ni, wedi colli'i ryfel, ond yn Iwerddon. Fo oedd yn diddanu ei *soldati* hefo straeon am flynyddoedd maith, hapus. Roedd yno win o fêl, meddai hi, a bu yfed, yfed llawer ohono. Bu lolian o gwmpas ac adrodd *fabula* fel petai 'na ddim byd i boeni amdano yn y byd. Dim rhyfel, yn sicr. Ac wrth weld Gwyneth yn codi ei dwylo pinc dros ei phen i bwysleisio maint y *comandant* yma, sylwais mai hi oedd ein *corvo*. Hi oedd ein cawr storïol, ein *comandant*, canolbwynt ein *filò*.

Os ydi rhywbeth yn dod i'r byd o'r dychymyg, tydi o ddim yn llai gwir. Dyna lle roeddem ni'n byw – yn y gwir hwnnw hefo hon, yn y gwellt.

Y merched ddysgodd i ni wneud y pethau mwyaf defnyddiol. Gwyneth a'i mam a ffrind iddi, Ira o Ty'n Coed, lle bûm yn cneifio ryw dro. Dysgon nhw bethau i ni fel sut i blesio'r Bòs; lle i adael welingtons; faint o fenyn oedd yn dderbyniol; sut i ddal pladur a sut i siarad hefyd – nid Saesneg: doedd hwnnw ddim llawer o iws yn y diwedd. Ond roedd rhai ohonom wedi deall hynny o'r camp. Roedd Cymraeg. Os nad oedd gennym ni 'W', doedd ganddyn nhw ddim amryw o lythrennau – 'X' yn un, 'Z' hefyd. Allem ni na nhw ddim siarad ein hieithoedd hefo ceg lawn wrth y bwrdd; roedd eu llafariaid nhw, fel ein rhai ni, yn rhy fawr. Byddai pawb yn gweld ein dannedd, ein brechdan. Pobl barchus. Ond ddim yn bobl daclus. Roeddem ni wedi meddwl fod y ddau yna'r un peth …

Rhoddodd Organ ei baned i lawr ar y deuddarn yn ei *ferma* – a gadael ôl melyn, crwn. Maddeuodd y wraig iddo ond nid anghofiodd o erioed.

A bod yn onest, erbyn i'r dynion ddysgu rhywbeth i ni, roeddem wedi'i ddysgu'n barod gan eu merched. Doedd dim angen geiriau. Wnaethom ni ddim dweud 'pladuro' na rhoi disgrifiad o'u techneg hefo breichiau gwyllt ac ati, dim ond mynd ati yn ein ffordd ni yn aml, nid yn eu ffordd nhw. Ond cae wedi'i bladuro ydi cae wedi'i bladuro.

Dysgodd Morfydd i mi fod babanod yn cyrraedd y byd yn canu cyn siarad, yn darlunio cyn sgwennu ac yn dawnsio cyn cerdded. Dywedodd hyn wrth fwyta swper ac wrth adrodd hanes geni Gwyneth. Pam, d'wed? Er mwyn fy ngwneud yn rhan o'r teulu, *credo*. Gan fy mod i'n darlunio ac yn dawnsio a hithau eisiau dweud mai dysgu gan y babanod ddylai pawb ei wneud: mai nhw oedd yn gwybod orau; mai fi oedd yn iawn, hefo fy narluniau o flodau gwyllt fel ffordd o gyfathrebu.

Cochodd Gwyneth.

Appunto, dywedais wrth Morfydd, a chododd ei llaw i guddio'i gwên. Ystum syml. Ystum fy mam innau. Ac yn hwnnw roeddem i gyd, rownd eu bwrdd bwyd nhw, un diwrnod o ryfel, yn fabanod.

Roedd amser yn rhedeg yn wahanol yno. Dwi ddim yn credu fod amser y Cymry'n 'rhedeg' ychwaith – *il tempo corre* – ond dyna sy'n gywir i ni.

'Carlamu' mae o iddyn nhw, fel ceffyl, os dwi'n cofio. Bòs Evan oedd yn dweud hynny yn y gwanwyn. Ond os oedd amser iddyn nhw, yn rhywbeth â phedwar carn iddo, dwy droed oedd gan amser i ni, Eidalwyr, ac roeddem ni felly ar gyflymder gwahanol, ni a nhw. Nhwythau'n cael dreifio os oedd cerbydau ganddyn nhw. Ninnau â'r hawl i ddwy olwyn neu ddwy droed yn unig. Ac wrth gerdded, gweld. Gweld yn well.

Dafnau law ar ddail parasól mantell Fair, fel gwydr.

Cleisiau ar betalau pabi melyn.

Cen fel barfau ar y coed lelog yng ngardd gefn Nant Rhiannon.

Un flwyddyn yn gyfoethog o ddant y llew, un arall yn dlawd. Neb yn gwybod pam. Yr un peth hefo'r eirin, fel ein ceirios ni. Byth yn gwybod pam fod rhai blynyddoedd wedi'u bendithio.

Ffeindiais Gwyneth yn dawnsio yn y gegin un bore. Roeddwn i'n cario coed tân. Drwy ffenest y gegin, dyna lle roedd hi. Efallai fod cerddoriaeth, efallai ei bod yn mwmian canu, ond yr unig gip gefais i oedd ei throelli a'i sgert.

Ffeindiais hi'n sillafu geiriau hefo hadau'r ieir dro arall.

Basta

Casa

Meddyliais yn aml, tybed i bwy oedd hi'n ysgrifennu? Byddai hi'n dweud fod ysgrifennu yn helpu iddi gofio. Fel finnau'n nôl pensel i greu llun. Od ydi pobl dramor – fel ni i gyd, efallai – ond o'u gweld o'r tu allan, *forse*, mi welais fwy.

Bydden nhw'n cael llygod yn y tŷ ym mis Medi ond yn gwrthod gosod trapiau call. Gosodai Gwyneth ddarn o siocled neu gaws yn dal cwpan wy i fyny, a hwnnw'n dal powlen. Dweud *drat*, a gwaeth dan ei gwynt. Roedd siocled a chaws yn ddigon prin fel yr oedd hi. Gosodai ei chwpan wy a'i phowlen fel hyn ac fel arall ar ben ei gilydd i greu tŵr. Gwnâi hynny er mwyn drysu ei PoW, meddyliais i ddechrau. *Forse*. Roedd crefft i'r peth. *Guarda*, fyddai hi'n ei ddweud, a'i bysedd yn gyhyrog wrth adeiladu'r peth.

Ond ar ôl dod i lawr yn y bore a gweld llygoden yn sgrialu mewn cylch o dan y bowlen, dim ond wedyn y coeliais hi. *Povero*, roedd ei llygoden wedi dychryn ac wedi baeddu. Boddi llygod wnâi Gwyneth ar ôl hynny i gyd. Ar ôl ei harbed o farwolaeth trap call – ei lladd beth bynnag. Nôl bwced, dŵr glaw a, plop. Ond nid os oeddwn i'n ei chyrraedd gynta. Ac felly, byddwn i'n cario'r llygoden yn ei phowlen, wedi'i dal ar hambwrdd, y cwbl lot – i ben draw'r cae, yn ddigon pell.

Byddai Gwyneth yn dwrdio mai dod yn ôl i'r tŷ fyddai'r llygoden.

I ble est ti?

Na, na, *davvero*, Guido – mae fan'no'n rhy agos. Mae llygod yn gwybod sut i gerdded adref o bellteroedd.

Nid fel PoWs, felly?

Roedd un ohonom wedi ceisio cerdded adref, cerdded a nofio a boddi yn y Sianel. Ond dal i gerdded llygod i ben draw cae fyddwn i, gan fynd un cae ymhellach bob tro. Ta waeth, os oedd hi'n chwerthin ar fy mhen. Roedd Gwyneth yn ferch annwyl, unwaith roedd ei chragen wedi'i tholcio. *Si*, *davvero* annwyl, gonest, ond cyfrinachol, ac roedd hynny'n fy ngwneud i'n nerfus. Gwell gen i oedd ei gweld yn chwerthin. Hyd yn oed os mai chwerthin arna i roedd hi. Italiano'n gwneud ffrindiau hefo fermin! Tebyg at ei debyg. Na, roedd hi'n rhy annwyl i feddwl hynny, hyd yn oed ar y dechrau. Ond roeddwn i'n cochi'r holl ffordd allan drwy'r drws, yn cario llygoden yn gaeth wyllt, yn drysu wrth greu cylchoedd rownd a rownd dan bowlen. Carcharor. Sgrialu'n ddireolaeth hefo'i baw ei hun yn ei byd hanner crwn, gwydr. Byddwn i'n ei rhyddhau yn y rhedyn neu'r eithin. Llygod od yng Nghymru. Bydden nhw'n edrych arna i cyn dengyd. Yn rhewi fel delwau.

Fi a hithau – y llygoden fach yn y rhedyn a'r eithin – *felce e ginestra* – rhedyn ac eithin – planhigion da i'w hadnabod yng Nghymru. Dim ots fy mod i'n cochi o hyd. Gwyneth oedd yn iawn am y trap oedd ddim yn lladd llygod, ond fi oedd yn iawn am beidio â'u boddi.

Yn fy nyddiadur, gwnes lun o eithin yn y cyfnod hwnnw, ac o'i astudio'n fanwl, gweld fod y blodau a'r pinwydd arno'n edrych fel na ddylen nhw fyw gyda'i gilydd ar un planhigyn o gwbl. Tydi rhai pethau ddim i fod i gydweddu. Ond maen nhw. Dail a blodau eithin. Awyr las a glaswellt gwyrdd. Gelynion yn gyfeillion, yn gariadon. Gwyneth gafodd y llun eithin. Rhoddodd hithau'r papur yn ei Beibl, meddai, fel Miss Bore Da, a llun arall o feillion gwyn yn ei llyfr emynau ryw dro arall.

((( )))

Roedd wastad ffordd rownd No Fraternisation. Cariad go iawn yn un peth.

Mulod oedd y *politicians*. Dim clem. Yn dyfeisio deddf fel yna, yn erbyn natur pobl pan oedd dim byd ar ôl ond natur. A phan fydden nhw'n dweud No Fraternisation, byddai hyd yn oed eu milwyr eu hunain yn dweud,

Idiots di-ddim. *Stupido. Stupido.*

Eu milwyr nhw'n neidio i wlâu merched yn yr Eidal yn ddigon handi.

Ond fe allet ti ffeindio ffordd rownd y No Fraternisation os oeddet ti'n ddigon *discreto*. Os oedd y teulu'n groesawgar, yn agor y drws, fel petai, wel, dyna ni! Pwy oedd yno i'n stopio ni?

Roedd tric, os oeddem wedi cymryd ffansi at ferch. Rhaid oedd bod ychydig yn gyfrwys. Allem ni ddim dangos ein bod wedi mopio. Roedd yn rhaid gwneud rhywbeth fel taflu ei hesgid i'r afon neu siarad hefo'i ffrind hi drwy'r nos neu guddio'i chôt.

Roedd Ffasgiaeth yn gwneud y byd yn fach a rhyfel, i'r gwrthwyneb, yn gwneud y byd yn fwy.

Ylwch i ble rydym ni wedi cael dod, diolch, Mr M! Mynd am dro dros y môr.

Cymerodd un ferch ffansi at Oswaldo, ac yntau ati hithau, fwy na thebyg.

Wyt ti'n mynd i gerdded fi adref? meddai hi; dyna oedd ei ffordd.

Fedri di ddim mynd ar dy ben dy hun? meddai o, fel ffŵl.

Gallaf, ond fy mod i isio i ti ddod hefo fi, meddai hi. Ond doedd o ddim wedi deall.

Ei henw oedd Morwenna. Ar ôl hynny, byddai'r ddau'n cwrdd bob nos am sws, ac ychydig bach mwy na sws. Y jôc rhwng y ddau oedd hyn: y byddai'r dydd yn dod pan fydden nhw'n hen ac yn fusgrell, ac yn adrodd eu hanes yn cwrdd gan ddweud ei bod hi wedi gofyn i ddyn heb goes ei hebrwng adref. Ond roedd arni hi ofn i'w thad gael gafael ar y gwir, ac yntau ofn i'r camp gael y gwir amdano yntau hefyd. Neidiai'r ddau i wrych bob tro y deuai car heibio. Lwcus nad oedd llawer o geir y dyddiau hynny, neu yn y gwrych fyddai'r ddau wedi bod.

Syrffedodd hi ar ei angen o i'w gweld bob dau funud. Roeddem ni, Italiani, yn caru'n gryfach na'r merched, bob tro. Aeth Morwenna'r holl ffordd i goleg nyrsio yng Nghaerdydd i ddengyd rhag ei thad a rhag ei PoW.

Mae rhyfel yn ein dysgu i gasáu ac mae casáu yn blino rhywun, gorff ac enaid. A beth mae dyn yn mynd i'w wneud ond chwilio am gariad, felly? *Normale.* Mae hyd yn oed y Cymry'n gwybod hynny. Ond roeddem yn caru'n galed.

Mae rhai straeon caru yn cyrraedd pen eu taith yn iach. Nid Oswaldo a'i Morwenna. Ddim bob un. Ond does dim syndod fod rhai ohonom ni wedi ffeindio cariadon yno, nac oes? Buom yn nyddu straeon da i ni'n hunain. Dyna oedd y ffordd.

Ac mewn rhyfel does dim byd arall ar ôl. Mae pob emosiwn arall wedi'i ymarfer, a dim ond cariad ar ôl.

Roeddem ni'n eu caru nhw, y Cymry. Eu casáu nhw. Eisiau bod yn nhw. Eisiau eu bywydau tawel, tlawd, tlws. Eisiau eu ceir, eu cwrw. Eisiau eu croen gwyn a'u bochau cochion. Eisiau eu caru fel carcharorion llwglyd. Eu caru, nes ein gwneud yn blant iddyn nhw. Cariad fel Haf yn disgyn ben a chlustiau mewn cariad hefo'i charreg, heb wybod sut yn y byd i garu'r fath beth ond caru. Fel mam yn enwi ei babanod.

Rhoddon nhw enwau newydd i ni.

Roedd Pi-O-Dybliw.

Roedd Italian a 'Talian.

Prin oedd ein henwau cyntaf – yr enwau roddwyd i ni gan ein mamau go iawn.

Guido Fontana yn Fontana; Beppe Bardello yn Bardello, yn Beppino. *Era così*. Roedden nhw'n rhyfeddu at ein gwallt tywyll, llyfn ac yn brolio amdanom ni, pan oedd lle i wneud hynny. Mae f'un i'n gryf, mae f'un i'n medru siarad Cymraeg cystal â phlentyn chwe blwydd oed, saith oed, cystal â sgolar. Os oeddem ni'n gymwynasgar, yn rhoi anrhegion yn arbennig – bachgen da, feri gwd. Byddem yn gwneud pethau *carino* wedi'u gwneud o sbwriel. Wedyn fe fydden nhw'n brolio wrth eu cymdogion ac wrth y postman. Neu fel arall, bydden nhw'n cwyno.

Y Morfydd yna oedd y gyntaf i alw arna i, yn syml: Bachgen. Roeddwn i wedi bod yn Boi. Yn Gwd Boi. Yn Very Good Boy For Work. Ac yna roedd ei gair hi. Doedd hi ddim yn hoffi'r gair Eidaleg – *ragazzo*. Swnio fel cyllell, meddai. Rhywbeth rhy finiog am y gair.

Mae gen ti fam yn rhywle, meddai, a mynd ati i drio fy mhesgi fel mochyn. Cefais lwmp o gaws o dan y bwrdd ganddi. Cefais frechdanau tewach. Felly roedd hi'n datgelu cyfrinachau – yn siarad a siarad, a finnau'n deall y nesaf peth i ddim. Rhywbeth am gath yn aml – *gatto* – 'cath' yn eu hiaith nhw: 'th' fel *vipea*. Byddai hi'n gostwng ei llais ac yn gollwng afonydd o sgwrs. Yn y diwedd, dysgais nodio. Gwell cogio deall ei chyfrinachau a chael caws. Roedd pen draw i faint y gallwn ei ailadrodd, Ddim yn Deall, Ddim yn Deall. Hynny neu Feri Gwd. Dwi ddim yn siarad Cymraeg. Siarad Cymraeg. Parot. Ond nodio wrth Morfydd.

Gwelais bobl yn cerdded heibio iddi ar frys rhag ofn iddi gael gafael ar eu clustiau. Weithiau, pan fyddai hi wedi blino ac yn siarad yn arafach, byddwn yn dal ambell air, fel dŵr – dŵr, roedd hi wastad yn cynnig dŵr. Ac yn dweud, Dydd Da. Pan fyddai hi'n deall 'mod i wir wedi'i deall hi, byddai ei chorff yn llacio, fel sach o reis. Byddai'n cymysgu'r geiriau Dŵr a Gwin. *Acqua e Vino*. Fyddai neb hanner call yn cymysgu'r ddau air yna, wrth gwrs, heblaw Morfydd. Ymennydd gwahanol. Clên oedd hi, ac yn fodlon bod yn *stupida* os oedd modd cuddio caredigrwydd yno.

)))

Adegau eraill, Bachgen Drwg oedd hi. Roedden nhw eisiau ein hadnabod fel storïwyr, fel gweithwyr, ond roedd ambell un ohonom ni'n fwy na hynny. Yn feibion afradlon.

Ar *ferma* Nant Rhiannon roedd car – *lusso, lusso*, be 'di hwnnw, d'wed? *Luxury* pur. Ond bod yn rhaid rhedeg i lawr rhiw hefo'r car a'i wthio am hanner canllath tan iddo gicio a chicio a chychwyn wrth fagu sbid. Wedyn, roedd yn rhaid i mi neidio i mewn i'r sêt wrth ochr Bòs Evan, a'r car yn cyflymu, cyflymu. Roedd hi bron yn amhosib, a finnau'n gobeithio peidio colli troed neu waeth.

Bòs da a Bachgen drwg oedd hi wedyn – y jôc rhyngom – wastad ar *scappatella* hefo'i Italiano, Bòs Evan – roedd o wrth ei fodd yn meddwl amdano'i hun felly, cyn belled â bod neb pwysig yn cael gwybod.

Wedyn, ar ôl neidio i mewn, byddai'n gweld fod dim golau ar ei annwyl gar. Gweiddi wedyn, eisiau goleuo fflachlamp allan drwy'r ffenest. Fel yna byddem ni'n mynd i'r dafarn bob rhyw fis neu ddau. Dengyd. Dyddiau aur a phobl yn gwneud pethau na ddylen nhw, hyd yn oed y bobl rydd. A phethau fyddem ni ddim yn meddwl eu gwneud heddiw.

Fyddai'r PoWs ddim yn cael mynd i mewn i'r dafarn. Cwrdd y tu allan fyddai rhaid yn lle. A ninnau wedyn yn cael yfed peint yn eistedd yn y car ar noswaith oer, nes i ni fferru a chadw'n gynnes drwy redeg ras.

Roeddem ni'n anweledig yno: 'Run, rabbit, run' yn dod o dan ddrws y dafarn ac yn cyrraedd ein byd ni'r tu allan. Byddai'r brain bodlon yn chwalu i'r awyr bob tro y byddem ni'n canu. Yn enwedig os oedd Organ yn digwydd bod yn llechu yn y maes parcio. Byddai'r haul yn diflannu hefyd, tu ôl i res o dai, yn binc ac oren.

Yno, roedd y stryd yn berffaith, berffaith *belissimo*. Byddem ni'n yfed ac yna'n rhedeg ras yn y stryd wag i gadw'n gynnes. Carcharor yn rhydd yn y stryd! Y ddaear yn gerrig mân, yn dyllog, yn slabiau llithrig, ond byddem ni'n rhedeg yn ein hesgidiau trymion, heibio'r ysgol gynradd a throi'n ôl at y dafarn wrth y siop flodau wedi cau, yn chwerthin hefyd, chwerthin hefo'r cwrw oer yn ein boliau. I fyny'r stryd fawr, i lawr strydoedd culach, ffeindio'r ffordd yn ôl a gwneud yn siŵr nad oedd neb wedi gweld ein colli ni. Roeddem yn adnabod y lle a'i strydoedd cystal â'r Bòs, yn y tywyllwch hyd yn oed, ac yna'n dod yn ôl i'r hen Ford a gwres y canu yn 'run, run, run, don't give the farmer his fun, fun, fun'.

Dyna oedd raid – 'run, run, run' – yr holl ffordd adref wedyn; goleuo fflachlamp â mwgwd blacowt arni'r holl ffordd. Wrth gwrs, rhyw fusnes o ddreifio'n igam-ogam oedd hi, ond dyna ni. *Era così*. Antur hefo Cymro, heb ein cyfeillion. Weithiau'n cadw'r stori i ni'n hunain hefyd. Jest Bòs Evan a fi, Bachgen Drwg a Bachgen Drwg o dan un to car tila. Rhoi te gwan iddo ar stôl yn y gegin pan oedd o'n mynnu cael wisgi bach cyn mynd i'r gwely. Doedd o ddim callach. Wedi hynny, byddai Morfydd a Gwyneth yn camu fel cwningod o gwmpas y tŷ a Bòs Evan ddim yn dangos diddordeb mewn antur am fis neu ddau.

Roedd Bòs Mario o Ty'n Coed wastad yn anghofio ein henwau. Un arall yn anghofio pa un oedd pa un; maen nhw i gyd yn *identical*, meddai fo, fel defaid. Ddim fel defaid: roedd y Cymry'n gwybod pa un oedd pa ddafad! Anfonodd un ohonyn nhw ni i ddysgu Cymraeg hefo'r gweinidog bob nos Lun ar ôl gwaith, a hwnnw'n rhoi joch o wisgi i ni. Digon i lorio dyn ar ôl diwrnod mewn cae ŷd a dim digon o datws yn ei fol. Ond allai neb ddweud 'na' wrth weinidog nac wrth wisgi. Byddai ein Cymraeg ni'n rhugl a'n straeon ni'n llawn merched o flodau gwyllt a bwystfilod môr oedd hefyd yn siarad Cymraeg. Byddai eraill yn ein dysgu,

Cadair ydi hon. Stôl ydi hon.

Cefais fòs un tro, cyn i'r Eidal newid ochrau, oedd yn aros yn ei wely ymhell ar ôl naw yn rheolaidd. Hanner dydd weithiau. Cafodd Oswaldo un oedd yn yfed jin, gormod o jin, mwy na phawb *normale*. Roedd bòs arall yn mynnu fod yn rhaid i ni fwyta uwd neu byddai popeth yn mynd o'i le y diwrnod hwnnw. Bu Beppe ac Elmo a finnau yn y *ferma* honno. Ychydig fel *risi e bisi* braidd, ond heb y reis a heb y pys. Mêl yn lle pys. *Orribilie, in tutti i casi*. Bwyd ceffylau – ceirch – beth oedd ar eu pennau nhw'n ei gadw yn y gegin, heb sôn am ei ddefnyddio? Ond roedden nhw yn ei fwyta. Nid rhoi bwyd ceffylau i ni yn unig oedd y gêm. Dim gêm. Stwff difrifol, uwd.

Roedd llawer o'r Cymry'n drist o ran egwyddor. Hyd yn oed wrth chwerthin lond eu boliau, roedd rhyw ludw yn eu llygaid.

Non ti manca di pane fyddem yn ei ddweud wrth ein gilydd wrth gwrdd yn y *filò*. Dwyt ti ddim yn brin o fara. Ac efallai fod raid bwyta ceirch ond *non ti manca di pane*, oedd yn wirion, gan mai *pane* oedd yr union beth oedd yn brin – blawd. Ond doedd ein stumogau ni ddim yn wag. Na. *Appunto*. Yn union. Doedd dim rheswm i fod yn drist. *Non ti manca* – diolch i'r Cymry, digalon a doniol.

Y pethau fyddem yn eu gwneud er mwyn cael clod – fel plant, *proprio*! Aeth Mario ati i greu rhywbeth oedd yn edrych fel carchar. Dyn bach â'i drwyn yn rhy hir i'w wyneb oedd o. Nid Pinocchio – doedd dim asgwrn celwydd yn unlle yn ei gorff, mwya'r piti. Ond roedd wastad golwg arno fel petai'n gwisgo trwyn ei *nonno*.

Yn ei *ferma* o – Ty'n Coed oedd fan'no – roedd baw hyd y lle. *Fango* Cymreig, ie? Gwartheg yn cerdded drwy eu tail eu hunain. Doedd dim trefn ar fferm ei deulu. Doedd pawb ddim yn lwcus. Byddai'r tail yn cael ei fagio dan draed ac yn cyrraedd y drws cefn a'r drws ffrynt hyd yn oed. Ond roedden nhw jest yn byw hefo'r peth. Dyna sut oedd hi.

Weithiau, roedd ein syniadau ni'n well na'u syniadau nhw. *D'accordo*, nhw oedd yn cael y gair olaf, ond weithiau ni oedd yn iawn. Byddem yn gweithio'n ddigon bodlon iddyn nhw, ond os oedd hynny'n golygu cerdded drwy faw gwartheg cyn mynd i'r gwely ac wedyn, peth cynta'r bore, a phob tro ar y ffordd i'r gegin – *Santa Maria*, roedd angen gras ac amynedd. Byddem yn gwneud popeth hefo slap o wên. Ond roedd rhai o'u harferion, *alora*, yn ddigon i gracio gwên fel daeargryn.

Blydi Cymry – dyna fyddem ni'n ei ddweud yn y *filò*, ac yn adrodd hanesion ambell un, fel y rhain, oedd yn mynnu byw fel moch. Mae rhywun yn cael dweud pethau cas am ei frawd ei hun, ei dylwyth ei hun. Fiw i neb arall ddweud gair yn erbyn ein teuluoedd, ond gallem ddweud, Blydi Cymry! Ac wedyn eu caru, eu caru beth bynnag.

Ond roedd Mario'n gwylio'r mynd a'r dod yma drwy faw, bob dydd. Baeddu ei draed. Gweithiai, gwyliai tra oedd gwartheg yn eu sanau mŵd ar dir pori braf. Mynd allan o'r beudy i bori gyda'r wawr, ac yna'n ôl fin nos. Ar wahân i'r godro, fyddai neb yn gofalu amdanynt, mewn gwirionedd. *Proprio normale* iddyn nhw, nid ni. Fyddai'r côr ddim yn cael ei garthu ryw lawer. Felly, beth oedd yn digwydd?

Mynyddoedd o *merda*. Mynyddoedd. Panics oedd hi wedyn pan oedd stad y lle'n *caos totale*. *All-hands-on-deck* i dwtio a charthu a chlirio pan oedd cymaint o'r blydi stwff fel bod nunlle i sefyll. Byddai'r *merda* yn cael ei domennu wedyn yn y buarth, i'w wasgaru pan oedd gan y dynion amser wrth gefn.

Ond os oedd un gwirionedd mawr am Gymru – lle tamp oedd o. Lle gwyrdd. Cartref glaw'r byd. Felly deuai'r glaw. A byddai'r gwrtaith yn cael ei wasgaru hyd yr iard ac at riniog y drws y tŷ. *Porca Putana* – y fath dwpdra. Blydi Cymry!

Deuai Mario i'r *filò* a thynnu ar wallt ei arleisiau. Un peth oedd diogi. Ond doedd pobl annwyl y tŷ ddim yn ddiog nac yn dwp. Dall, efallai. Roedd tanc concrid adref ar gyfer y fath *merda*, meddai. Beth oedd arnyn nhw?

Gweithiodd yn dawel am wythnosau. Rhoddodd ei droed ynddi lond dyrnaid o weithiau. Un amser cinio, defnyddiodd gyllell y mab a fu farw. *Cavolo!* Gwyliodd y *merda* yn mudo o un man yn y *ferma* i fan arall, dan lif glaw. Y diwrnod glawog hwnnw, a'r awyr yn lliwiau amryliw gwddf colomen, cafodd lond bol. *Basta* ydi *basta*. Cyn ymuno â'r fyddin, roedd o wedi bod yn fforman mewn cwmni adeiladu ac yn codi pontydd, adeiladau *eccetera*. Yn ei ben, roedd eisoes wedi gwneud twll yn yr ardd gefn a chyfri faint o fagiau sment fyddai eu hangen. Fyddai o byth yn cael y cyfle, wrth gwrs. Dim hawl. Ond *basta* oedd *basta*. Y glaw yn chwalu'r cachu a'i anfon yn syth o dan ei draed.

L'ultima goccia fyddwn ni'n ei ddweud – y diferyn olaf: gweld Ida, merch y Bòs, yn trio defnyddio brwsh ar ei stepen drws, a hwnnw'n llawn *merda*. Roedd Mario wedi bod ar eu haelwyd yn ddigon hir, penderfynodd. Y baw oedd y ffin. Aeth ati hefo'i ystumiau a'i *dialetto* a'i dipyn Cymraeg. Dyn doeth – roedd o'n gwybod fod yn rhaid cael caniatâd dynes y tŷ os oedd o am fyw mewn heddwch. Deallodd hi 'sment'. Roedd yr Eidalwr eisiau sment. Ond ni newidiodd dim am wythnosau nes i'r Bòs ddweud un diwrnod,

Yfory, a dyna'r cwbl. Yfory, meddai, ac *andiamo*, ac aethant

heibio'r pentref a heibio pobman roedd Mario wedi'i weld hyd
at hynny, ac wedyn at dirwedd mwy caregog ac at warws. Aeth
y Bòs allan o'r Morris 8 ffyddlon a dangos bagiau sment iddo,
â hanner gwên.

Aeth ati, felly, ar ei union. Gadawodd y Bòs lonydd iddo, ac
fe wyliai Ida a'i mam o'r tu ôl i gyrtens, ac yna o'r stepen drws,
y ddwy'n cydio yn eu pocedi. Roedd yn drysu'r gwartheg hyd
yn oed. Ddim eisiau dim i'w wneud hefo'r dyn gwallgof, *forse*.
Ond roedden nhw'n meddwl ei fod o'n un go lew neu fyddai
o ddim wedi cael y sment yn y lle cyntaf. Aeth un ffermwr
heibio a gofyn a oedd o'n gwneud pwll nofio. Gallai fod wedi
gofyn i bob un am help, ac wedyn bydden *nhw* wedi gweithio
iddo *fo*. Ond bwrw ati ar ei ben ei hun wnaeth Mario. Twll,
gwneud caets – er gwaetha'r prinder haearn, yna graean a
sment i wneud concrid cadarn. Bob hyn a hyn edrychai i fyny,
ac yno roedd ambell ddyn lleol yn busnesa. A chwningod,
llwyth o'r rheiny. Adref, fydden nhw ddim wedi cael bywyd
mor hawdd.

Pymtheng niwrnod gymerodd o. Rhedodd y concrid ryw
ychydig – y glaw ddim yn ildio ac yn ei gwneud hi'n anodd rhoi
chwarae teg i'r concrid sychu – ond gwyddai beth oedd o'n ei
wneud. Ac ar ôl hynny, dim ond hanner diwrnod gymerodd o
i garthu'r holl faw i mewn, o'r buarth ac o'r côr ac o'r ffordd. A
dyna lle roedd dynes y tŷ yn dal i wylio o'r rhiniog fel crëyr heb
afon. Gwylio'i iard lân yn disgleirio yn y glâw.

Rhedodd o fan'no, ar hyd y crawiau cerrig a thaflu ei
breichiau amdano.

Dim pwll nofio ydi o! meddai.

Tlws ydi merched pan maen nhw'n chwerthin, meddai
Mario yn ein *filò*. *Ciò che begli occhi, i gallese sotto la pioggia*
– llygaid mor dlws, merched Cymraeg yn y glaw.

Ac am ei ymdrech, cydiodd y ddynes yn ei ddwylo ac addo
spaghetti. Yfory, meddai, *spaghetti*!

Mae'n rhaid eu bod nhw'n fy ngharu os ydyn nhw'n
gwneud parti yn enw carcharor, *vero*? meddai Mario.

Ffydd oedd popeth rhwng y Cymry a'u carcharorion. Nhwythau'n gadael Mario mewn cae hefo dim byd ond pladur finiog, cinio a dim clem. Ac yn y gegin, dyna lle roedd hi hefo *spaghetti* a theclynnau a dim clem ychwaith, a Mario druan yn gorfod gadael iddi. Ffydd, ffydd. Beth wnaeth hi ac Ida a'u ffrindiau yn y gegin y diwrnod hwnnw oedd gwasgaru tomatos tun, digon anodd eu cael fel roedd hi, dros *spaghetti* sych a rhoi'r cwbl yn y popty mewn tun tarten.

Stupidi! Mi gawn ni regi pobl rydym yn eu caru – *vero*? Cawn? Cawn.

Stori'r *spaghetti* – dyna'r unig beth oedd ganddo i'w adrodd, drosodd a throsodd.

Maen nhw'n glên wrtha i, mor glên. Dwi wedi landio ar fy nhraed. Ond *Stupidi*.

Hwnnw oedd y tro cyntaf a'r olaf. Doedd neb yn mynd i hoffi bwyd Eidalaidd os oedd y *cucina* yn eu dwylo nhw. I achub enw'r Eidal felly, camodd dros ffin arall, i mewn i'r gegin, a choginio pasta i'r teulu bob nos Sul am yn ail hefo *ferma* Nant Rhiannon, o hynny allan. Coginio'n gelfydd wrth gwrs, yn fanwl ac yn syml. Ac o fewn deufis, roedd chwe *ferma* a mwy yn ymgynnull bob *filò* nos Sul. Tair sosban ar y tân. A dynes y fferm yn mynnu golchi'r llestri am ei phryd.

⟪⟪⟪

Daeth Tommaso adref o'r cae â'i fys wedi'i lapio â hosan, a'i waed yn dangos trwy'r gwlân. Sychodd dynes y tŷ ei dwylo ar ei ffedog a gofyn,

Lle wyt ti wedi bod? Edrychodd yntau ar y cloc, ac eto, gofynnodd hithau, lle?

Dangosodd ei fys, ei hosan a'i farciau coch fel ateb. Ond ni chafodd hynny unrhyw effaith arni. Oedodd hithau gan ddisgwyl ateb. Felly dangosodd ei law i bawb oedd wrth y bwrdd, llond lle o ferched a rhai yn gwau. Edrychodd y cwbl ohonyn nhw ar ei stwmpyn mawr coch.

Hogi cyllell injan torri gwair roedd o wedi bod yn ei wneud, ond fod y geiriau 'Injan torri gwair' ddim yn agos at fod yn gyfarwydd iddo. Llithrodd y garreg yn flêr a dyna ni, yn syml, aeth ei fys i'r llafn. Doedd ganddo ddim ond Eidaleg *Catso Porca Putana, Madonna Mia. Sì,* hyd yn oed Tommaso. Yr unig Gymraeg oedd ganddo i gyfathrebu ei ddiffyg bodlonrwydd oedd, yn syml:

O na!

Dangosodd ei law i bob merch a phob pâr o weill ac wrth bob un, dywedodd,

O na!

Safai'r Eidalwr â'i fys gwaedlyd mewn hosan yn y gegin, yn syllu ar y merched yno. Roedd hyd yn oed y stôl odro wedi'i dwyn i mewn er mwyn i bawb gael lle i eistedd. Dwy yn gwau ac un yn dlos, dlos, meddai wrth nos Sul y *filò.*

Pwy oedd hi?

Yr un ddel?

Ie, siŵr.

Roedd fy mys bron yn ddau ddarn fel pry genwair ac rwyt ti eisiau gwybod pwy oedd hi?

Wnest ti'm cael ei henw hi?

Na – *Santa Maria,* naddo!

Mae eisiau dysgu bod yn fwy powld, *alora.*

Ond doedd ganddo ddim digon o Gymraeg i ofyn ychwaith. All dyn ddim bod yn sâl nac mewn poen yn ei ail iaith. Doedd ganddo ddim geiriau o gwbl, heb sôn am yr hyfdra. Yn y *filò,* a cherpyn am ei law, digon hawdd oedd difaru peidio holi.

Ta waeth, meddai Lucio, yn Gymraeg, a dysgu hynny i ni i gyd. *Niente male.*

Mae croen yn trwsio.

Collodd Lucio fys cyfan yn y pylpar wrth falu swêj.

Niente male. Mae darnau cyrff weithiau'n tyfu'n ôl fel canghennau, meddai Oswaldo.

Roeddem i gyd yn coelio hynny, er bod Oswaldo'n eistedd yno ar lawr o wellt a'i goes yn dal ar goll. Fyntau'n edmygu llaw Lucio ac yn dweud,

Rwyt ti fel fi, ffrind, fel fi. Mi ddaw. Ffydd sydd ei hangen.

Ac Elmo'n ateb, efallai ar ryw adeg mai dyna fydd pob un ohonom ni'n gorfod ei wneud: rhoi bys neu fraich neu goes yr un yn dâl am gael aros yno yng Nghymru. Fel pris tocyn theatr, meddai. Eisteddem ar ein dwylo i'w cadw rhag oeri. Pawb ond y ddau â bysedd poenus. Meddyliais am bris fy nhocyn theatr, gwerth y gwely cul, anadl ddofn Trebor, fy meic, gwybod fod gen i le o bwys wrth y bwrdd bwyd. Efallai mai'r pris oedd fod rhyw ddarn o'r tu mewn i mi wedi disgyn i ffwrdd neu farw.

Gwthiem batrwm gwellt i mewn i groen cefn ein dwylo. Lucio, â'i law fel aderyn wedi'i niweidio, wedi'i blygu at ei galon. Ni allai eistedd ar ei law na gweithio ryw lawer am dair wythnos. Roedd ei fôs yn dwrdio: PoW yn ddrud os oedd o'n gwneud dim ond llenwi'i fol, on'd oedd? Ond beth allai o ei wneud am y peth?

)))

Roedd gwahaniaethau rhyngom bob un, ond roeddem yn cytuno ar un peth: y Sul oedd orau. Dim i'w wneud â Duw yn dangos ei wyneb. Ni oeddem ar y Sul. Ni yn fwy o sŵn na nhw. Ni yn fwy o bresenoldeb.

I ddechrau, roedd peth o'r enw Oedfa. Pan oedd pawb yn paratoi ar gyfer yr Oedfa, neu wedi mynd eisoes, roedd eiliad i anadlu mewn Eidaleg. Dechreuom ni siarad â ni'n hunain mewn ceginau Cymreig, mewn stablau, mentro i'r pantri a llygru'r wyau yn eu plisgyn hefo'n geiriau tramor. Busnesa. Lle bynnag. Lleisio a malu awyr a chanu i'r chwyn. Bore yn unig. Ac wedyn, roedd ambell un yn fwy lwcus fyth, yn cael llonydd, a beic hefyd. A byddai'r rheiny'n mynd â'u beic i'r *Messa* yn ôl yn y camp. Byddem ni'n mynd i lawr heolydd fel cathod i gythraul, heibio'r drain gwyn, a'r blodau mân a sŵn brefu i bob cyfeiriad gan fynd i'r carchar yn union fel petai hwnnw'n gartref oedd yn ein galw 'nôl.

Aeth rhai ati i beintio Iesu ar gefn bocs *ammunition* a'i grogi mewn *Nissen hut*, a thuniau *bully beef* a jam a phriciau tân yn ganwyllbrennau ar unrhyw beth oedd yn ddigon cadarn. Erbyn pob bore Sul, byddai rhywun wedi gosod geriach o flaen Iesu: tuniau cig, coed tân, iwnifforms, tatws, ond byddem ni'n ei nôl allan a'i osod eto, ar y tatws neu ar y coed tân. *Era cosí, caspita!* Dim ond beic oedd ei angen i ddod â ni at Dduw y dyddiau hynny. Heddiw mae'n anoddach. Mae ewyllys yn anoddach peth i'w ganfod os ydi trafnidiaeth yn hawdd.

Ac ar ddydd Sul, yn amlach na pheidio, roedd *filò*. Dim byd mwy nag ofn tawelwch neu ddiflastod, *forse*. Hebddo, efallai y byddem ni wedi ratlo fel pryfed yn marw ar eu cefnau, heb Dduw na ffydd. Ein raba-tat raba-tat. Daethom at ein gilydd i rannu damweiniau *fermu*. Ac os oeddwn i wedi bod yn ddigon lwcus i gael llythyr gan Pina, dweud *auguri* wrth bawb gan Pina. Pob un yn diolch a mwmblan *auguri* yn ôl.

Oes newyddion?

Dim ond manylion am y tymor ac iechyd pobl. Na, byth newyddion.

))(

Un *filò* noson haf roedd angen cadw Bòs Nant Rhiannon yn *sweet*, felly fan'no roeddem ni, yn trwsio wats ei fam, y sgriwiau a'r olwynion wedi'u rhoi'n daclus ar hen ddrws fel bwrdd, ar lawr cowlas gwair. Hen bethau trafferthus, ond roedd y Cymry'n gwybod mai ni oedd y bois i gyweirio pethau felly – watsys, weierlesys. Ond tra oeddem ni'n clebran, ac wedi troi'n cefnau ar y cowlas i gael smôc, daeth pioden a bachu un o'r olwynion. Chafodd 'run ohonom gyfle i roi swaden iddi, na dim.

Bu'n rhaid dringo coeden wedyn. Os mai Mario oedd yr un am drwsio peiriannau, Lucio oedd yr un i ddringo. Yn y coed bythwyrdd tu ôl i'r beudy roedd ei nyth hi, a ni'n pump am y cyntaf, yn dringo fel mwncis; Oswaldo yn y cowlas yn sylwebydd – finnau, Elmo, Tommaso, Mario a Lucio'n ennill.

Fel doncis, meddai un. Doncis – *tutti*.

Ie, siŵr, os wyt ti'n dweud.

Yn y nyth, roedd modrwy briodas mam y Bòs, hen weiars, botwm gloyw ac olwyn y wats. Celc go iawn. A phan ddaeth y bioden i lawr yr eildro, cawsom hi dan wagen, rhoi sgriw yn ei gwddf a rhoi tri pheth i'r Bòs y diwrnod wedyn: y fodrwy, wats ei fam, a chawl cae. Wnaeth neb gwyno am y PoWs wedyn.

)))

Roedd rhai ohonom yn dwyn oddi ar y Cymry. Dim ond mân bethau a hen bethau. Ceiniog ar lawr; fforcen arian; llowciaid o laeth enwyn, neu lastwr hyd yn oed, gan obeithio na fyddai neb yn sylwi. Llowciodd Oswaldo geiniog, tagu a bron â marw. Bu'n rhaid i wraig y tŷ ei physgota allan o'i geg tra oedd o ar ei fol ar fwrdd y gegin, yn troi'n wyn a'i wefus yn las a'i lygaid yn rholio am i mewn. Edrychodd y ddau fyth wedyn at ei gilydd yn sgwâr.

Roedd gan ambell un arall ohonom ormod o ofn mentro bachu dim byd. Rhy onest.

Rydw i'n ei chael hi'n dda yma, gymaint gwell na'r lle dwethaf.

Rydw i'n sbesial.

Dwi'n cael cwcio iddyn nhw.

Tra byddan nhw'n hael, mi fydda i hefyd.

Anrhegion – roedd hynny'n rhan o'r fargen. Curo wyneb hanner coron ryw ychydig a gallem wneud llwyth o bethau. Modrwyau gan amlaf. Byddai hanner coron yn ddigon meddal; crafais flodau a dail ac ysgythru llythrennau a phob math o bethau iddyn nhw. Byddai pishyn dau swllt a phishyn tair arian hefyd yn ddefnyddiol. Doedd arian papur o ddim defnydd; arian go iawn oeddem ni eisiau – arian arian. Gallem greu fframiau i ddal lluniau allan o hen bacedi Player's Weights a Craven A, o duniau o'r bin, a chreu bocsys crand i ddal fferins a modrwyau o sgrapiau pren yma ac acw. Anrhegion i ddal anrhegion. A sliperi hesian a basgedi gwiail, waledi lledr hyd yn oed. A phan ddaeth awyren Anson i lawr yn Rhyduchaf, dyna'r cynhaeaf gorau erioed. Roedd y PoWs yn dda am rannu pan welem ein gilydd yn y camp. Gosod carreg wen o dan ffens Haf, cyfri faint ohonom ni oedd yno. Aros, aros tan 'Last Post'. Cwrdd; *filò*; cyfnewid; creu. Byddai Robin yn dod ag ambell beth ychwanegol i ni: pensiliau, papur. O drwyn metel yr awyren, llwyddom ni i wneud teganau dipyn o faint: ceir ac injans tân. Cafodd Haf gar fel hen Ford Bòs Evan, ac am rai misoedd, roedd hwnnw bron yn well na'r garreg yn ei phoced. Erbyn hynny, gallem fynd ati, i'r ardd neu i'r tŷ, dweud *buongiorno*-bore-da wrth ei mam. Chwarae'n dawel hefo'r Fordyn, ei rolio ati a hithau'n ei rolio'n ôl am oriau. Gludo *attaccaveste* i gefn ei chardigan a'i gadael felly ar ddiwedd y prynhawn, a hithau ddim callach.

Gwnes ffrâm o fath i Gwyneth – ag ymyl fel les. Gwnes ddarlun o flodau eraill, gan wneud ymdrech. Pwy a ŵyr a oedd neb ond fi yn eu gwerthfawrogi, ond o leiaf doedd blodau pensel ddim yn marw mewn jwg. Blodau menyn, helyglys, nâd-fi'n-angof. Bydden nhw'n byw yn hirach na rhyfel; yn hirach na'r cof amdanom ni, hyd yn oed. Gwnes fodrwy hefyd a GF arni fel signet. Wnes i erioed ddim byd i mi fy hun, ond dyna oedd hapusrwydd. Anrhegion yn dod o'r awyr.

Roeddem yn dlws – iddyn nhw. Pobl yn stopio i edrych arnom ni byth a hefyd, yn arbennig ar ôl i ni gael mwy o ryddid.

Stopiodd hen ddyn ni un diwrnod, grŵp o bedwar ar ganol gwaith – Beppe yn eu mysg a finnau'n falch. Y dyn ar ei feic a ninnau wrth ein boddau mewn cae tatws. Cododd y pedwar ohonom ni'n dwylo arno – y ffordd orau i gael gwared â rhywun.

Italian Fascists, meddai gan roi ei ddwy droed i lawr.

Atebom ni mohono. Ond wnaethom ni ddim bwrw ymlaen â'r gwaith ychwaith.

Fa-scist, meddai.

Na, meddem ni. *No-Fascist, Military* – ni.

No Fascist?

Military.

Un droed ar y pedal ac un droed ar y tir; crafodd ei ben. Camodd oddi ar y beic a phwyso arno. Ond ni ddaeth yn agosach. Cadwodd yn ddigon pell. Aeth ati i anelu ambell air Eidaleg atom. A ninnau – gwnaethom ymdrech i esbonio beth oedd *Italian* a beth oedd *Italian Fascists*.

Ond prin fyddai'r dyddiau pan weithiem heb warden o ryw fath. Gwas fferm, llygaid lleol. Daethom yn well meistri ar eu celfi a'u tir na nhw. Ond roedd rhywun yn ein gwylio, *sempre*, gan ddweud rhywbeth neis am ein gwallt neu rywbeth cas am ein gwleidyddiaeth.

Ci defaid oeddem i rai. I eraill, y mab a fu farw yn Ffrainc yn dod yn ei ôl yn un darn, ei groen yn dywyllach a'i drwyn yn fwy. Y babi a anwyd yn llonydd ar ôl dal ei wynt yn rhy hir, wedi dod yn ei ôl. Yr un a yfodd wenwyn llygod mawr yn ddwyflwydd oed. Yn ei ôl. Yr un drwg, rŵan yn dda. Ac felly, beth wnaem ni? Derbyn hynny. Ni, y Cymry *nuovi*. Yfed cwrw. Dal brithyll nant drwy ei gosi. Eu bwyd nhw'n rhoi cyhyrau i ni. A ninnau'n rhoi enwau newydd i'w cŵn, enwau fel Dante a Gioia. Moris roddais i'n enw ar gi Nant Rhiannon, ond feiddiais i ddim cyffwrdd y gath.

Y munud y rhoddem fys bawd allan o'i le, estron oeddem ni wedyn. A-ha! Canfuwyd cwcw. *O Mamma mia!*

Stupido.

Byddai rhai ohonyn nhw'n pledio arnom i ddweud pethau mewn Eidaleg, unrhyw beth, a phethau cymhleth. Dywedais wrth y gwas, Trebor:

> *particolareggiatissimamente,*
> *no, non ho un nonno,*
> *topi non avevano nipoti*

ac *i niputi putali* – sydd ddim yn Eidaleg o gwbl. O leiaf roedd hwyl i'w gael hefo fo, ar ôl rhai wythnosau.

Gofynnodd, pam mae dywediadau Eidaleg i gyd i'w wneud â theulu a pherthnasoedd?

> *Nonno*: taid.
> *Nipoti*: wyrion.

Ond doedd gen i ddim ateb. Doedd neb wedi gofyn am esboniadau cyn i mi fynd i Gymru.

Cynigais y gair *aiuole* iddo.

Rhoddodd yntau'r gair Iowa i mi – dinas Americanaidd. Dim cytseiniaid.

Heblaw 'W', dywedais.

Y Gymraeg! meddai wedyn. Mae'n wahanol. Mae 'W' *yn* llafariad.

Ac mewn Eidaleg does dim 'W' o gwbl, dywedais innau, wedi dysgu hynny gan Gwyneth. Drysodd hynny Trebor, ond *appunto*, dywedais. Ac o hynny ymlaen, dysgais i'r gweddill ddweud Iowa neu Aiuole i ddatrys neu roi diwedd ar ddadl: dim ond llafariaid oedd rhyngom ni.

Cyfnos oedd amser *filò*, neu adegau pan oedd hi'n bwrw bwceidiau. Troi at y sied wair yn Nant Rhiannon fyddem. Fel arall, roedd gan fywyd ei batrwm ymarferol heb lawer o sylwadau'n cael eu gwneud. Byddem ni'n cael cyfarwyddiadau ble i beidio mynd, neu sut i beidio rhoi coedwig ar dân, sut i wneud pethau fel roedden nhw'n dewis, hyd yn oed os gwyddem ni'n well. *Stop!* Roedd gennym ni hawl i ddefnyddio pob math o bethau peryg, er hynny: morthwyl, lli, teclynnau hefo pob math o lafnau, pladur, a neb yn dweud *stop* i ddefnyddio'r rheiny.

Nid ni oedd meistri amser, ond y Bòs, gwraig y Bòs, neu unrhyw un arall â golwg Cymro iddo yn y tŷ a'r cae, unrhyw un heblaw ni. Nhw oedd i ddweud pryd oedd codi, pryd oedd rhoi pladur i lawr, pryd oedd codi fforcen, eistedd, sefyll, mynd i'r gwely.

Buom ni'n edrych ar ôl y *muce, muce*; beth ydi *muce* eto? Gwartheg, y rheiny. A ninnau'n fodlon. Creaduriaid annwyl, ffôl. Dim llawer o drafferth.

Pan ddeuai'r gwanwyn – hyd yn oed ambell wanwyn ffug (hynny'n beth Cymreig), a'r haul yn we dros y lle, *niente male* wedyn. Byddai ambell ddiogyn yn sbwylio'r diwrnod. Ambell fòs yn mynd dan draed pan oeddem ni'n cael digon o hwyl. Byddai Bòs Evan yn mynd dan draed drwy anghofio fod gwaith weithiau, ond eto, iddo fo y byddem ni'n gweithio galetaf. Roedd ambell fòs, fel fo, mor gynnes â'r gwanwyn ei hun. Evan oedd y cyntaf i gynnig gêm o ffwtbol yng nghanol cinio cynhaeaf.

Os oedd tractor i'w gael ar *ferma*, byddai'r tractor wedi torri ac yn gwrthod cychwyn heb geffylau i'w dynnu. Lot o aredig. Lot o amaethu. Hau â llaw. Roedden nhw'n ffodus fod rhai ohonom ni'n gallu hau, wedi dysgu adref. Fi, wrth gwrs, a Beppe, roeddem ni ymysg y gorau.

Weithiau byddem ni mor brysur nes anghofio lle roeddem ni. Gwaith oedd gwaith, prysur oedd prysur, gwely oedd gwely. A boi o'r pentre drws-nesaf o adref yn pladuro wrth ein hochr.

Dychwelyd i'r *filò* ddiwedd yr wythnos â blinder yn nythu yn ein cyhyrau: dim egni i wneud dim byd ond gwrando ar stori. A diolch amdano. Diolch fod sbarc gan rywun. Lucio'n gofyn, rhywun yn ateb. Pendwmpian wedyn, cysgu tu allan i drefn a rheolau carchar – perffaith o beth: cysgu ar ysgwydd ffrind a chlywed y stori beth bynnag.

Byddwn yn clywed un o'm straeon innau weithiau'n cael ei hadrodd gan Elmo neu Tommaso neu Organ ac yn meddwl ei bod yn daclusach ganddyn nhw. Ac wedyn mi fyddwn i'n clywed llais Mamma o'r gorffennol yn dweud,

Dydi bobl eraill ddim yn well, Guido, dim ond yn wahanol.

Mae hi yn y stori hefyd. Rydym i gyd yn canu'n wahanol ac yn canu'n well o fod yn cyfnewid hefo'n gilydd. O gael cyfle i ofyn am hanes hwn a'r llall hefyd, i basio straeon ymlaen dros ffiniau gwledydd a waliau carchar.

Gofynnem i bobl oedd yn pasio drwy'r camp, oedd hanesion am Pietro? Ac i ble'r aeth Rodolfo?

Daeth un stori yn ôl i'r camp am Rino, hwnnw oedd yn ein *Nissen hut* ar ôl cyrraedd Llandrillo. Ei enw newydd oedd Yr Un â Chalon fel Jumpleads. Disgynnodd mewn cariad â merch ei *ferma* gymaint hyd nes i'w galon guro'n rhy gyflym i'w gorff. Bu farw mewn cae ŷd â gwaed yn dod o'i glustiau. Llygaid y dydd a thor calon hefo'i gilydd. Cafodd y ferch ei hanfon o'r ardal i fyw hefo'i nain, medden nhw. Dynes dyner. Dyna oedd hi ei angen. Ac fe'i claddwyd o yn ei iwnifform werdd, dan laswellt gwyrdd, a'i groen erbyn hynny'n welw.

Bechod – gair newydd. Bechod, meddem ni i gyd. Dyna ddywedodd Morfydd a Gwyneth pan gludais y stori yn ôl i *ferma* Nant Rhiannon ddydd Llun. Dyna ni. Bechod, ac yna yfodd Gwyneth y dail o'i phaned. Roedden nhw'n rhoi llaeth mewn paned. Ydyn nhw'n dal i wneud peth felly, tybed?

Bechod: roedd geiriau llawn cytseiniaid rhyngom ni weithiau hefyd.

Daeth Bòs Evan â Chymro o'r de i'r cae, un cryf, un ifanc. Hywel Gwyn oedd ei enw. Ar ôl ei fwydo hefo rhywbeth Italiano amser cinio a chadw i fyny hefo fo bob dydd, trodd Hywel at Beppe a gofyn iddo a oedd o'n ffansi mynd i'r sinema, saith milltir i ffwrdd.

Alla i ddim, dyna ddywedodd o.

Ond nid dyna fel roedd hi i fod. Rhoddodd Hywel ei gôt uchaf i Beppe, ac i ffwrdd â nhw ar eu beiciau. Tydi saith milltir ddim yn bell i hogiau ifanc ond roedd ddwy filltir yn rhy bell i PoW. Ar y ffordd adref, clywodd plismon sgwrs rhwng y ddau.

You are not Welsh, meddai'r plismon wrth Beppe.

Nor you, meddai Hywel wrtho.

Cymerodd y plismon enw a chyfeiriad *ferma* Beppe, a dweud, *No more pictures*, i mewn i'w goler.

Rhoddodd Beppe enw *ferma* arall iddo, a'r wythnos wedyn, fi aeth i'r sinema hefo Hywel i weld yr un ffilm â Beppe.

Va bene va bene.

Ffilm *Casablanca* oedd hi. Roedd gan Hywel fwy o ddiddordeb yn y ddefod o fynd yno: y ciwio, y merched, y tocyn, y seti mewn rhesi, y chwislan ar bobl mewn rhesi eraill, a smocio a sibrwd i'r tywyllwch. Fi oedd â diddordeb yn y llun. *If you are looking for adventure, you will find it. City of hope and despair ...* Welais i erioed lun mor fawr na phobl mor fawr. Ingrid Bergman â'i gwallt fel Gwyneth. *The meeting place of adventurers, fugitives, criminals, refugees,* meddai'r llais yn y sgrin – ni – *adventurers, fugitives, criminals* – *sì*, rhai, a *refugees* – *sì, sì*. Dameg i'n hamser.

Roedd disgwyl i ni ailadrodd y stori yn y *filò* wedyn, a Beppe a finnau am y gorau. Beppe'n dweud mai stori am ddau ddyn yn caru'r un ferch oedd y ffilm. Finnau'n dweud mai stori smyglo papurau oedd hi: pobl yn teithio o gwmpas fel adar yn mudo, er gwaetha'r rhyfel. O'r Almaen i Bortiwgal –

dynion rhydd. Ar draws ffiniau – i ffwrdd â nhw. A chariad
hefyd. Ai cariad, neu gyfeillgarwch rhwng dynion oedd y peth
pwysicaf? Byddai'n rhaid iddyn nhw weld y ffilm, dywedais.

I think this is the beginning of a beautiful friendship, mae
Luis yn ei ddweud wrth Rick neu Rick wrth Luis ar y diwedd.

Ond doeddwn i ddim yn fodlon hefo'r cariad yn *Casablanca.*
Roedd pobl yn rhy grand, yn rhy lân. Nid cariad oedd o, i mi.
Roedd hwnnw i'w gael yn y caeau, o dan goed ffrwythau, nid
mewn siwtiau gwyn.

Y ddynes – pwy oedd Bergman yn ei chwarae? Dywedodd y
byddai'n gwisgo ffrog las eto'r diwrnod y byddai'r Almaenwyr
yn gadael Paris. Peth od ydi'r cof. Roedd Pina wedi dweud
rhywbeth tebyg. Dwyn y syniad wnaeth awdur y ffilm? Roedd
gan Pina ffrog las hefyd. Ffrog â blodau dychmygol arni. Pan
gefais fynd adref am seibiant cyn mynd allan i Libya, honno
oedd y ffrog a wisgai hi. A gwrthododd ei gwisgo eto nes
byddwn i'n dod adref.

Dyna stori oedd wedi bod yn cuddio yn y cof.

Dyna stori na allwn i ei dweud wrth y bois.

Wedi dod adref i Nant Rhiannon, roedd llythyr yn aros
amdanaf tu ôl i'r cloc. Pina. Llythyr ar bapur tenau a'i inc
yn gleren las o hyd. Pina – yn amlwg o'r amlen. Efallai mai
dyna surodd y ffilm. Nid fod ganddi ryw lawer o fanylion na
newyddion i'w rhannu fyth. Eisteddais ar riniog y drws yn
darllen am ei bore Sul, rai wythnosau cyn hynny, am y *Messa,*
y tywydd, trafferthion hefo'r *orto* – rhy boeth i rai llysiau, rhy
laith i eraill … Ei *mamma,* fy *mamma* yn anfon *auguri,* fel
arfer. Mor werthfawr oedd y newyddion tila.

Yn y nos, gallwn weld y glaswellt yn symud yng ngolau'r
lleuad, yn awel Cymru. Ond awel pobman ydi awel, meddyliais.
Yr un awel sydd yn Pieve ac yn Nant Rhiannon a hefyd yn yr
Aifft. Yr un aer, a'r gallu, heb *papers* i deithio'r byd.

Byddwn yn cael syniadau mawr o riniog Nant Rhiannon.
Mae rhywbeth am y nos a rhywbeth am eistedd wrth y drws, y
byd mawr o 'mlaen i, a'r cysur tu ôl i mi. Rydw i wedi gwneud

hynny o bob un cartref: pabell, *Nissen hut*, tai go iawn. Edrych i mewn ac edrych allan.

)))

Dyn rhydd ydi'r dyn sy'n cael dweud cymaint o gelwydd ag y mae o ei eisiau, *forse*. A beth ydi stori heblaw celwydd? Dyna oedd ein *filò*. Hogi stori drwy ei hailadrodd a'i mireinio nes bod y stori gyfan yn dod allan yn llawn. Profi ein bod yn ddynion rhydd, yn storïwyr. Dweud, yn gyntaf: ymlacia. Eistedda'n gyfforddus. *Ascolta, ascolta un attimo,* gwranda. Dychmyga griw diddan o dy gwmpas. Stori fel hyn:

Roedd ynys. Ynys sydd ond yn bodoli os ydi rhywun yn canfod ei hun yno heb chwilio. Roedd yr ynys mor fechan fel yr anghofiwyd amdani i ryw raddau, wedi'i hanwybyddu gan lywodraeth Lloegr gan nad oedd dim llawer i'w allforio o'no, heblaw gwlân. Dim gwin. Dywedwn fod ei mynyddoedd yn turio ar i lawr, i mewn i'r môr, yn fwy ac yn ddyfnach na'r cewri oedd uwch ei phen. Mynyddoedd piws a phob deilen yn y goedwig yn gegau, yn siarad.

Galwyd ein hynys ni'n Wales ac yn Gwales ac yn Gymru.

Bu'n Britain. Bu'n rhif (fel ni) yn Camp 101, yn fyd cyfan. Heb sofran na phŵer brenhinol, nac iaith swyddogol, na ffyrdd syth, na thomatos, roedd y clwt bach o dir yn cael llonydd i fagu tylwyth teg, merched del a dynion ystyfnig. Roedd hi'n enwog am fod yn fechan ac am goedwigoedd dudew ar lethrau amhosib – lle iawn i eifr – a'i harfordir yn rhimyn lle roedd llwyth o gregyn gleision a'r trigolion byth yn eu bwyta. Mewn gwirionedd, dim ond cuddio yno oedd y trigolion. Clywsom am Fôr Sargasso, math o fôr annirnad, a dyma le tebyg, ond ar dir, meddem ni. *Filò* yn hogi dychymyg efallai, ond dyna deimlom ni oedd yr ynys.

Roedd stormydd y môr yno'n rhai goruwchnaturiol, yn llowcio adar bach, llongau a bechgyn; yn bwyta gwartheg yn un llond ceg; yn llowcio caeau cyfan yn y gaeaf.

Roedd y bobl yn byw ar racsys beth bynnag oedd yn tyfu ar eu tir nhw, betys a thatws a swej, a'u bywyd caled, llawn glaw, yn creu cyrff o'r un cyfansoddiad.

Ond i ni – i'r rhai ffeindiodd ein hunain yno, roedd un peth yno nad oedd i'w gael mewn llefydd llai llaith. Gallai pobl yno roi eu pryderon a'u troseddau'r tu ôl iddyn nhw – byw a bod hefo digon o *gioia*. Brwydro yn ein blaenau fyddem ni i gyd, ni a nhw yr un fath, *forse*, heb ofnau am anghysondeb bywyd ar yr ochr arall. Rhaid oedd dysgu byw yn ôl un rheol: bod hyfrydwch mewn tawelwch. On'd oedd hynny wedi'i ganfod eisoes gan lwythau brodorol Awstralia, gan yr Iddewon yn crwydro'r anialwch, a mwy? Bob tro mae pobl wedi bod yn ddibynnol ar yr elfennau, mae'r tirwedd o'u cwmpas wedi magu personoliaeth neu ddwyfoldeb gan roi'r argraff mai hwnnw oedd yn newid ac nid y bobl a edrychai arno. Ond nid y tir oedd yn newid. Ni oedd wedi newid. *Cambiamo, cambiamo tutti.* Ac os ydi pawb yn newid, does neb yn cael ei adael ar ôl i sylwi a phwyntio bys a dweud y stori fel y mae hi go iawn. Mae pawb yn coelio'r naratif am y gorffennol. Pawb yn dioddef o'r ffaith eu bod nhw'n gwybod erbyn hynny sut roedd pethau'n datblygu.

Efallai mai dyma'r agosaf i gartref roedd y rhan fwyaf ohonom erioed wedi'i brofi. Cymru, lle roedd y lleuad a'r haul yn hwylio ar hyd yr awyr, law yn llaw. Lle roedd plant a choed derw a chŵn defaid i gyd yn asiantau rhyw Dduw. Lle roeddem ni a nhw fel ein gilydd yn troi'n ddynion yng ngolau gwyrdd y cyfnos heb i neb sylwi, yn yfed a chwffio a marw a deffro'n ffrindiau gorau, iach y bore wedyn. Lle roedd yr awyr yn ogleuo o rug ac emynau a glaw, a lleisiau'n llaith. Lle roedd bysedd budron yn cwcio pot o adar budur a'i fwydo i weithwyr budur yn y caeau, ond fod neb yn meiddio dweud dim gan fod golwg nefolaidd i bopeth. A neb ddim gwaeth. Lle doedd dim un dilledyn na chroen yn ddigon gwyn i'w gwynt nhw, a neb yn cwyno. Lle nad oedd dynion dŵad yn elynion nac yn ddieithr, ond yn od fel bwji neu gariad newydd. Lle roedd sêr yn agosach i'r ddaear ac i'w gweld yn llygaid pobl, coed yn anadlu a fory'n bell, bell. Lle roedd breuddwydion yn rhydd i gerdded y tir, dros gamfeydd, ar hyd llwybrau cudd a thrwy ddrysau cefn pobl.

Dim ond mewn un lle y gall dyn gael ei eni, ond mi fydd farw mewn sawl lle: mewn rhyfel, mewn carchar, yn alltud, ar goll, yn ei wely, ar ddibyn, mewn cariad, ond mae yna ryw fath o ailenedigaeth mewn stori. Mewn byd gwell hefyd. Fel *ceasefire*.

Dyma ffrindiau oes fyddem ni'n ei ddweud wrth ein gilydd. Yn dysgu sut i ddweud,

Cer o'na.

neu

Dal draw.

yn eu hiaith siarad-wrth-y-cŵn heb fynd i nunlle ein hunain. Mewn cyfeillgarwch go iawn, rhannu'r pethau da fydd pobl, nid y pethau drwg. Dyna wnaethom ni. Buom ni'n chwerthin fel mulod. Buom yn sibrwd. Buom ni'n dweud ein straeon nes i rywun ddweud, *'Note, 'note; 'l filò l'é finí.*

ᚎ

Cawsom ein corlannu i mewn i'r sinema. Straeon oedd i'w cael yno fel arfer, yn'de. *Fabula*. Cariad a chowbois. Ond dyna lle profom ddiwedd pethau fel roeddem yn eu hadnabod nhw. Oswaldo, Tommaso, Elmo, Beppi, Lucio, Organ, Mario a finnau'n eistedd mewn rhes ac *eccolo lì*, diwedd y byd! Arhosom ni, bob un yn ein seti, wedi'n hymgaledu yno. Ni, y rhai olaf i wybod fod cwrs y rhyfel wedi troi, fod diwedd y stori wedi digwydd heb i ni sylwi.

Newyddion am Mussolini oedd ar y sgrin. Roedd oglau tail gwartheg a glaw yn y sinema a Pathé News yn dangos Mussolini'n hongian ym Milano. Mor agos ac mor bell. Gwelem y lleian yn codi sgert meistres Mussolini a'i phinio yn ei lle. Beth oedd ei henw hi – Clara, Claretta Petacci –

rhywbeth bach ifanc a del pan oedd hi mewn siwt nofio. Ond ddim mor ddel wedi'i chlymu gerfydd ei migyrnau, wedi marw. Wedi hanner marw – efallai ddim wedi *arrividerci* go iawn. *Santa pace!* A'r lleian yna ddim eisiau i Claretta ddangos ei nicyrs i'r byd, yn fyw neu'n farw. Hongiai, yn waed i gyd fel mwclis, ond yn barchus a'i sgert wrth ei phengliniau lle dylai fod. Roedd ganddi esgidiau lledr call hefyd, fel petai hi'n unrhyw un. Unrhyw un, *piccolina* Pettacci. Rydym yn cofio hynny. Claretta a'r tawelwch a dim tristwch.

Ac yna'r dynion yn crogi hefo hi, a'u pennau i waered hefyd. Mussolini, wrth gwrs, a'i fêts am y gwyddem ni, pobl beryg eraill – yn dangos eu bogelau, blew ar eu bronnau – Tarzans. Eu tafodau. Peth rhyfedd, disgyrchiant.

Pob un ag wyneb fel taten wedi hedeg, *Era così.*

A phawb eisiau gwybod lle roedd Colonel Valerio – fo laddodd Mussolini. Roeddem yn ei gofio fo. A Piazzale Loreto. Roedd gorsaf betrol yno, bariau metel a phum corff â chledrau eu dwylo'n troi at y camera, a phobl Milano oddi tanyn nhw, yn eu cannoedd. Pobl Milano'n dangos eu garddyrnau wrth chwifio'u dwylo'n uchel, ond garddyrnau glân, glân. Dim un wedi torchi'i lewys yn ddiweddar – cyffion gwynion parchus, yn chwifio fel cae ŷd. Dyrnau, dim bysedd. Cofio hynny. *Santa pace.*

Aeth y lleian yna allan o'r llun yn ddigon cyflym hefyd. Beth oedd ei hanes hi ar ôl dengyd? Bu'n ddigon call i fynd yn ddigon pell.

Mussolini heb ei het. Od. Cofio hynny. Doeddwn i erioed wedi'i weld o heb ei het o'r blaen. Disgyrchiant eto. Châi hyd yn oed Mussolini ddim cadw ei het. Popeth ond sgert Claretta yn cael eu tynnu at ganol y ddaear.

Gwelsom waeth. Mae gwaed wastad yn ddu mewn ffilm ddu a gwyn, ac yn bell.

Mae rhai pethau mewn bywyd wedi'u serio ar y cof. Y gusan gyntaf, Mussolini yn mynnu ymosod ar Ethiopia yn 1935, Hitler yn meddiannu tir ein cymydog yn Awstria yn

1938. Erbyn heddiw, mae pobl yn sôn am Kennedy'n cael ei saethu, y tyrau yn 'Merica'n disgyn yn llwch, ond doedd newyddion ddim yn gweithio yn yr un ffordd bryd hynny. Sbel ar ôl y digwyddiad y daeth Pathé News â'r hanes i'n bywydau. Roedd o'n ddigon real a byw i ni, yn eistedd ar ein seti sinema, a'r byd yn ruthro tuag atom. Tu mewn i'r sgrin, roedd pob un ohonom yn cael ei hun yn chwilio am *mamma*, am *nonna*, am chwaer, am unrhyw un, er yn gwybod na allen nhw ddim bod yn agos i Milano. Yn sydyn, roedd y ffrwd yn glir rhwng yr Eidal a lle roeddem ni wedi bod yr holl flynyddoedd. Gallem fod wedi camu reit drwy'r sgrin.

Tymor o haul a stormydd bob yn ail oedd hi wedi bod, y Mai hwnnw. Ac er gwaetha'r carchar ac er gwaetha'r bryniau, gwelsom yr holl ffordd yn glir, o fferm yng nghongl rhyw gwm mynyddig yng Nghymru i borthladd Southampton, i Napoli, trenau pren, cricymalau, at Adref. Nid *casa* oeddem ni'n ei ddweud erbyn hynny ond Adref, ac roedd yn rhaid i ni adael.

Roedd gwaeth yn aros amdanom ni wrth wynebu popeth tu hwnt i Gymru. Roedd El Alamein. Ac erbyn hynny, ar ddiwedd y rhyfel, roedd dros bedwar can mil o PoWs hyd ynys Prydain. Operation Seagull i'n cael ni i gyd o'no. Nid ein bod ni wedi cael hedfan o'no.

Trên, llong, llygod mawrion, trenau pren wedyn, cricymalau, Adref. Rydw i eisoes wedi dweud hynny …

Efallai mai Adref oedd waethaf.

Na, El Alamein oedd waethaf.

Nid carcharorion, nid milwyr, nid dynion alltud, nid dynion rhydd ond fermin oeddem. *Gabbiani*, â sgrech hunllefau ambell un fel gwylan hefyd. *Collaborators – sporcizia* – wyt ti'n deall y gair yna? Wyt ti'n medru dweud y gair yna? Gair sy'n symud fel llygoden y maes. Baw. *Sporcizia* a dim arall. Roedd gormod ohonom ni hyd y lle. Digon i newid lliw'r wlad. Petaet ti'n edrych ar yr ynys o bell, byddai gwawr liw tramor wedi bod arni, fel adar yn nythu, a'r tir yn troi lliw ein plu ni a'n cachu ni a'n gwleidyddiaeth ni. Lliw Italiani hyd y lle: ni.

Allem ni ddim anwybyddu'r sgrin. Mae ffilm a lluniau'n ffeithiau. Ac ystafell y sinema'n llawn gwylanod, yno i weld y gwir. Ein colledion ar y sgrin sgwâr, yn anwyliaid, yn deulu a ffrindiau, hyd yn oed os nad oedd dim un wan jac yno. Fan'no roedd y cwbl, y drwg yn dod yn dalpiau. Allem ni mo'i anwybyddu wedyn, na allem? Roedd yr Eidal wedi bod yno drwy'r amser. Ac yn bennaf oll, ein hunben dwl, ein harweinydd, ein pont, ein blydi idiot, ben i waered a'i geg yn dal yn agored.

Iowa, meddai Oswaldo. *Aiuole.*

Dyna roi diwedd arni felly, o'i sêt yn y sinema, a'r sgrin yn ddu, y stori a'r ddadl drosodd.

Pwy agorodd y drws yna, ddiawl? A gadael gwynt oer i mewn? Mi gawn ni i gyd *culpa d'aria.* Pawb yn edrych at y gwynt oer a'r drws agored, lle roedd diwedd y rhyfel yn aros amdanom ni, diwedd *filò,* hyd yn oed.

Edrychom allan drwy ddrws agored y sinema a gweld pethau'n wahanol. A'r hyn welsom ni yno oedd pob colled a brofom ni erioed, a phob cyfaill a chydymaith a gollwyd hefyd; pob anffawd; pob golygfa druenus; pob anaf, yno fel petaent i gyd yn y stryd yn aros amdanom. Ac o'r funud honno, doedd dim gorffwys – ond aflonyddu. Aflonyddu nes bod dynion yn eu dagrau hyd y lle. Ar stepen drws y sinema wedyn; yn y strydoedd, yn y caeau, yn ein *filò,* ar ysgwyddau'n gilydd.

Buom ni'n filwyr; buom ni'n rhifau; yn garcharorion; yn *co-ops* a *non co-ops*; buom ni'n enwau ffug ac yn wlad gyfan. Ni, Italia. Ac yna, doedd dim hyd yn oed hynny. Doedd dim rhyfel. Doedd dim encil o'r rhyfel ychwaith. A beth oedd i'w wneud ond cyrchu am y lle roedd pobl yn ei alw'n Adref.

Ddeuai dim da o weld ein caethiwed, ein 'weiren bigog' – dyna ydi o yn Gymraeg: *filo spinato*. Y munud roedd y byd yn agored, roedd geiriau Eidaleg yn dod yn ôl eto. *Filo spinato*.

Filo – weiren y tro hwnnw. *Spinato* – hefo *spine* miniog fel *porcospino*.

Aethom ni allan o'r sinema i'r stryd a gweld y *caos* oedd ar ein holau ni i gyd. Roedd y stryd yn dawel, dim un enaid byw yno, ond ei llond hi o lanast: hen wydrau a chadeiriau o'r dafarn ar yr ochr arall, am ryw reswm. Blodau rhyw hen ryfel. Pan welsom ni – *cavolo* – y llanast roeddem ni wedi'i wneud! Ni, fwy na thebyg, a nhw hefyd, y Cymry, hefo'n gilydd. Dodrefn y dafarn hyd y stryd, ar y pafin, ag oglau chwys cynnes wrth i ni gamu drwyddyn nhw. Yn y llanast gwelsom rywbeth nad oedd yno go iawn. Gweld gyr o wartheg wedi'u llorio yn yr anialwch ar ôl un o'r brwydrau, yr aer fel petai hwnnw wedi'i gracio ar eu cyrn. A chlustogau'r cadeiriau hynny, fel crwyn y creaduriaid druan, wedi'u malu'n glytiau brown a gwyn, a thyllau wedi'u rhwygo ynddyn nhw yma ac acw. Aethom drwy'r stryd yna yng Nghymru, tra oedd ein llygaid yn edrych ar gefnau onglog gwartheg yr Aifft – ddim yr un fath â gwartheg Cymru. Cydau dan eu gyddfau. Dim cnawd arnyn nhw, ond asennau. A phryfed yn casglu yn eu cymalau, fel glud swnllyd.

Roedd rhyw idiot wedi agor rhyw *cavolo* drws anweledig i ddatgelu ein hunllefau, datgelu beth oedd yn curo ym mhennau pob un ohonom ni a neb yn dweud ei stori. Cyrff gyr o wartheg wedi'u lambastio hefo magnelau ffosfforws yn El Alamein yn gosod eu boliau ar bafin stryd fawr yng Nghymru. A ninnau, yn gweld am y tro cyntaf, ac yn hel, fel y pryfed, i wledda ar y blydi laddfa – dyna beth oedd o. Rhyw idiot wedi agor drws a – plwmp – Dyna lle roedd ein hanes yn aros amdanom ni, dyna lle roedd wedi bod yr holl amser, efallai, ond *ecco* roeddem yn ei ddweud, *ecco,* ac *ecco*, ac *ecco* – *ecco* yn stond yn ein corn gyddfau, gan bwyntio at y gyflafan: fan yma, a fan yma a fan yma. Yli. *Guarda*. Yli.

Aethom yn araf o un pen y stryd i'r llall, a'i gweld am y tro cyntaf. Y stryd â'i slabiau cerrig llithrig, lle bûm yn rasio â chwrw yn fy mol a chrafu fy mhen-glin o flaen y post. Roedd El Alamein wedi bod yn cuddio yn y craciau.

)))

Y peth nesaf oedd fod Mario yn cwyno am ei waith. Methu diodde'r *muce*. Hunllefau, deffro'n biwis, chwyslyd.

Buom ni i gyd yn edrych ar ôl eu *muce*. *Muce*, gwartheg. A ninnau'n fodlon. Creaduriaid annwyl, ffôl. Dim llawer o drafferth.

Ond ar ôl Pathé News, dechreuodd Mario ddweud ei fod wedi cyfnewid un carchar am un arall, gwaeth. Y carchar cyntaf oedd y camp hefo weiren bigog a swyddogion a phopeth. Ac wedyn, roedd yn rhydd! Yn cerdded hyd y caeau: cae Ffridd Hwn a Cae Mawr a Dolydd *Qualcosa*. Ni oedd y carcharorion a'r carcharwyr. Pob un awr gan Dduw, roeddem yn cymryd y weiren bigog ddiawl yna yn ein dwylo ein hunain a'i weindio'n saff i gau'r gwartheg yn eu lle – ac yn cau ein hunain i mewn yn y fargen.

Doedd dim un ohonom ni'n medru diodde gwartheg Cymru wedyn, na ffensys na waliau na chloddiau na ffin o unrhyw fath.

Ceisia weld y *spine* yn torri'n rhydd fel adenydd adar bach, dywedais. Ceisia weld pob un fel pry cop sy'n cropian i ffwrdd, yn rhydd.

Stori Mario enillodd.

Yn y pen draw, ar ôl mynd adref, os oedd wal neu ffens neu unrhyw ffin debyg i gyrion carchar yn Finale Emilia, Monteforte Irpino, Pieve di Soligo, Melito di Porto – *non importa* – aethom o gwmpas tir cyfarwydd ein cartrefi yn chwalu unrhyw ffin heb gytuno ymysg ein gilydd, ond dyna wnaethom ni, bob un. Malu, malu unrhyw ffin.

Be *cavolo* wyt ti'n ei wneud?

Rwyt ti'n torri mur ein gardd ni!

Rwyt ti'n torri'r ffens rhyngom ni a nhw, *mio amore!*

Mae'r giât yna wedi costio i ni.

Non Importa. I lawr â'r wal. Fyddwn *ni* ddim mewn carchar fyth eto.

Gallwn fod yn falch o hynny o leiaf.

Beth wnest ti ar ôl y rhyfel, hen ddyn?

Malu muriau.

(((

A phwy oeddem wedyn? Meibion afradlon i rai.

Addawyd tai i ni; gwaith papur a Work Permit; pob math o bethau'n bosib – *forse.* Cartrefi cerrig ar dir ein teuluoedd, â lle i ni, a neb ond ni. Neu le i ni â Chymraes neu Eidales y llythyrau, Eidales ein plentyndod, Eidales ffuglennol. Tŷ a gardd heb ffens.

Addawyd gerddi hefo'r tai. Darnau o dir. Lle i domatos. Dim ond ni fyddai'n llwyddo hefo tomatos. Os oedd pupur coch yn tyfu, fe dyfai unrhyw beth. Ac roeddwn innau wedi llwyddo i gael llond basged.

Ond fyddai pupur coch byth yn cochi yn eu haul nhw. Bochau'r Cymry'n cochi efallai, ar y jôc leia. Dim angen haul, jest Italiani. *Pepperoni* fyddem ni'n galw'r Cymry wedyn – pupur coch – yn cochi fel bechgyn ysgol Sul a bechgyn cae gwair.

Byddem ni wedi aros a dysgu mwy o bethau. Adeiladu pethau. Eglwys Gatholig i ddechrau. Ac anfon arian i Mamma a Papà, ac i'r chwiorydd gael bwyta mwy na pholenta.

Byddai ein teuluoedd yn dweud, 'Cei weld dy deulu.'

Byddai Gwyneth yn dweud, 'Bydd Pina wrth ei bodd.'

Byddai Morfydd yn dweud, 'Rwyt ti wrth dy fodd, mae'n rhaid.'

Doedd neb wedi arfer hefo Guido mud – ddim hyd yn oed yn *trio* siarad – dim stumiau, *niente*.

Gallwn fod wedi aros yno, am byth yn hapus, fodlon. Digon o arian ac awyr iach. Ond Eidalwr oeddwn. Doeddwn i ddim yn gyfan yn unlle.

Cerdded wnaethom, i drio deall, gan fod cerdded yn rhyddid. Gwelsom wlith ac adar i wneud *spiedo* heb symud i'w saethu. Gwelsom slaffar o garw ond fo welodd ni'n gyntaf. A phopeth yn dweud, yn eu tawelwch a'u cyfarwydd-deb, dim ond un peth, *una cosa sola*, nad ein lle ni oedd o.

◀◀◀

Deffrais rai dyddiau ar ôl i'r newyddion dorri fel petawn wedi yfed llond casgen o win danadl poethion. Roedd fy mhen yn chwyddo fel ymennydd wedi'i fwydo ar ormod o freuddwydion.

Roedd yn rhaid cerdded, ymestyn fy hun hyd y caeau. Arhosais i fwyta dail y goeden *Tilia*. Yng Nghymru, roedden nhw'n bethau melysach nag adref. Dail siâp calonnau i ddyn unig. Ta waeth am hynny, roedd blas da ar y calonnau yna, yn gynnar yn y tymor, yn enwedig hefo cawod o law yn fêl arnyn nhw. Yn enwedig pan oedd neb yn edrych. Dyn wedi'i lwgu oeddwn i, ac yn sydyn reit, y bore hwnnw, roedd digon i'w fwyta. Roedd un tymor wedi dod i ben a'r llall wedi dechrau, dros nos.

Trifoglio dei prati welais i, cymaint fel bod ochrau'r lôn, oedd yn dila, denau o laswellt y diwrnod cynt, yn sydyn yn biws o'u pennau bach blodau. A'r amser yna o'r flwyddyn roedd blodau coed y *biancospino* gwyn yn meddalu ymylon y ffyrdd. Dros nos. Jest *così*. *Belli, bellissimi*. Llygad y dydd hefyd, yn rhoi *occi* i'r *giorno* yn ôl y Cymry – llygaid, meddyliwch – llygaid i rai â dychymyg, ie. Ac o gerdded gyda fy mhen i'n llawn o'r newid, gwelais hefyd ymylon Cae Pant yn llawn o *acetosa*. Digon i wneud pesto hefo cnwd llynedd o *noci*.

Pryd yn union oedd y diwrnod hwnnw, d'wed? Gwelais fod pethau'n medru newid. Nid jest symud o gamp i gamp i *ferma*; mân newid oedd hynny. *Una cosa tira l'altra.* Teimlai'r byd fel petai wedi'i dorri, *era così, veramente.* Roedd rhywbeth cyflymach yn digwydd tu hwnt i'r mynyddoedd. Ac roeddem ninnau'n araf droi'n fwngrels, ddim yn Eidalwyr, ddim yn Gymry llawn – rhywbeth di-siâp yn y canol.

Roeddwn i'n adnabod *paesaggio* Cymru: manylder y tir, yn arbennig y lôn yna, ond roeddwn i'n ei adnabod yn Solighese, iaith Pieve, iaith mor *esclusivo* a phendant â chroth fy mam. Yn y pen draw, dim ond un iaith oedd gen i ar gyfer disgrifio'r byd yn ei fanylder: yr un gyntaf un.

Ond roedd y lôn wedi newid y diwrnod hwnnw.

A dyna lle roeddwn i, yn llenwi fy mol hefo pethau o'r tir fel petai gen i ofn gorfod ei adael y foment honno. Bellach, pan fydda i'n gweld y *biancospino* wrth ymyl ffordd yn ardal fy mebyd, yng Nghymru ydw i, ar y lôn yna ydw i, yn breuddwydio am adref o'r 'adref' arall, yn ofni – nid y daith, ond yn ofni cyrraedd adref, a beth fyddai'n aros amdanaf.

Roedd y planhigion i gyd yno'r diwrnod cynt, siŵr o fod, *sicuro, sicuro*; serch hynny, roeddwn yn eu gweld fel dyn rhydd ac yn eu gweld yn bethau llachar. Ar y lôn honno gwelais hefyd ferch na welais o'r blaen. Lliw danadl poethion yn ei llygaid a babi yn eistedd ar ei chlun. Dywedodd hi hanes y lle fel petai hawl gen i i gael gwybod erbyn hynny. Y gallu i ddeall hefyd. Dywedodd mewn Cymraeg cyflym fod y lôn wedi'i henwi ar ôl hanes *violento* tua'r ddegfed ganrif pan fu tywallt gwaed nes bod y pridd a'r aeron a'r planhigion i gyd yn gochach yno. Roedd olion trais yn y tir, meddai. Ond doedd neb wir yn sylwi. Merched oedd yn rhoi trefn ar fywyd yno. Nhw oedd yn penderfynu. Nhw oedd yn gweu sanau. Roedd dynion yn *byw* yno ond nid *cultura machista* oedd ganddyn nhw. Ac felly, doedden nhw ddim yn tueddu i gofio'r hanes *machista*, ddim go iawn. Pwyntiodd y babi at y clytwaith llachar ar y llawr, yn disgleirio drwy ddail y gwrych.

Golau, golau, meddai'r babi.

Dyna ydi arwydd o hapusrwydd: dyna ddywedais i, yn'de? Golau'n pelydru o bob twll yng nghorff rhywun. O'r gwrych, o'r byd hefyd, o gegau babanod.

Golau, golau, meddai'r Cymro bach.

Edrychodd y ferch o'i chwmpas a dangos cledr ei llaw i'r cloddiau – golau. Dim dynion. Dim merched ychwaith, heblaw hi. Ond dyna ni. Edrychodd arna i fel petawn i'n rhywbeth arall heblaw dyn. Yn geffyl, yn goeden. *Non lo so*. A Golau, Golau meddai'r babi eto, gan bwyntio at y patrymau.

Mae peidio deall popeth yn beth da. *Niente male* yn hynny.

Defnyddiem *Dim deall* fel esgus am sws yn ddigon aml, pob un ohonom ni. Camddeall pob math o bethau am *baccio* bach ar foch.

Sws oedd *teeth*.

Sws oedd saws.

Sws oedd saith.

Sws. Roedd wastad ffordd o gael sws. Mi fydda i'n meddwl am y ferch â'r llygaid danadl yna weithiau, yn arbennig pan wela i fafon cynta'r tymor, ond welais i mo'r ferch ar ôl y diwrnod hwnnw. Holais Gwyneth yn ofalus.

Os wyt ti ddim yn ei hadnabod, fyddwn i ddim ychwaith, Guido, meddai.

Roeddwn wedi casglu llond dau ddyrnaid o ddail *acetosa* yn fy siwmper. Torrais y rheiny'n fân a'u malu hefo'r *noci de faggio*, caws cartref a dim cweit digon o olew. Gwyneth oedd yn rheoli hwnnw. Roedd digon o flawd i wneud pasta yn jôc o syniad yr amser hwnnw. Fe wnaethom *gnocchi*, hi a fi. Roedd y rheiny hefyd yn rhy ludiog heb flawd. Di-siâp a hyll, ond blasus. Blasus yn ôl y lleill hefyd – yn arbennig Bòs Evan, oedd yn defnyddio'i fforc fel rhaw. Roedd y pesto'n ddigon da i'r Brenin. Ac roedd siwgr ar gael hefyd i wneud *fritelle* hefo'r *trifoglio*. Gwnaeth Gwyneth yn siŵr o hynny. Weithiau, credwn mai gwenynen oedd Gwyneth mewn gwirionedd, y ffordd y medrai hi ddarparu siwgr pan fyddai angen, a phawb arall yn dlawd. Cuddiodd hithau'r *fritelle* o'r ffordd yn y pantri cyn amser pwdin. Dipyn o sioe. Diolch i'r ferch yna, diolch i Gwyneth.

Dros swper, soniodd Gwyneth wrth Bòs Evan a Morfydd am y ddynes ddirgel. Galwodd Morfydd hi'n Rhiannon y Lôn.

Roeddwn i'n meddwl mai enw *ferma* oedd Rhiannon, dywedais, fel Hendy a Hafod a Phant y Barcud? Sut fath o fryn neu bant oedd 'Rhiannon', ni feddyliais, ni holais. Gwyneth oedd yn gwneud pethau fel gofyn.

Ignorante, sì! Tair blynedd a deufis, bron, roeddwn i wedi bod yng Nghymru, y rhan fwyaf o'r amser ar aelwyd Nant Rhiannon. A'r diwrnod hwnnw, a finnau ar fin troi fy sawdl at adref, deallais mai merch, yn gyntaf, ydi 'Rhiannon', nid lle. Tair blynedd! Pam rhoi enw merch fel enw i *ferma*?

I ddrysu Eidalwr ryw ddydd, meddai Gwyneth.

Ond, yn ôl Morfydd, does dim rheswm dros bob enw. Weithiau rhaid derbyn fod pethau fel y maen nhw am ddim rheswm o gwbl.

Dwyt ti ddim am newid enw'r fferm, hefyd, Guido? gofynnodd Bòs Evan. Roedd o'n eithaf hoff o'r enw Rhiannon wedi'r cwbl. Gwell Rhiannon na Moris.

Cytunom a bwyta. Welais i erioed Rhiannon y Lôn wedyn. Aeth hefo'r tymor, fel petai hi'n rhan ohono. Ac erbyn i fis Mai ddod yn ôl, roeddwn i hefyd wedi gadael y lôn *violento* am Gamp 101, fel pecyn rhwng dau le.

⦗⦗⦗

Oedd, roedd merched. Cymry del, merched bochau cochion wedi arfer trin cryman cystal â ninnau ac wedyn yn gwau ac yn godro hyd yn oed. Dim gwell na merched adref, ond crio am golli'r merched del yng Nghymru oeddem ni.

Yr un pryd, roedd pob un ohonom ni'n meddwl am ferch adref; meddwl a meddwl amdani, a meddwi arni nes ei bod yn ddim byd ond llun, a llafarganu am brydferthwch: Francesca,

Maria, Dora, Simonetta, Pina – Guiseppina, wrth gwrs, â'i sgertiau'n cosi ei phengliniau.

Os wyt ti eisiau dau beth mewn bywyd, mae'n golygu dim ond un peth: byddi'n methu cael dim un. Dyna ddywedodd Elmo. Yr unig beth doeth ddywedodd erioed, efallai.

Byddem ni'n cyfaddef ein bod yn derbyn llythyrau o adref yn y *filò* weithiau – yn darllen ambell baragraff hyd yn oed.

Caro Guido, Caro Tommaso, Caro Oswaldo, Caro Elmo, Caro – annwyl hwn a hwn – doedd dim gwahaniaeth p'run ohonom. Allem ni ddim coelio ein llythyrau mwy nag y gallem goelio fod gwledydd eraill yn y byd. *Caro* fel cariad yn cael ei gario o'r gwledydd hynny. Adar â'r un gân, ni a'r Cymry. A nhwythau'n dweud fod *Caro* yn rhy debyg i regi – *cazzo*!

Byddai rhywbeth yn inc cleren las llythyrau Pina yn dangos lliw nosweithiau'r haf. Digon i mi ddychmygu ei ffrog o flodau bychain yn yr haul a'r cotwm bron yn dryloyw, heblaw am y gwregys am ei gwasg yn dynn, dynn. Haul, roedd wastad haul. A'i harlais yn disgleirio.

Ac wedyn roedd y merched reit o flaen ein trwynau. Rhai ohonyn nhw erioed wedi edrych arnom. Rhai wedi chwerthin arnom ni hefo'u ffrindiau yn eistedd ar bont y farchnad. Nhw, rŵan, oedd popeth.

Ar ôl Pathé News, cawsom ddarllen llythyrau o adref yn llawn yn y *filò*. Cyfaddefodd Elmo fod llythyr a stori wedi cyrraedd gan ei dad yng nghyfraith. Ni ddarllenodd y llythyr; daliodd y papur. Dydi Maria ddim yn aros amdanaf, meddai. A thra oedd o'n dal ei bapur yn dynnach, buom ninnau'n dychmygu'r posibiliadau, y dynion estron, y dynion deniadol ag arian. Ond roedd ei Maria wedi cael damwain wrth ddisgyn o'r daflod uwchben y stabal. Sawl tro, roedd Elmo wedi dweud fod y llawr yn llawn pry, meddai. Feddyliodd o ddim mai pwysau eiddil ei Maria fyddai'n ormod iddo. Ein Maria, ein Maria hefo'r wefus welw o'r llun.

Maria, meddai, *non c'è più*. Ond roedd hi mor fyw i ni ag erioed. Roedd eu babi, nad oedd yn fabi mwyach, hefo'i *nonni*, rhieni Maria, nid rhieni Elmo. Roedd y babi'n iach, ond yn y cartref anghywir. Roedd hyn yn sarhad o'r eithaf iddo.

Cofiaf Elmo'n dweud, *il bimbo*, y baban, heb enw. *Il bimbo*, *il bimbo*, oedd yn gwneud dim byd ond gorwedd pan adawodd Elmo'r Eidal, *il bimbo* yn dal ei ddyrnau'n dynn a gwasgu llwch. Roedd llun o'r baban wedi tyfu, yn fachgen, yn y llythyr, ond ei ddal yn ei ddwrn yr oedd Elmo.

Roedd erchyllterau eraill yn ein haros. Pwy arall oedd wedi'n gadael? Fy *nonno* – niwmonia. Nonni sawl un. Brodyr – gormod i'w cyfri, mewn tanau a thanciau a gwaeth.

Daeth llythyrau eraill o adref hefyd, yn dweud: Peidiwch dod adref. Os dewch, os byddwch yn gwneud yr ymdrech i groesi'r môr a'r milltiroedd, fydd dim digon o fwyd i chi ac i'ch chwiorydd. Does dim gwaith. Fel petai gennym ddewis. Yn llythyr Pina, *torna a casa, caro*.

Daeth newyddion am frodyr yn dychwelyd o wersylloedd yn yr Almaen. Dim cnawd ar ôl i ddal eu dannedd yn eu lle. TB. Cafodd brawd Elmo lond ei fol o bolenta a *radiccio* yn union ar ôl croesi'r rhiniog, ond ar ôl newyn, ffrwydrodd ei stumog. Gorhaelioni a gor-faeth Mamma wedi'i ladd. A rhoddodd Almaenwr gic i Mamma Organ am ddweud fod ei mab yn *bene grazie*. Pan adroddodd hanes hynny, roedd wedi aros drwy dair stori am ddamweiniau ar ffermydd, dwy stori gariad anobeithiol, un arall am goginio pasta heb ddŵr, nes i'r golau yn y sied wair bylu.

La mia Mamma, meddai, è una bella *Mamma*. Pan welais hi ddwetha, *bella*, *bella*. Yn heneiddio, *certo*, ond yn ddynes gref ac urddasol, ac yn ei llygaid, olion beth welodd fy nhad, flynyddoedd yn ôl, dri deg *anni fa*.

Dwi'n meddwl weithiau mai rôl mam mewn bywyd yw poeni. A rôl mab ydi rhoi rhesymau iddi boeni amdanynt. *Vero?* Roeddem i gyd yn cytuno, wrth gwrs, yn nodio hefo darn o wellt rhwng ein dannedd.

Pan oeddwn i'n ddim ond pwt bach, byddai hi'n poeni sut, fyth, y gallai fy ngadael yng nghwmni rhywun arall heblaw hi ei hun? Sut allai rhywun arall ofalu amdanaf yn iawn? Wedyn, byddai hi'n poeni a oedd ffrindiau gen i yn yr ysgol, oeddwn i'n gweithio'n ddigon caled, oeddwn i'n bihafio'n ddigon caled? Ac ers pum mlynedd mae hi wedi gorfod poeni a ydw i'n fyw neu farw. Ond achos fod Cymru mor wyrdd, a llythyrau'n cyrraedd gan deulu'r Bòs, nid jest gen i, doedd dim rhaid iddi boeni.

Gosododd Organ ei ben yn ôl ar felen o wair.

La mia Mamma, meddai. Hi sydd ar fy meddwl i wrth weld pob gwraig ym mhob *ferma gallese*. Ar ôl disgyn o'r lorri, cael fy nhraed mewn mẁd a danadl poethion, cerdded at ddrws y *ferma* – roeddwn i adref. Bob tro, adref, a'r ieir wrth y drws cefn. Fel oen newydd ei eni, golau'r nefoedd yn agor rywsut, yn y tŷ newydd, y byd newydd hefo mam newydd a ...

Alora, dwi'n dweud gormod, meddai wedyn. Ydw i'n dweud gormod?

Ysgydwais fy mhen hefo'r lleill, heb siarad.

Alora, roeddwn i'n meddwl, bob tro: does dim rhaid i Mamma boeni tra 'mod i yn y fan yma.

Sì, meddem ni i gyd.

Er mai gweithiwr oeddwn i, roedd gobaith. Ac roedd digon ar y bwrdd fel arfer. Mwy na digon. Byth yn gorfod dweud *basta*. Ond rydw i'n gwybod rŵan fod y llinyn bogail wedi'i dorri am byth, o fod yma, yng Nghymru, mewn lle saff. Mae rhywun – mae'r gelyn – y gelyn yn medru cicio Mamma o *casa nostra*, o adref, fel yna, a finnau ddim yn medru gwneud dim byd heblaw darllen am y peth wythnos yn rhy hwyr.

Padre, filio, spirito, santo.

Roedd ein *filò* yn llawn straeon fel hyn – *Os* awn ni adref ...

Er bod y papurau newydd yn dweud – Adref â nhw. I sicrwydd. Fel'na.

Os awn ni adref fyddem ni'n ei ddweud, gan fethu'n lân â dychmygu gweithredu'r peth. Treulio'r amser yn ateb eu cwestiynau. El Alamein, yr Aifft, yr anialwch, sut le oedd o, beth brofoch chi yno? Esbonio'r llond ceg o dywod yn y gwyntoedd a'r awyrennau fel gwenyn meirch. Y deifio i dyllau. A gynnau mawrion, mwy na cheg y *ciacerone* mwyaf. Y nos yn disgyn arnom fel glo. Un munud roedd hi'n ddigon poeth i ferwi wy ar y tanc, petai wy wedi bod ar gael, a'r munud nesa'n rhewi ceilliau. Dydi cofio ddim yn gwneud lles. Ond daeth y cof yn ei ôl beth bynnag. Daeth y cof yn ôl yn boeth ac yn llosgi.

Daethom i'r cwt gwair am *filò*. Cwt gaeaf, a'r lle bron yn wag. Y lle i gyd i ni ei lenwi â'n tinau a'n tiwniau. Ond doedd neb eisiau canu. Darnau o straeon yn pigo'n cluniau ni a dim angen *filò* mewn gwirionedd. Eto, roeddem angen ein gilydd.

Paid eistedd yn rhy agos ata i, 'Talian. Mae dy anadl di wedi dod o'r mynydd heddiw.

Ydi.

Clywais i fod Hitler wedi galw ei drên personol yn 'America'.

Siaradodd dynes hefo fi yn y stryd heddiw.

Clywais fod tair mil o fabanod wedi'u geni yn Auschwitz gan fydwraig Gatholig, Bwylaidd. Dim ond pum cant fuodd fyw am fwy na rhai dyddiau.

Dwi ond yma gan nad oes gen i fywyd tu allan i'n straeon.

Clywais fod un eliffant wedi bod yn byw yn Berlin cyn y rhyfel – Siam o Asia. Lladdwyd o gan fom cynta'r Allies.

Ganddon nhw felly?

Gennym ni.

Rydym i gyd yn euog. Rydym i gyd yn storïwyr. Dyna ddywedais i.

Cefais freuddwyd fy mod yn effro, meddai un ohonom, ac roeddwn yn ôl yn y camp yn Alessandria ond roedd merched beichiog yno a phlant; na, babanod. Ac roedd un *piccolina*, roedd hi'n ffitio yn y tun cig. Fi oedd i fod i edrych ar ei hôl, *caspita*! Allwn i ddim. Roedd hi mor fach, fel crothell, yn llithro rhwng fy mysedd. Hithau'n rhwygo'i haeliau allan a thynnu gwaed i'w llygaid. Finnau'n *panico* fod dim cig mewn tun arall i'w roi'n fwyd i iddi. Ac yn waeth, fod y babi wedi diflannu un bore.

Meddyliaf am y rhai oedd â gwragedd adref – straeon heb derfyn.

Ricordo, 21 Hydref 1943, a chlefyd melyn arnaf yn yr ysbyty maes, yn yr Aifft. Ond roeddwn i'n disgwyl dyrchafiad. 'Nôl i'r tanc â fi, clefyd neu beidio. Roedd y *withdrawal* wedi dechrau erbyn Tachwedd yr ail. Gwres gwyllt arnaf. Doedd fy ymennydd druan ddim yno erbyn hynny ond daeth y gorchymyn. Trwy'r nos, rhedeg wnaethom. Cymryd ein safle yn y bore. Mêts yn fy ngalw'n *girasole* – blodyn haul.

'Now this is not the end; it is not even the beginning of the end. But it is, perhaps, the end of the beginning,' meddai Churchill am El Alamein. Doedd o ddim yno, ond fe wyddai sut i adrodd stori. Does dim rhaid bod yno i storïo; dyna *ydi* stori – byw tu mewn i stori rhywrai eraill. *Vero?*

Mae rhwng pum deg a saith deg miliwn wedi marw, eu hanner yn ferched a phlant. Rydym ni yn yr ugain miliwn annelwig – ddim eto'n siŵr a ydym ni'n ſyw neu farw.

Ricordo, yr un â chalon fel *jumpleads* – fo, bechod – rhoi enw iddo yn y *filò* – Rino Ghiringheilli – rŵan o dan fasarnen. Na, chafodd o ddim aros ar dir y *ferma*. Dyna beth ydi neges, rhag ofn i ni anghofio mai parasitiaid oeddem, bob un. Dim carreg o unrhyw fath i nodi lle, i ddweud *eccolo, Italiano*. Dim o'r fath. Pydru rhwng y gwreiddiau.

Ricordiamo ein cartrefi. Papà yn methu edrych ar helygen heb ddyfalu sawl clocsen fyddai'n ei chael allan ohoni. Papà pa un ohonom? Un, ac felly Papà i bob un ohonom.

Ricordiamo chwiorydd yn nôl y golch o dai cyfagos mewn berfa er mwyn ennill ambell *lira*: cymryd tro i reidio'r ferfa. Chwarae hefo tân – beth petaent yn disgyn i'r mŵd, nhw a'r dillad gwlâu a phopeth? Roedd o'n werth y risg.

Cofio ffair wledig: yr hogwyr cyllell, y cystadlaethau dringo polyn, yfed gwin o glocsen neu fwyta wyau. 'Pwy sydd am wario ambell geiniog i'w wneud yn hapus?' Dyn â phen tarw yn dweud *Mu* wrth y plant. Gwybod fod yr Eidal honno ddim yno bellach.

Straeon cartref rif y gwlith. Artaith. Cofio straeon oedd wedi bod yn cuddio yn ein hesgyrn ers i ni gyrraedd Cymru. Straeon El Alamein – y rheiny fel dŵr yn torri trwy argae.

Ricordiamo y bachgen hefo grenâd yn ei gôl yn El Alamein; ei enw oedd Giacomo. Yn wahanol i'r rhan fwyaf ohonom, roedd yn unig fab. Ganwyd o yn nhymor yr olewydd. Mewn tŷ o'r enw Tŵr y Baedd yn Umbria mae ei rieni, ac y bydd ei rieni, pan awn adref, rai ohonom.

Rwyt ti'n chwilio am brif gymeriad i dy stori di, wastad.

A tithe.

A tithe.

Wyt ti ddim yn teimlo'n euog?

Padre, filio, spirito, santo.

Dyna oedd ein *filò*. Ar y nodyn yna, *note, 'note, 'l filò l'é finí.*

)))

Breuddwydiem, nid am adref, ond am gael aros lle roeddem ni.

Weithiau, cyn diwedd y rhyfel, byddai Bòs Evan yn dweud,

Paid poeni, mae hyn ar fin dod i ben, dwi'n ei deimlo yn fy nŵr. Gei di fynd adre'n fuan.

A minnau'n edrych arno a'i fygythiad – dim ond am un eiliad – cyn cydio yn y cryman eto, gan drio peidio meddwl beth allai fod yr ochr arall.

Amser paned, Bòs.

Ac wedyn, ar yr un gwynt, byddai'n dweud,

Mi gawn ni'r Work Permit i ti, mi gei di aros hefo ni.

Ond roedd gen i ormod o ofn gofyn a oedd o'n addo'r un peth i eraill. Feiddiai neb ddibynnu ar hynny. On'd oes yna rywbeth seicolegol chwithig mewn peidio camu drwy ddrws neu giât sydd newydd agor, am beidio cymryd llwybr clir? Doedd dim dewis. Roeddem yn cael ein taflu allan. Dyna sut oedd raid i'r stori fynd.

((

El Alamein oedd gyntaf. Dyna roddodd ni yng Nghymru. Dyna ddechrau'r stori go iawn. A'r gwaethaf yn dod o hynny.

El Alamein, *Signori Dio*. A doedd fan'no ddim yn bodoli tra oeddem yn ein *filò*. El Alamein. Dim ffit i ddim byd ond sebra.

Eto, am ryw reswm, roeddem wedi cael ein hanfon yno at y sebras oedd yn llwgu cymaint nes eu bod yn bwyta'u dannedd eu hunain, a ninnau'n eu gwylio o danciau tila neu, yn waeth byth, o'n sgidiau.

Roedd Mussolini wedi bod mewn grym ers pan oedd y rhan fwyaf ohonom ni mewn clytiau. Yn siarad am fynd i'r fan acw a'r fan arall, ennill a thyfu o hyd. Gorfodwyd ein tadau, fwy neu lai, i fynd i Abysinia fel roedd hi. Roedd o wedi rhoi rhai milwyr mewn crysau duon, rhoi cyflog da iddyn nhw, eu pocedi'n jinglan a neb yn eu hoffi. Bu ein tadau yn y Rhyfel Byd Cyntaf hefyd ac yn dweud wrthom ni fod y Brits yn fois go lew. Milwyr gwell na ni. Ac wedyn y Mussolini 'na – *big head* – yn gwneud mêts hefo Hitler. Roedd hwnnw'n waeth na Napoleon: eisiau'r tir yma a'r tir acw ac eisiau mynd i ryfel yn erbyn y Brits.

Tan yr unfed awr ar ddeg, ofnem gael ein hanfon i Rwsia gyda'r gynnau tila yna oedd gennym ni, gynnau hŷn na'n teidiau. Yn El Alamein roedd y dŵr yn llawn olew. Bob nos, pawb yn dwyn blancedi, dod ar draws pentrefi hefo neb ond pennaeth platŵn wedi colli ei ben yno. Pentref arall, dim ond puteiniaid heb fwyd. Ond tan i fachgen o Umbria gael ei chwythu'n ddarnau mân, wnaethom ni ddim sylwi fod rhyfel. Un munud roedd o'n eistedd ar *burgen* yn meindio'i fusnes hefo chwe grenâd llaw yn ei gôl, a'r munud nesaf doedd o ddim yno o gwbl. Cododd o'i sêt, ugain troedfedd i'r awyr ac i lawr i ganol sgrechiadau a llwon a panico. Roedd ei waed o, wedyn, er y gwres, yn gynhesach na'r aer, ac yn ludiog arnom ni. Roedd budreddi eraill arnom ni hefyd; wyddem ni ddim beth – stwff cynnes – grenâd – darnau o'i du mewn. Dyna oedd ei dechrau hi. Pietro Ponti un ochr iddo, finnau'r ochr arall, ac yna dim ond fo a fi, ein hysgwyddau'n dywyll.

Ond roedd hynny cyn El Alamein go iawn. *Scusami* – does dim o hyn yn dod allan yn drefnus. Ond doedd dim *yn* drefnus.

(((

Mae pobl sy'n marw yn gwneud mwy o sŵn na'r rhai byw. Fe ddysgom ni hynny.

Guaito oedd y sŵn. *Guaito*. Digon hawdd i Gymro ei ddweud o: *gua* fel gweiddi – *i* – *to*. Tair sillaf hir.

Mae rhai pobl yn dysgu sut i *gu-a-ito* yr eiliad maen nhw'n dod allan o'r groth. Rhieni'n dweud hanes eu sŵn, eu tonsils poenus, eu colic, eu cyfarchiad ofnadwy cyntaf. Rhai eraill ofn colli eu tafodau os byddan nhw'n meiddio gollwng *guaito* go iawn o'u genau. Mae'n cymryd gyts.

Rhaid i ti ysgogi chwd yn ddwfn yn dy fol. Wedyn rhaid siapio gair crwn. Na, mil o eiriau crynion rhwng dy ddannedd, ond heb adael i ddim un ddengyd. Ac yn lle geiriau, pan mae dy fol yn barod, mae'r cwbl yn dod allan yn un sŵn wedi'i rannu'n dri.

Yn gyntaf, daw rhyw sŵn fel hollti coeden hefo bwyell, sy'n anfon ysgyrion i bobman. Fyddi di ddim cweit yn coelio dy sŵn dy hun.

Yn ail, mae sŵn syrffed. Dychmyga dy fod wedi cerdded can milltir hefo esgidiau rhy fach a dim ond un dafell o fara yn dy fol, ac yna, jest ar y ganfed filltir, fod wal argae yn gollwng a llyn cyfan a hanner mynydd yn chwalu tuag atat ti – ac rwyt ti'n nofio a rhedeg a llowcio baw. Ac mae'r darn canol yma o sŵn dy *guaito* di'n dweud – Roeddwn i'n meddwl na allai pethau fynd yn waeth ac roedd hynny'n *errore, errore*. A dyna pryd rwyt ti'n gorfod codi egni o dy sodlau. Ac rwyt ti'n cyrraedd y pen arall, ac maen nhw'n aros amdanat ti jest i dy ddyrnu di rhwng dy ddwy ysgyfaint ac rwyt ti'n dweud – Na – ac maen nhw'n gwenu a rhoi bwled ym mhen dy chwaer o flaen dy lygaid di ac yn yfed y gwin wedi'i wneud gan dy *nonno*.

Ac yn drydydd, y darn olaf o sŵn dy *gu-ai-to* di, os wyt ti'n cyrraedd fan'no, ydi sŵn fel petai rhywun yn rhwygo ewinedd dy draed i ffwrdd ar ôl addo bath dŵr cynnes a sanau gwlân. Hefo'i gilydd, mae'r tri sŵn yn dod o dy iau di ac yn chwalu allan, nid trwy dy geg yn unig ond o bob twll a phob cell, ac mae hynny'n cynnwys dy din a dy dethi di. Ac os wyt ti'n gwneud hynny, rwyt ti wedi llwyddo i wneud *guaito* go iawn.

Waeth i ti heb â'i ymarfer na thrio'i gopïo. Dim ond o gael dy bryfocio ddaw o, rywbryd pan fydd gen ti gymaint ar dy feddwl fel na fyddi di ddim yn cofio fod *guaito* yn bodoli beth bynnag.

Mae'n dweud llwyth o bethau heb eiriau mewn unrhyw iaith.

Roedd yna ryw obaith, ar ôl y rhyfel, na fyddai pobl yn gorfod clywed na phrofi'r sŵn byth eto ac y byddai pobl yn cyrraedd diwedd eu dyddiau heb wneud un *guaito*.

Dyma rydyn *ni* eisiau. Dyna pam ein bod ni'n cael plant ac yn mynd i ryfel drostyn nhw. Dyma'r unig beth ydym eisiau mewn gwirionedd. Dyna oedd yn ein anfon, pob un, i'r *filò*.

Weithiodd o ddim.

Beth oeddwn i'n ei ddweud? Fod pobl sy'n marw yn gwneud mwy o sŵn na'r rhai byw. *Sì*.

Cyn hynny, beth oeddwn i'n ei ddweud? Rhywbeth am weiren bigog. Ie? *Filo*, nid *filò*.

Mae'r weiren yn dal yna. Bydd hi'n neidio i gil ein llygaid o lefydd annisgwyl – siâp yn wal eglwys, brig yr india-corn, o un noson i'r llall, yn rhedeg ar hyd y llawr fel pry cop yn y tŷ yn yr hydref. Mae bomiau'n medru dod drwy'r cof, drwy unrhyw beth, fel daeargryn.

Dyna oeddem yn ei drafod, ie? Nage. Bomiau?

Ffosfforws oedd yn y bomiau. Roedd hynny'n gwneud i ni neidio i mewn i'n tanciau ac i dyllau mewn tywod. Ddim eisiau cael ein llosgi. Tanciau'n troi'n eirch. A'r rhai heb neidio'n ddigon handi yn cael eu cwcio yn y tywod, neu'n cael eu cwcio gan yr haul yn nes ymlaen. Weithiau, byddem yn canfod dŵr, ac roedd hwnnw'n llawn olew. *Cavalo!* A byddem yn tynnu'n crysau, tynnu'n trowserau hyd yn oed; roedd hi'n rhy boeth. Cael ein cwcio'n waeth wedyn, a dim dŵr ar gael. El Alamein.

Ni a nhw a rheolau rhyfel.

Byddem ni'n anadlu i mewn a dal ein hanadl er mwyn creu tawelwch pur a thrio clywed y bom yn dod atom – ceisio dyfalu o ble. Ond doedd dim un ohonyn nhw'n gwneud sŵn digon glân i ni fedru dweud: *eccolo,* fan'cw.

Dylem ni fod wedi cysgu. Dyna oedden nhw'n ei ddweud. Cymryd mantais tra oedd y bomio'n ddigon pell. Gorwedd yno a meddwl – dim smic – pam, *Mamma Mia*, pam? A pam fod neb yn effro? Ond roedd pawb *yn* effro, wrth gwrs. Jest ddim yn meiddio symud na gwneud smic.

Roedd rhywun allan yna, yn benderfynol o ddychryn ein heneidiau. Ar wahân i'r bomio a chyfarth cŵn a gwynt drwy'n dannedd ni, a ninnau'n trio clywed un sŵn bom a dal yn dynn ynddo er mwyn ei ddeall yn well – wir, doedd dim byd i'w glywed ond ein calonnau ein hunain. Clustiau'n popio o'r tu mewn. Rhywbeth dwfn yn ildio ac yn gollwng gwaed – pop.

… dacw fo. *Eccolo*!

Un ai Prydeinwyr, neu'r wawr. Pa un bynnag, roedd o'n rhimyn coch yn eistedd yn daclus, un llinell ar yr anialwch, ac yn agosáu.

I ddechrau, roedd y bomio ffosfforws yn ddigon i ddychryn, ond doedd hynny'n ddim o'i gymharu â'r coch oedd yn dod reit atom o gyfeiriad y sŵn.

Maen nhw wedi cychwyn, meddai un.

Sylwais, meddai un arall.

Llais pawb yr un fath.

Ond doedd hanner ohonom ni ddim wedi sylwi lle roedd y ffin rhwng sŵn a dim smic. Roedd rhywbeth yn ein gwneud ni'n wrandawyr astud ac yn fyddar yr un pryd, yn methu gwneud sens.

Mae pobl sy'n marw yn gwneud mwy o sŵn na'r rhai sy'n byw. Rydw i wedi dweud hynny'n barod? Do. A, dyna i ti *filò*, dweud a dweud.

*(((*

Fel yna y byddai straeon yn dod yn ôl atom ar ôl llifddorau Pathé News, yn lympiog ac yn ddi-drefn. Gweld buwch; roedd buwch yn El Alamein. Gweld anifail cloff; roedd gennym gi heb goes yn El Alamein. Gweld tun cig; chwydu o gofio *rations* El Alamein.

Roedd y rhyfel drosodd ers misoedd ond doedd bechgyn Cymru ddim wedi dod adref a ninnau'n dal yn eu seti, eu gwlâu, eu caeau gwaith …

Doedd dim wedi newid, mewn gwirionedd, heblaw am y gwirionedd yn ein sgyrsiau, ein straeon. Cwrdd eto yn y *filò*.

Faint hirach fydd raid i ni aros?

Chwe mis, ddywedodd rhai.

Chwe blynedd, meddai eraill.

Tan i'r mes ddisgyn, meddai rhai.

Un tymor, dau?

Eira?

Rydym wedi clywed y stori yma o'r blaen, dywedais.

Wyt ti'n siŵr? meddai Mario.

Cawn ein gwerthu fel caethweision, meddai Tommaso.

Caethweision oeddem ni tan rŵan, dywedais innau.

Fel bwyd cŵn, meddai Tommaso eto.

Rydym wedi gwneud ein dyletswydd, wedi aros yma fel PoWs, ac mae'n bryd iddyn nhw ddangos gronyn o ddiddordeb ynom ni ar ôl blynyddoedd o alltudiaeth, heb ryddid, heb ...

Duw a'm hachub rhag y pethau wna i iddyn nhw ...

Pa stori s'gen ti i ni yn lle cwyno? gofynnodd Lucio.

Weithiau, os byddi di'n darllen neu'n gwrando ar stori gyfarwydd, ac yn gwybod ei bod yn gorffen mewn ffordd sydd ddim yn dlws nac yn daclus, fyddi di'n meddwl – efallai, y tro yma, bydd hi'n gorffen yn wahanol, yn llai poenus? Fyddi di'n meddwl fod gobaith i stori newid ei diweddglo ei hun? Un sy'n creu byd anwylach? Mi fydda i. Roeddwn yn ddigon dwl i ddweud hynny wrth y lleill.

Rwyt ti'n cymysgu stori hefo bywyd go iawn, meddai Mario. Dim ond hwnnw fydd ddim yr un fath pan ei di'n ôl ato.

(((

Beth arall allem ni ei wneud heblaw cwcio *spaghetti*? Neb yn rhoi tocyn trên na chwch na gorchymyn i ni. Wyddem ni ddim beth i'w wneud heb orchymyn. Beth oedd i'w wneud heblaw gwylio'r nosweithiau'n dirywio?

Waeth i ni wledda, ddim.

Manga bene, caca bene ...

Dweud dim am y pethau estron oedd yn ein boliau ni.

Roedd teulu Bòs Evan yn darparu pasta a ninnau'n ei goginio. Siop Davies oedd yn lle da. Roedd y gallu ganddyn nhw i gael gafael ar bethau os oedd rhywun yn gofyn hefo gwên. Unrhyw beth. Siocled, hyd yn oed, ac olew olewydd.

Byddai swllt ychwanegol wastad yn help. A byddai anfon Morfydd i siopa yn golygu cael digonedd o bopeth.

Taerai un ohonom ei fod o'n disgwyl babi rhyw Gymraes a'i fod yn poeni am y dyfodol. Un arall wedi magu wlser mwy na babi.

Roedd Lucio'n dal i ddweud iddo bron â chael ei ladd, nid gan Rommel ond gan ei fol ei hun. Yn ei wely oedd o, 'nôl yn Camp 101 a *chef* Bore Da yn ei fwydo, ond doedd dim cnawd yn mynd ar ei esgyrn – popeth yn hel yn ei fol. Dyna feddyliem ni. Nes bod ei lygaid o â golwg eisiau neidio o'i ben i chwilio am fwyd ar eu pennau eu hunain. Roedd popeth yn bosib.

Daeth dynes leol ato yn y diwedd, dynes roedd rhai'n ei galw'n wrach, o ardal llyn mawr y Bala. Yr unig reswm pam y byddai'n cael ei galw'n hynny oedd am ei bod hi'n gwneud moddion hefo dail, fel fi. Dywedodd hi fod yn rhaid i ni ei lwgu.

Isio'i starfio fo. *Ecco.*

Ond roedd o'n rhy wan i gwyno beth bynnag. Ar fin ein gadael ni. Doedd ganddo ddim cryfder i gymryd mygyn rhwng dau fys. Ac felly cafodd *chef* Bore Da orchymyn i gadw'n ddigon pell. Roedd y boi'n crefu am fwyd.

Roedd 'No' yn Saesneg a 'No' i ni bron 'run peth. No. *No Food. None. Niente.* Tan i'r ddynes hefo llygaid chwilod ddweud: digon yw digon. Clymodd ddwylo Lucio tu ôl i'w gefn a daeth â phowlen o gawl at ei drwyn. Chafodd o ddim bwyta. Roedd o'n hongian ei dafod allan at y bowlen ac yn glafoerio.

No, meddem ni bob un, ond ddim yn siŵr pam. Unwaith mae rhywun yng nghanol defod, mae rhyw wylltineb i'r peth sy'n gryfach na sens. Gall unrhyw un fod yn greulon pan mae o yn ei chanol hi.

No.

Gwelsom 'O' siâp ei geg o'n agored, 'O' siâp ei lygaid, fel soseri. A daeth pen gwyn allan o'i geg o, cyn wynned â'i ddannedd; gwyn, â dau dwll fel llygaid, gwyn ar hyd ei gorff hir oedd yn dal i ddod a dal i ddod, hefo'i geg yn agored reit i mewn i'r cawl. Y bachgen druan yn tagu ar gorff y peth hir, hir yma oedd yn dod allan ohono fo, yn starfio fwy na fo, hyd yn oed, eisiau cawl cartre'r wrach o'r Bala.

'Ch' oedd Lucio'n ei ddweud, a pha ryfedd? Fel Cymro go iawn.

A daeth y llyngyren yr holl ffordd allan o'i geg. Croen crychlyd fel pidlen arni, ei geg yn y cawl ac, ar ôl sbelen o boeri a chwydu sŵn, roedd y corff hir, cyfan wedi'i boeri allan o fol Lucio ac i mewn i'r bowlen. Sblashys cawl dros ei drwyn, dros ei bengliniau, gwaed yn dod o'i drwyn, glafoer ar hyd ei ên ac yntau druan yn crynu yn ei gaets o wely.

Roeddem wedi dychryn gormod i fesur y peth. Heb air o gelwydd, roedd o'n ddeg metr, mwy. Ac allwn i ddim peidio meddwl i ble'r aeth o wedyn – y ddynes yna wedi'i fachu o'r ffordd er mwyn tendio ar y dyn bach gwag oedd ar ôl.

Roedd o'n medru siarad Cymraeg wedyn, 'doedd!

Dwi-i-sio-bwyd!

Doedd fiw i ni ddweud wrth ein Cymry am bethau fel yna. Fydden nhw wedi'n ffeirio ni am Italiano iachach neu gwningen wen. Roedd hen ddigon o 'Talians eraill allai gymryd ein lle. Dim iws bod yn onest am bethau oedd ddim yn berffaith. Doedd dim gwerth i ni yno bellach. Doedd dim gwerth i ni yn sâl. Celwydd oedd orau. Diolch fod Oswaldo yn foi iach neu byddai wedi cael ei wrthod a'i wrthod, ac yntau â dim ond un goes. Ond weithiau, fel hefo Lucio, roedd pethau'n mynd yn rhy bell a bwystfilod yn beryg o fagu y tu mewn i ni. Roedd hynny'n bosib. Roedd unrhyw beth yn bosib.

Nhw oedd berchen ein cyrff ni.

Y cyfan oedd gennym ni oedd ambell ddarn o arian Vingt Francs, Banque de l'Algérie. Arian heb *mugshot* o bobl bwysig arno, jest lle gwag. Arian heb werth. Dim. Arian heb ei orffen. Dim iws yn Siop Davies – *magari*. Ac roedd gan bob un ohonom docyn papur neu ddau yn dweud: *Issued in Italy*

1 lira freedom of speech freedom of religion freedom from want freedom from fear – allied military currency.

Inutile! Ni oedd bia ein trwynau, ein geiriau drwg a'n camgymeriadau yn ein cwrw. Nhw oedd berchen ein gwallt del ni a phopeth arall.

(((

Ni roddodd ein rhyddid i ffwrdd, *vero?*

Ni godod ein breichiau gludiog. Ni welodd geseiliau, garddyrnau a hancesi gwyn, un ar ôl y llall.

Cyfarchiad o fath oedd yr ildio – y codi llaw, y salíwt, y croeso. Ond fe ostyngom ein pennau at dywod yr anialwch ac aros fel yna, yn astudio nifer diderfyn y cwarts, y *feldspar* a'r mica – darnau o'r ddaear wedi'u malurio o dan ein traed.

Yn sydyn, teimlais y ddaear yn llosgi.

Yn yr anialwch, ar ôl chwifio'r hancesi gwyn, bachom bopeth o fewn cyrraedd. Doedd dim iws i'r *lira*, ond eu bachu wnaethom ni. Roedd yna siwmper. Roedd ci â thair coes. Dygwyd y cwbl. Arian o'r tanc ac arian o'r brif swyddfa. Weithiau byddai'r Arabiaid yn ei brynu er nad oedd gwerth iddo – am ddŵr, am sigaréts, am fara. *Acqua, pane.*

Yna, byddem ni'n gweld y *muce* a dim byd rhwng eu hasennau, eu coesau fel cadeiriau wedi'u troi din-i-fyny hyd y lle.

Dyna fydd ein ffawd ninnau hefyd, meddai Pietro.

Roedd rhai yn bwyta'r *lira.* Roedd dolur rhydd, poen bol, cramp a'r clefyd melyn. Dim hwnnw roddodd stop arna i. Hances wen roddodd stop arna i. A fedrai'r doctoriaid wneud dim.

Yn dy ben di mae o.

Nage, yn fy mol i.

Basta!

Fyddet ti byth yn meddwl am Nadolig fel artaith, dwi'n siŵr. *Alora*, meddylia eto. Roedd Nadolig olaf Cymru fel popeth arall olaf.

Tommaso oedd yn llais i ni ar adegau fel yna. *Madonna*, roedd Duw ynom ni i gyd, ond Tommaso oedd yr un â'r mwyaf o lais amdano. Siaradai fel ficer.

Eisteddodd lle roedd sanau wedi creu aelwyd i ni ar y *Maloja* a dweud fel hyn: O fewn ychydig oriau, bydd y baban Iesu yn cael ei eni yn ein heglwysi. Pwyntiodd i fyny, fel petai eglwysi'n hofran uwchben y ddaear, rywle tu allan i'r *Nissen hut*. Yno, yn ein caban, roedd tri deg dau o ddynion yn aros am enedigaeth Iesu ac yn eistedd ar eu dwylo eu hunain. Doedd dim *Messa*. Dim canu. Dim plant i ddisgwyl San Nicolò.

Dyma beth *oedd* gennym ni: preseb wedi'i wneud o goed tân yn swyddfa'r Commander. Roeddem i gyd yn cael mynd i'w weld o, yn ein tro. Ychydig o wellt yno, blanced wen wedi'i gwau a'i rolio.

Roeddwn i, a'r lleill *forse*, tu mewn i straeon ein hatgofion, ymhell o'r *Nissen hut*. Roedd pum mlynedd wedi pasio ers i mi dreulio Nadolig hefo fy nheulu, a wyddwn i ddim a fyddai ganddyn nhw unrhyw awydd dathlu genedigaeth y flwyddyn honno ychwaith. Lle roedden nhw? Pwy oedd yn iach, pwy oedd yn bresennol?

Nadolig 1940 oedd hi pan gwrddais â Pina yn *filò Borgo Busetti* ac roedd popeth fel petai'n ddibwrpas erbyn '45. Dyna'r ddau beth mwyaf niweidiol. Byw mor bell, mor hir, yn erbyn fy ewyllys. Yn ddyn ifanc, adref, meddyliais y byddai bywyd sipsi, heb unrhyw *filetto* yn fy nghlymu i bobl, yn un o'r pethau mwyaf gwych yn y byd. *Stare in giro* oedd y weddi. Dyna fyddai heddwch. Ond roedd byw heb newyddion gan deulu, mewn gwirionedd, yn artaith. Gweddïwn yn aml ar y dechrau, pan oeddwn yn teimlo wedi f'amddifadu neu wedi blino, ond ddim erbyn y diwedd – *Santa Maria, mi dispiace*.

Doedd dim cysur mewn gweddi. Meddyliais am y newid oedd wedi digwydd i *mi* hefyd yn ystod yr holl amser. Yr unig beth allwn i ei wneud oedd rhoi pensel ar bapur.

Y Nadolig hwnnw cafodd pob un o deulu Nant Rhiannon ddarlun. *Edelweiss* i Gwyneth. Helyglys hardd i Morfydd am ei bod wedi magu arferiad o roi hwnnw ar wy ar dost ers i mi ddangos iddi. Rhywbeth bach hyd yn oed i Ida o Ty'n Coed, oedd wastad yn tynnu fy nghoes am hanner addoli teulu Nant Rhiannon. Gyda chaniatâd Gwyneth, cefais fenthyg llyfr emynau Bòs Evan am chwe diwrnod. Ar y dudalen deitl, ychwanegais

> Evan
> Eliot
> Huws

ac o'i amgylch flodau roeddwn i'n hoff ohonyn nhw ar y pryd – beth, d'wed? Mae'n siŵr fod yna dafod yr ych, pys y ceirw a llygad y dydd. Alla i ddim cofio'n iawn. Yn eu canol, rhoddais rosyn gwyllt fel y rhai oedd mewn gwrychoedd yno. Roeddwn i'n benderfynol o gael o leiaf un blodyn oedd hefyd yng ngeiriau'r emynau. Yn ôl Gwyneth, roedd lili'r nos mewn cân am galon lân. Beth, *caspita*, oedd lili'r *nos?* Ac roedd rhosyn bychan mewn gardd mewn cân arall am greu'r byd, meddai hi, a *Dio è Amore, Dio è Amore* fel cytgan, drosodd a throsodd: Duw, cariad yw. Darluniais y rhosyn hwnnw, mewn gardd o'm dewis i.

Rhoddais dusw o ddant y llew ar bapur pinc i Trebor am ei fod o wedi dweud, ryw dro, fod dyn yn rhoi blodyn i ddyn yn ddoniol. Roeddem wrth ein gwaith, neu wrth seibiant o'r gwaith. Rhoddais dusw go iawn iddo o ddant y llew y diwrnod hwnnw. Roedd yr un ar bapur yn siŵr o wneud iddo chwerthin, ond welais i ddim, wrth gwrs.

Cafodd Trebor a'r Bòs ddial arnaf am roi blodau yn anrheg Nadolig iddyn nhw hefyd. Enillais ryw wobr leol hefo'r llyfr emynau. Aeth y Bòs â'i lyfr i ddangos iddyn nhw mewn cystadleuaeth lle roedd beirdd yn ennill cadeiriau ac artistiaid yn ennill chwe cheiniog. Fi gafodd chwe cheiniog. O'r holl artistiaid Cymreig – fi – Italiano *prigioniero* yn ennill am addurno emynau *gallese*! Trois yn goch fel betys, dwi'n siŵr, ond chwe cheiniog! Dylwn fod wedi bod yno'r Nadolig hwnnw i weld eu hwynebau – fy nheulu i. *Forse*. Rhy hwyr rŵan. Byddwn wedi cael aros hefo nhw dros yr ŵyl, ond roedd meddwl am ymgartrefu yn chwithig erbyn hynny. Gwell cyrchu at y camp ar fy meic. Dathlu hefo dynion alltud. Gwell teimlo blas y dyfodol o'r camp.

Wedi cyrraedd, roeddem i gyd yn mynd â dod drwy'r giât fel y mynnem, fwy neu lai. Rhoddais drilliw ar ddeg i Haf a'i mam ar y papur mwyaf allwn ddod o hyd iddo. Nid chwyn. Efallai nad oedden nhw mor oddefgar ohonof i â theulu Nant Rhiannon. Mewn gwirionedd, ei mam oedd wedi'i phlesio'n fwy na Haf ei hun erbyn hynny.

Gobeithiais am ddiwedd rhywbeth heb wybod pa sefyllfa waeth oedd ar yr ochr arall.

Alora, yna yn y camp, roedd *festa* o fath. Y gwir oedd: doedd dim caledi i ni fel PoWs – ymhell o hynny – ac felly roedd hynny hefyd yn artaith o fath.

Wedi dod i'r cwt lle roeddem ni'n cysgu, roedd ffrindiau o bobman, o ffermydd ac o *camps* eraill. Yno, yn ddyn wedi pesgi, oedd Pietro Ponti, a ninnau heb ei weld ers yr orsaf wyntog ger Glasgow. Roedd wedi'i wisgo fel milwr rhydd, meddyliais, heb feddwl mai dyna oeddwn innau hefyd.

Da oedd ei weld o. Dyn da. Daeth ataf a gofyn, Does gen ti ddim Brylcreem sbâr, Fontana?

Nac oes, dwi'n gwneud stwff gwell hefo danadl poethion wedi'u berwi rŵan, Ponti.

Wyt ti'n rhannu?

A dyna ni. Rhoddais y rysáit iddo'n anrheg Nadolig a dyna lle roeddem ni'n dau, yn edrych fel ceiliogod, hefo'n gilydd rhwng y Nadolig a'r daith adref. Cafodd o a finnau wely yn yr un *Nissen hut,* a chael gwahoddiad gan y Commander i ddathlu. *Tutto a posto.*

Roedd y Commander wedi trefnu popeth: certio hyn a llall yno, popeth allem ni fod eisiau a mwy. Fyddet ti ddim yn meddwl ei bod hi'n rhyfel. Ceisio gwneud y diwrnod hwnnw'n wahanol i'r dyddiau eraill oedd o. *Eccolo*, dyma restr i ti o'r hyn gawsom ni: antipasto, *ravioli*, cig rhost, iâr hefyd, pwdin wedi'i ferwi fel roedd y Cymry'n ei wneud â ffrwythau. Prin allwn i goelio'r peth. Es i'n ôl at y Commander a gofyn, *è davvero possibile*? Wincio wnaeth o.

Gwnaeth Tommaso goron o aeron celyn a chafodd rhywun gwahanol ei wisgo a dweud jôc gyda phob cwrs.

Ac ar ôl y cinio roedd cyngerdd, felly treuliais awr wedyn yn gwrando a gwylio cerddoriaeth. Bob dydd fel PoW, roeddwn i'n rhoi ychydig o amser i feddwl am y pethau da mewn bywyd ac i fod yn ddiolchgar amdanyn nhw. Dydd 'Dolig oedd yr hawddaf a'r anoddaf i wneud hynny. O wylio cerddoriaeth a'i phatrymau yn ddigon hir, rhoddodd drefn ar fywyd: llinellau taclus a gwacter. Roedd patsys gwlyb ar fochau dynion gwan yn y cwt yna. *Una cosa tira l'altra:* o dipyn i beth roeddwn i'n anghofio mai fi oedd yn gwneud yr edrych, y gwrando, ac nid y miwsig. Ac yn anghofio beth oedd ar yr ochr arall.

O'r Nadolig *Nissen hut* y noson honno, daeth atgofion Nadoligau eraill: y rhai rhy felys i achosi dim byd ond tor calon cyn gwybod ein bod yn mynd adref, a'r rhai rhy chwerw i fod yn ein *filò* tan hynny hefyd. Roedd gwybod ein bod yn mynd adref yn newid pob stori.

((((

Pan anwyd y baban, a ninnau yn yr Aifft, yn agosach i Fethlehem nag y byddwn i byth eto, cafwyd tridiau o *ceasefire* gan y Brits. Daeth ychydig bach o chwarae teg.

O rywle, daethon nhw â gwin i ni, gwin a'r trimins eraill sy'n mynd hefo Nadolig. Tydi o'n od, ynghanol rhyfel, ein bod ni'n gwneud eithriad o heddwch gan ein bod ni i gyd eisiau llonydd i feddwi a dathlu genedigaeth dyn ddywedodd ei fod

o'n gadael tangnefedd i ni: *io vi lascio pace; vi do la mia pace –
pace, pace*, pwy fyddai'n meddwl fod hyn yn *pace*? Hyd yn oed
hefo llond bol o win?

Ond mae eisiau ei fwynhau, 'does? Gwin. Pan mae o ar
gael. Wrth gwrs, roedd yna ambell sigarét yn mynd o gwmpas,
ond roedd hi'n blacowt o hyd. Daliodd y Commander sawl un
ohonom ni wrthi. Cyhuddo ein gilydd wnaethom ni, unwaith
roedd ychydig o heddwch i'w gael.

Mae o wedi bod yn smocio a meddwi!

Ac un arall, mawr yn dweud, Anghofia'r peth, dim ond
Ponti ydi o.

Ac yntau Pietro'n dweud, Cymerwch fy streips i. Be maen
nhw dda?

Roedd pethau'n well arnom ni unwaith roedd y *ceasefire*
drosodd. A ninnau'n gweiddi: Y blydi mochyn! – pan
gychwynnodd y bomio eto.

Bob tro roedd bom: Blydi mochyn!

Eistedd yn y tywod ac edrych o'n cwmpas ar y
pandemoniwm. Y math yna o beth. Cael ein lladd er mwyn
gwallgofddyn – fo. Mi ofynnodd un, yn ei win,

Pwy sydd isio mynd 'nôl adref?

Dyn da. O Rovigo, nid nepell o Milano. Dwi ddim yn
cofio'i enw.

Neb. *No, grazie*, pwy fyddai'n colli hyn?

A dyna'r peth olaf iddo'i ddweud erioed.

Pandemoniwm. Ydi'r gair yna'n bodoli? Ydi? Pandemoniwm
oedd hi. Gwaeth na phuteindy.

Un llais, mewn Eidaleg, *mani alti – hands up*.

Mae gen i'r *mani alti* ar fy meddwl. Ond dyna ddywedodd
o, *mani alti*, mewn Eidaleg, er mai Brit oedd o. Rhoi'r diwedd
arni yn ein hiaith ni.

Ymddangosodd ambell hances.

A Brits: Morris *vehicles*.

Ni â'n hancesi.

El Alamein: mi ddweda i rywbeth arall am fan'no. Doedd dim clociau yno.

Dyna oedd y peth odiaf am y lle. Dim un cloc, *niente* yn unlle. *Solo il sole* – a hwnnw'n sychach *sole* nag yn Italia.

Carreg ateb y bomiau fel drysau'n cau'n glep ar hyd y lle; esgidiau trymion a sodlau metel hanner-lleuad yn y tywod, tic-toc i'w glywed hyd y lle, a chymylau tywod yn gwneud i ni foesymgrymu o flaen y system fawr yna oedd wedi'n gosod ni yno, yn chwilio am Dduw ac yn lladd. Ond dim amser.

Ac yna roedd llinell – un ar y gorwel yn y pen draw – llinell fyddai'n gwneud i ni i gyd fod ag ofn neon yn y dyfodol. Neon hefo craciau yn yr awyr. Dwy ran i'r byd: o dan ac uwchben y neon, a ninnau'n ysgwyd yn yr unfan fel bod ein tinau'n polisio'r tywod. Polisio'r darn o ddaear oedd wedi'i roi i ni, fel y cannoedd oedd wedi bod yno cyn hynny, yn gosod marc lle roedden nhw, llyfnu tywod fel petai eu bwydau'n dibynnu ar hynny, fel petai hynny'r unig beth oedd ar ôl i'w wneud cyn i rywbeth ein chwythu ni a'n sêt dywod, yn gwmwl.

Dyna oedd rhyngom a'r neon: ambell gwmwl tywod yn codi i'r awyr rhyngom ni a nhw. Ni a nhw.

Neb ofn dim byd.

Ond y diawl roddodd ni yno, meddai un. Parch i hwnnw. *Santa Maria, Bernedetta e nostri Dio!*

Ac felly, aeth geiriau i fyny fel cymylau hefyd, at y diafol yn yr aer ac ymhellach na'r aer, lle bynnag. Doedd neb yn cymryd llawer o sylw. Ffrae er mwyn ffrae oedd y rhyfel yna, er mwyn pasio'r amser.

(((

Tri chan tanc oedd ganddyn nhw, a thanciau gyda'r gorau hefyd, i amddiffyn y Brits. Gynnau 57 mm yn saethu *shells* chwe phwys allai fynd trwy ein tanciau ni fel menyn, a hynny o bron i ddwy fil o fetrau i ffwrdd. Y Shermans. Doedd gennym ni ddim ond teganau tun yn erbyn y Shermans.

Petaem ni'n edrych ar y maths:

Ni: 110,000 hefo'r Almaenwyr; 500 tanc tila. Yr Almaenwyr wedi defnyddio'n petrol ni i gyd ar gyfer rhywbeth pwysicach. Dim dŵr ychwaith. Hwnnw â'i lond o olew.

Nhw: 200,000; dros fil o danciau, a rhai oedd yn haeddu'r enw. Gynnau a chanonau oedd yn saethu hyd at ddwy fil o fetrau.

Fel Dafydd yn erbyn Goliath, ond bod y stori ddim yn mynd fel mae hi yn y Beibl. Roedd unrhyw un ag owns o sens yn gwybod hynny. Dafydd yn taflu ei dipyn carreg ac yn methu. Goliath, wrth reswm, yn ennill yn Giardini del Diavolo. Dim Duw, dim dameg. Diafol.

Ond pwy yn ein mysg oedd yn gwybod am y maths? Gwyddem fod 'Gardd y Diafol' rhyngom ni a nhw, a dim mwy na hynny. *Teufelsgarten*. Gardd Rommel. O Fôr y Canoldir at ryw le diawledig ddylai fod wedi'i foddi dan ddŵr y môr – y Qattara Depression yn anialwch Libya: twyni tywod, morfaoedd heli, awyr enfawr. Yr aer a'r ddaear yn bwyta croen dynion. Ac yn yr ardd yna, ar wahân i'r Diafol ei hun, roedd drysni o weiren bigog Rommel, miloedd o ffrwydron daear Rommel, arfau Rommel, halen. Doedd gan y Brits ddim llawer o ofn halen, dyna'r gwir. Aethon nhw drwy'r ardd yn chwynnu ffrwydron, a gadael twnnel ar eu holau.

Ysgafn ar eu traed oedd eu tanciau nhw, yn brathu'r bomiau allan o'r tywod. Ac felly daethon nhw atom ni – hefo Scorpions ar y blaen, yn ffustio'r tywod i gael gwared o'r ffrwydron daear.

Fel tendio gardd, mae plannu ffrwydron yn y ddaear yn ddigon hawdd. Yn nes ymlaen mae'r gwaith. Rhaid mynd ati bob dydd. Tendio. Gobeithio fod dim ffrwydriadau o bethau niweidiol – *bestioli*. Chwynnu *bob* dydd.

Yng nghanol y *caos* yna lle roeddem yn disgwyl i Dduw ei hun gachu arnom – *caspita*, tydi hynny ddim yn beth Cristnogol i'w ddweud, nac ydi – wel, dyna oedd yn digwydd. Duw yn gwagu'i berfedd. Daeth ci bach o rywle i guddio rhwng ein fferau. Pwt bach wedi dychryn a chanddo ddim ond tair coes. Cuddiodd hefo ni a llyfu'n bysedd ni fel petai blas rhywbeth mwy na mwg arnyn nhw.

Gofynnodd un ohonom ni, reit ar ganol ffair o ffrwydriadau ganol nos,

Ga' i fynd i'r Tir Sanctaidd ar *leave*?

Leave?

Bwaom!

Chafodd o ddim *leave*.

Bwaom! oedd hi.

Efallai – meddai'r Sarjant, ar ôl i bethau dawelu, oriau'n ddiweddarach. Roeddem wedi bod yn aros am ffrwydriad arall ers – *allora*, dim ond aros. Roedd aros yn arwain at aros a gormod o ofn symud arnom ni, rhy oer i bawb, rhy oer i symud, rhy oer i beidio symud. Neb yn symud dim byd ond llygaid mewn crwyn du. A'r ci yn cerdded heibio. Wir, ci!

Tair coes, dwy glust, oglau gwallt ar dân arno.

Forse. Dyna oedd y Sarjant yn ei ddweud, Tir Sanctaidd ar *leave*, iawn! A dyna pryd ddangosodd y ci ei ben. Ond cafodd y boi oedd eisiau *leave* ei ladd gan un o'r bomiau ffosfforws yn El Alamein; felly welodd o erioed dir Duw, dim ond Gardd y Diafol.

Guerrierino alwom ni'r ci.

Roedd gan y Sarjant wyneb fel tin *rottweiler*, ond chafodd ei awdurdod o ddim sefyll. Roedd yn rhaid cadw'r ci. Ni enillodd y frwydr yna. Ni a'r ci, am y tro.

Doedd dim dewis ond ildio, os nad oeddem am nofio oddi yno i'r Eidal. Ildio. Yr unig opsiwn, *evidamente, evidamente*. Dyna ddechreuodd yr aros hir, y symud o un camp i'r nesaf.

Ennill oedd ildio. Mae pethau od yn digwydd mewn bywyd. Pam, d'wed, *Santa Bernedetta*, ein bod ni'n synnu pan mae'r pethau od yn dod?

Eistedd ar ein cwrcwd yn meddwl am y gwydraid dŵr nesaf oeddem ni, a dechreuodd un Awstraliad gusanu Eidalwr fel, wel – fel cariad, bron; roedd y ddau'n dal ei gilydd a slapio cefnau ei gilydd a rhochian trwy eu dannedd.

Brodyr oedden nhw. Brodyr! Un brawd ym myddin Awstralia a'r llall hefo ni ac yn cwrdd yn fan'na, un yn codi hances wen i'r llall. Yn garcharor. Yn yr anialwch o bobman. Beth allem ni ei ddweud?

Ond roedd y rhan fwyaf o'r Awstraliaid yn ddrwg. Epil lladron wedi'u halltudio o Brydain gant a hanner o flynyddoedd ynghynt. Beth fyddai'r gair iawn? *Bastards*, y cwbl lot ohonyn nhw. Bachu popeth oedd ddim yn perthyn iddyn nhw ac yfed Vermouth. Vermouth? Gair od. Sŵn llithrig, sy'n gwneud i rywun feddwl am bethau tlws ond trist: coed helyg, bwrdd wedi'i osod i un.

Roedd gan sawl un ohonom ni ddant aur, neu ddau. Bachwyd y rheiny hefyd. Modrwyau. Watsys. Bydden nhw'n cwffio am watsys. Yn dwyn unrhyw beth! Dannedd ci, petaen nhw'n medru.

Felly roedd gennym dric. Os oedd gennym unrhyw beth o werth, doedd dim byd amdani ond ei lyncu. Llyncodd Pietro, Tommaso a finnau fodrwy yr un, ar yr un gwynt, ac mi weithiodd hefyd. Job a hanner oedd cael wats i lawr corn gwddw ond mae'n syndod, pan fo raid. Ac wedyn, y strach o olchi pethau ar ôl eu pasio'r pen arall. Ond dyna ni. Allen nhw ddim ffeindio dim byd wedyn, hyd yn oed os oeddem yn noethlymun o'u blaenau. Dyna ddigwyddodd. A chymryd ein waledi, arian, lluniau ein teuluoedd a rhoi sws i Mamma o'n blaenau ni. Wedi meddwi oedden nhw. Meddwi fel mwncwn. Vermouth, Vermouth. Aethon nhw â'n gynnau, wrth gwrs, er mor iwsles oedden nhw.

Bu ambell un yn lwcws a chael Awstraliad clên – *i più bravi* yn eu mysg – a chael fflasg o ddŵr. Talodd Rodolfo 3,000 *lira* i Awstraliad am fflasg hefyd.

Llwglyd, sychedig, *tutti Italiani*, mewn camp i lond dyrnaid – tri deg mil ohonom ni; byddai Mussolini wedi mwynhau ei frecwast o weld y fath *reunione*. Dynion wedi gwallgofi. Siapiau cyrff o dywod a chwys a blew hir! Gweiddi. *Guaito*. Rhai'n edrych am eu brodyr, neu gefndryd neu rywun o'u pentref, unrhyw un. Sgramblo dros gyrff. Offeiriad yn gweiddi'n uwch na'r sgrechiadau, fod ffydd ganddo yn Nuw ac yng ngallu'r Brits i greu dŵr mewn anialwch. *Salvatore, salvatore* heb gysur. Bedlam. A'r Brits – na, yr Anzacs – neu'r Americans – neu ychydig bach o bawb, yn tanio gynnau i drio rhoi trefn arnom ni drwy wneud mwy o sŵn na ni. Un yn cael twll yn ei wddf wrth drio mynd dros y weiren bigog. Eisiau bwyd oedd o, a gweld breuddwyd o'r peth ar yr ochr arall, fwy na thebyg. Cafodd freuddwyd ei fod yn effro a – bwm! Nhw roddodd fatsien yn ein cerbydau ni am eu bod yn ofni y byddem ni'n dengyd. *Gwybod* y byddem ni'n dengyd.

Rhoddodd ein Subcommander gynllun dengyd i ni: trio cyrraedd y ffordd ac yna, *scapare* mor bell ag y gallem. Credu ein bod yn rhydd a mynd. Y pellter rhyngom ni a'r ffordd oedd hanner can cilometr. Allai neb groesi cymaint â hynny o anialwch mewn wyth awr, heb ddŵr na bwyd, ond y noson honno, feddyliom ni ddim am y posibilrwydd o farw mewn tywod, cael ein pledu â *machine-gun* neu newyn. I ni, y noson honno, dim ond un syniad oedd yna: ffoi. Ar ôl tua dau gan metr – er y camau gofalus a chadw'n clustiau i'r ddaear – daeth sŵn yn y twyllwch â siâp dyn iddo. Camodd oddi yno, ond rhaid ei fod o wedi'n clywed. Daeth yn ei ôl i'r union fan lle roeddem ni. Collom bedwar, o leiaf bedwar. Y gweddill:

disgynnodd Tommaso a'i gael ei hun wyneb yn wyneb â gwn. Taflom ein cyrff i'r ddaear. Saethwyd rhai. Pa rai, wn i ddim. Roedd rhai yn tendio ar Tommaso, rhai yn llonydd, rhai yn crynu. Pob un ohonom ni'n barod i rewi yn y fan lle roeddem. Ond daeth y British Patrol, taflu rocet a gweld siâp pob un fel defaid a'n cefnau at y sêr. Aethpwyd â Tommaso i'w lenwi â rhywbeth yn erbyn y boen. Gan ei fod yn siarad Ffrangeg neu am ei fod o'n adrodd rhywbeth am ei Dduw dan ei anadl, dim ond rhybudd gafodd o. Ond y noson honno buom ni'n trio dengyd i bob un cyfeiriad. Morgrug oeddem ni. Daethpwyd o hyd i ni bob tro. Reit yng nghanol y nos, roedd hi'n tywallt y glaw. Llai o oruchwylio. Trio eto. Methu eto. Luwcus mai saethu'r awyr oedden nhw bob tro.

O weld hynny, y saethu digelfyddyd i'r nos, rhoddais fy mywyd yn nwylo Rhagluniaeth ac aros.

Y rhai lwyddodd i gysgu oedd y rhai adawyd ar ôl yn y tywod i'r cŵn a'r llygod mawr. Trio peidio meddwl amdanyn nhw wedyn. A methu'n lân â'u hanghofio byth er y sgrin yna gan Pathé News. Eu gweld yn wynebau ffrindiau neu bobl ddiarth; eu gweld ym mhobman.

Bu'n rhaid cerdded wedyn. Digon o gerdded a digon o law i'n traed fagu gwreiddiau lle roedden nhw a bod yn sownd yn y lle diawledig yna am byth. Chwe diwrnod; dim bwyd. Cario un dyn marw. Pam, d'wed? 'Sdim angen dweud dim mwy. Stori arall. Roeddem yn mynd i le arall. Yn y diwedd bu'n rhaid ei adael o hefyd, ei adael i'r cŵn a'r llygod mawr ac unrhyw *bestioli* eraill o'r anialwch oedd ffansi llond ceg o Eidalwr ifanc.

Ond o leiaf roedd dŵr glaw mewn pyllau, dim ond i ni fynd ar ein gliniau. Fin nos, cysgem ar bennau'n gilydd, y rhan fwyaf ohonom ni heb flancedi. Math o gosb, mae'n rhaid: rhai blynyddoedd, does dim diferyn o law yn yr Aifft, ond y dyddiau hynny, roedd hi fel yr Eidal ym mis Ebrill.

Aeth miloedd ohonom ni drwy borthladd ac iwnifform yr Eidal yn dywyll yn erbyn lliw'r môr. Ond pan gyrhaeddom ni, roedd damwain *enorme* wedi bod, a'r môr yn llawn orenau, y traeth hefyd, a'r porthladd. Môr oren. Amser brecwast oedd hi, ond roeddem wedi hen stopio cyfri amser fesul prydau. Erbyn hynny, roeddem yn rhy lwglyd i weld pethau'n gall, ond wir roedd y porthladd yn llawn. Llawn orenau. Nid bwiau, ond orenau. Allai neb gerdded heb eu sathru a chael sudd dros eu sanau. A ninnau ofn eu cyffwrdd rhag ofn iddyn nhw ddiflannu i rywle! Gofynnom i un o'r Awstraliaid beth oedd hyn, beth, beth, *ce cavolo happened here?* Llong acth i lawr, meddai, â'i llond o orenau o Dde Affrica. Plygodd i lawr a chodi un oedd wrth ei sawdl.

Cymer. Cymer. Ti isio? Go on. *Dai!*

Yes, sì, sì, meddem! Blydi *stupidi* nad oeddem ni wedi dechrau llyfu traed ein gilydd fel roedd hi. Ac felly aethom ni o un oren i'r llall, yn eu stwffio i'n cegau. Dim ond oren neu ddau sydd ei angen i achub dyn.

Bendith arall gan Dduw, meddai un.

Ha! Iwrin ac orenau fydd yn achub dyn! Dyna ddwedwn ni wrth ein teuluoedd.

Tlawd ac anwybodus ydw i, *nessuno importante*, wir. Dydw i'n neb pwysig i gynrychioli'r PoWs i gyd, ond mae dywediad milwrol sy'n mynd fel hyn: ugain ceffyl, deugain milwr. Hynny ydi, mae angen ugain ceffyl i gario deugain milwr. Beth am newid y dywediad hwnnw: ugain ceffyl, trigain carcharor? Trigain dyn i bob wagen drên yr holl ffordd i Alessandria. Cage Quattro ymysg tua dwy fil o Italiani ac Almaenwyr – pob un ohonom ni'n edrych yr un fath erbyn hynny.

Ein profiad cyntaf o fod yn garcharorion yn y camp oedd

blas hanner tun o gig – rhyw bridd mawn hefo lentils; wedyn, roedd blas y tun ac wedyn blas y rhwd. Yr un blas, ddydd ar ôl dydd, blasu'r un diffyg amrywiaeth. Dyna oedd marwolaeth: blasu'r blawd-cig, y dim-cig, nes yn y diwedd roeddem yn ddigon bodlon ystyried symud ymlaen at gynfas ein pebyll a brathu llond ceg o hwnnw – ei gnoi'n dda nes creu rhywbeth hanner llyncadwy. Weithiau, rhwng cwsg ac effro, byddem ni'n cael y syniad gwych o dorri darn o un o'u cerbydau nhw, digon bychan i'w stwffio i'n cegau nes nabod blas estron ymysg y blasau eraill, di-ddim a threfnus. Blas chwys ar beiriant, mae'n rhaid. Mineralau ynddo, neu rywbeth i wneud i ni siarad Saesneg yn well. Marwolaeth, gredem ni, oedd y math yma o aros, bob dydd.

Byddem ni'n dewis yr un lleiaf yn ein mysg – Santassosso *piccolo* – un bach digon handi i'w gario. Yna, byddai o'n cael pwl o fod yn sâl, yn sydyn reit, a byddai'r gweddill ohonom ni'n mynd â fo, *hot foot* i'r *medical point*. Nid Operation Lightfoot ond *hot foot*. Yn fan'no, roedd dŵr. Fe yfai pob un ohonom gymaint ag y gallem tra oeddem ni yno a chyn iddyn nhw ddweud bod yr un bach ddim yn sâl iawn wedi'r cwbl. Byddai rhywun yn sâl o hyd. Un tîm o ffrindiau yn mynd yn ôl a blaen bedair gwaith.

Aeth bwyd yn brin. Caem fisgeden galed ganddyn nhw, a thun o gig, dyna'r cwbl, bob deuddydd. Rhai yn gwneud cawl. Rhai yn bwyta'r cwbl fel roedd o, yn syth bin. Peth di-flas. A phan mae bol yn wag, mae'n chwyddo, *sai*. Yn edrych fel bol gorlawn. Boliau fel balŵns gan bob un ohonom ni, a llygaid yn edrych i'r nefoedd.

Roedd Almaenwr â gwn *on guard* o flaen tanc ugain litr o ddŵr. Neb â sigaréts i'w cynnig iddo. Taflai rhai dynion eu cyrff i'r llawr a chlywais grïau mewn *dialetti* amrywiol, ond i 'run Duw. Dyma oedd ei diwedd hi, dyma lle roedden nhw'n ildio'r awydd i fynd adref a gweld eu teuluoedd. Digon. *Basta.*

Acqua oedd ei angen arnom. *Proprio.* Desbret am ddŵr,

a dim ond un peth ar ôl i'w wneud. Roedd pob un ohonom ni'n piso. Ac mae dŵr mewn piso. Yfed hwnnw wnaethom ni. Cymryd y tun cig ac yn anelu'n gall i ddal pob diferyn. Nid ei yfed yn syth bin, ond ei adael yn y tun fin nos er mwyn i'r stwff yn yr wrin setlo. Dŵr distyll, felly. Dim drwg. Digon i achub dyn, beth bynnag. Gwnaeth Pietro a finnau hynny i ddechrau, a phob nos byddai mwy yn gwneud yr un peth. Rhai'n chwydu. Ond gwell hynny na marw yn y tywod. Unwaith roedd o heibio'n gwefusau, *niente male*. Fyddem ni ddim yn gwneud hynny rŵan. Ond does dim rhaid rŵan, nac oes. Gwell gennym ni goffi; *café coretto*'n well byth, coffi call, coffi fel dylai fod – *correct* – neu *ombretta* bach, llowciaid o ddŵr mynydd hyd yn oed. Ond dim ond stwff sy'n dod allan o'ch corff eich hun ydi piso yn y pen draw.

Nesaf oedd Camp 908, ger Cairo. Llwgu yno hefyd. *Una cosa tira l'altra*. Ambell lwyaid o *minestrone*, bisgeden a gwydraid o de. Ffraeo am *peanuts* yr Americanwyr os oeddem ni'n lwcus, darn o fara neu groen oren. Yn amlach na pheidio, roedd parion tatws neu faip amrwd. Os oedd dŵr, roedd hynny fel tywallt gwydraid o win i faril dau hectolitr o gorff. Roeddem yn dlawd, yn anwybodus, yn byw o ddydd i ddydd.

)))

Cyn Pathé News, os oedd hyd yn oed un ael chwith Anzak yn dod i'm meddwl, y cwbl oedd raid i mi ei wneud oedd cofio lle roeddem ni. Yr ynys bell, berffaith. Ein *filò*. Edrych ar gae gwyrdd, ar goeden â'i llond o fes, gwrando ar bobl yn siarad rhyw iaith oedd ddim mwy na cherddoriaeth i mi, dechrau anadlu hefo'r Gymraeg, ac fe âi'r cof a'r meddwl yn fud.

Gwyliais o, yr Anzak, yn cerdded yn ôl ac ymlaen. Un tew. Ei fogel yn cyffwrdd ei grys. Cymerodd lun o Pina yn gyfnewid am dun o ffa. Bwytaodd Pietro a finnau hwnnw hefo'n dwylo: yr un bysedd oedd wedi bod yn tyllu yn y tywod, distyllu piso – y bysedd yna. Ond bwytais y ffa cyn meddwl am lun Pina ym mhoced crys y dyn yna, yn llowcio'i chwys. Dysgais, fel y gwnaethom ni i gyd, beth oedd gwerth pethau. Mwy na fforcen. Mwy na gwerth merch.

(((

Byddaf yn teimlo'n euog weithiau. Dechreuodd hynny ar ôl Pathé News a dim cynt. *É vero.* Cyn hynny, doedd dim o'r rhyfel yn ddifrifol, yn wir hyd yn oed.

Ar y *Maloja* yna, roedd un boi bach – *che peccato* – roedd o mor denau â hoelen. Gallai un ohonom ei godi ag un fraich, nid bod llawer o awydd gennym ni ei gyffwrdd, heb sôn am, heb sôn am …

Y bachgen hwnnw. Mae o'n dal i fy mhoeni yn fy nghwsg.

Beth oedd o'n ei gario? Dyna oedd y cwestiwn.

Chi è? gofynnem ar yr haen isaf o wlâu. Pwy? Pwy yn union? Allwn i ddim edrych i fyw ei lygaid, Pwy *ydi* o? Meddyliodd Pietro ei fod wedi'i weld o ryw dro, hefo ni. Ond, o siâp ei glustiau, doedd dim byd cyfarwydd amdano. Na'i drwyn. Ac roedd y gweddill ohono wedi altro gormod i drio'i adnabod; ei gorff yn gafnau.

Fo gollodd siwmper y noson oer, oer yna a …

Nage –

Does bosib ei fod o yn ein *unit* ni.

Ond rhaid ei fod o wedi bod yng nghamp rhywun.

Nid y Giorgio yna o Toscano, efallai?

Na, mi fuodd hwnnw farw o sioc ar ôl sŵn bom ffosfforws, yn'do?

Dyna oedd yn digwydd. Roedd ein henwau yn newid, oedden. A'n person hefyd. Corff pob un ohonom yn dal yr un straeon fel marblis yn rowlio mewn tun, ond popeth arall yn newid. Pwy oedd o?

Giorgio ydi o, meddai Pietro. Giorgio, meddai Tommaso. Giamstar am chwarae gwyddbwyll. Hoffi *geraniums* ei Zia Esmeralda.

172

Erbyn hynny, roedd ei lygaid yn felyn os oedd o fyth yn eu hagor. A'i wallt yn hir ar hyd ei gefn ac yn ludiog o gynrhon. Ei drowser yn llawn dysentri. Pryfed duon yn gwibio o gwmpas ei ben. Unwaith, cododd ar ei eistedd. Sioc i ni i gyd. Pawb yn edrych arno fel petai sant yn ein mysg. Yna, llithrodd yn ôl ar ei fatras. Dangosodd ei gefn i ni, ei wallt, ei chwys. Roedd yn pelydru fel yr haul. Byddai'n troi oddi ar ei gefn ac ar ei fol unwaith y dydd, dyna'r cwbl. Ac yn y pen draw allai o ddim codi ei law i daro'r pryfed ychwaith. Felly, yno roedden nhw'n canu, yn amharu ar ein straeon, ein hofnau. Chwyddodd ei lygaid, tyfodd ei glwyfau'n fysedd y cŵn nes doedd dim byd arall ohono ar ôl.

Ie, fo oedd o, y Giorgio yna.

Dylai rhywun ... meddai un ohonom. Un o'r gwlâu uchel, llais metalig. Un yn benthyg y gronyn o ddewrder oedd gan bob un ohonom ni, a dweud,

Rhaid i ni wneud rhywbeth. Ni.

Ond siawns ei fod o, o'r bync uchaf, hefyd wedi dioddef o'r drewdod yn fwy na'r gweiddi. Codai tymheredd Giorgio o un gwely i'r llall. Ond wnaeth neb ddim byd. Deuddydd o bwyntio â'n trwynau, rholio'n llygaid, chwydu. Y môr yn corddi'n stumogau ni. A fo, y ffrind bach estron ar ei fync gwaelod, yn pydru ein tu mewn ni i gyd.

Heb wneud rhywbeth, byddem ni i gyd wedi marw o gynrhon cyn diwedd y daith, lle bynnag fyddai fan'no. Roedd yn rhaid i rywun.

'Dylai ...' meddai rhywun bob hyn a hyn – ddwedwn ni fyth pwy – pob un ohonom ni yn ein tro, *forse*. Ond doedd gennym ni ddim dewis. Fin nos oedd hi. Ninnau newydd gael ein gwibdaith ddyddiol i'r dec, ar ôl swper, hynny oedd i'w gael, ac wedi ein cloi i mewn am y nos. Gwyddem fod rhywun allan o'i wely, fod rhywun ar ei draed – yno lle roedd y düwch yn drymach – ac yn symud. Dyna lle roedd un ohonom ni'n gwneud ei ffordd at y bachgen. Un o'n plith ni. Yr un ar ddeg iach. Iach – wel, *quasi* iach. Un dyn yn ben, ond pob un ohonom yn euog. Gwallt Giorgio gafodd ei ddefnyddio. Y gwallt a'i holl gynrhon. *Era così, dio nostri.*

Roedd y tonnau'n anadlu'n damp, y bachgen yn anadlu'n damp, ninnau prin yn anadlu o gwbl. Pob un yn gorwedd â'i lygaid tua'r pared dur. Daeth 'g' o'i gorn gwddf; dyna ddywedodd o, 'g', yn ddwfn.

Giuggiole.

'G' arall mewn Eidaleg. 'G' yn golygu gorfoleddu mewn *gioia, joy,* dwedem; *gioia, giuggiole,* druan, doedd geiriau'n golygu dim byd. Efallai'i fod o'n nofio mewn cawl o *giuggiole* yn ei fyd bach ei hun.

Gwdihŵ.

Gwd-boi.

Gwd-bei.

Giorgio bach.

Od, y ffordd mae'r Gymraeg yn dod yn ei hôl.

Allora, nid amharodd y 'G' ar y tonnau. A dechreuom ni anadlu eto. Ond roedd cof am ei berfedd o'n dal i gorddi, a'i bryfed yn dal i amharu ar ein sŵn môr. Am ddiwrnod da, roedden nhw'n dal yno, yn dal â rhywbeth i'w ddweud, *chiacchierati, chiacchierati, chiacchierati* yn rhygnu ymlaen. Pryfed yn marw ar eu cefnau, ar ganol adrodd straeon. Gorwedd yn y corneli oedden nhw, yn crynu – ddim hefo'r tonnau ond hefo'u hareithiau neu eu cwestiynau neu eu boliau, ar frys i gael gwared â'u caneuon i gyd cyn marw. Swnllyd ydi marwolaeth; mi ddywedais hynny o'r blaen, efallai. Do? Tôn gron ydw i – mae'n ddrwg gen i – fel y pryfed. Ond efallai fod hynny'n esbonio ein *filò* – yr angen am fod yn eiriol wrth i ni wynebu marwolaeth. Dyddiau geiriol. Dyddiau llawn dop o fywyd. Dyddiau *filò.* Dyddiau'r pryfed yn adrodd diwedd Giorgio fel bonion sigaréts wedi ailgynnau ar hyd y llawr. *Giuggiole Gwd-boi Giorgio.*

Dyma beth arall adawodd Giorgio ar ei ôl: llun merch dywyll yn sefyll mewn darn o india-corn, modrwy gopr a breichled ledr. Duw a ŵyr sut gafodd o'r holl bethau heibio'r Anzacs. Tynnwyd ei esgidiau hefyd, a'u gadael hefo ni. Amser brecwast taflodd Sgt White fol y bachgen dros ei fraich a mynd â fo allan drwy'n drws i'r dec, ac wedyn welsom ni ddim byd.

Wnaiff corff ddim lles ar long. Gwell oedd iddo fynd i'r pysgod na gadael i'r llygod ei gael o, i'r llyngyr ein cael ni, ac i'r llygod hefyd ein cael ni, yn ein tro, nes bod dim byd ar ôl ar y llong erbyn iddi daro tir sych ond llygod mawr â'u boliau'n llawn. Dim Italiani na Brits nac Anzaks na neb. Dim ond iwnifforms i'n brandio ni a neb ynddyn nhw.

Ar ôl diwedd y rhyfel, felly, daethom ni i'r *filò* a dechrau dweud y straeon hyn yn llawn. Rhoi enwau. Ailadrodd enwau i roi bywyd i'r bechgyn. A deuai'r straeon allan fel ffrwydriadau mewn tywod. Oedd disgwyl i mi fod yn drefnus? *Caspita* – meddylia eto.

Byddem ni'n dweud ei fod wedi cerdded y planc. Dyna oedd ein llinell yn y *filò*. Daeth diwedd llafarganu'r pryfed, neu daeth diwedd ein gallu i'w clywed. A daeth ein cyfle ni. Ymgynnull o gwmpas swmp o sanau, tinau ar y byncs isaf ac ysgwyddau'n dynn wrth ein gilydd, gymaint tynnach nag y byddai dim un ohonom ni wedi meiddio mewn *filò* go iawn, a'n clun wrth glun geneth.

Giorgio – os gallaf ffeindio fy ngeiriau – bachgen o Miane, o deulu oedd yn gweithio, bron bob un, hefo'r gwyfyn sidan. Ei wallt fel mop o fwyar Mair pan oedd o'n holliach. Cafodd ei eni rai oriau cyn y wawr fel pry ffrwyth, a bu farw ac yntau mewn ystum hedfan. Cerdded y planc wnaeth Giorgio, yn ddyn dewr ar fôr anhysbys. Roeddem i gyd yn adnabod ei Zia Esmerelda, ei drws cefn a'r trothwy'n faw ieir i gyd. A'r *marigolds* yn tyfu'n well nag yn unlle arall yn ei sgwaryn gardd a hithau'n aros i gael priodi rhywun na fyddai fyth yn dod yn ôl o'r rhyfel mawr cyntaf. A fyddai Giorgio ddim yn mynd adref ychwaith, oni bai ei fod yn nofio.

Ond fe welsom ni o'n cael ei gludo allan gan Sgt White â chroen y ddau yr un mor welw. Dyna pam bu iddyn nhw ein disinffectio ni i gyd ar ôl cyrraedd Glasgow – pob darn ohonom ni, o dan ein tafodau ac o dan ein ceilliau. Llosgi nes bod un neu ddau yn crio a phob un ohonom ni'n colli ewinedd ein traed.

⦀

Rhyfel ydi rhyfel. Lladdwyd rhai. Rydym yn cofio'u hwynebau a'u henwau. Ond PoWs oedd hanes y rhan fwyaf. Nid eu bod Nhw wedi ein dal ni. Ni roddodd y ffidil yn y to.

Ti isio fy nhanc i? dywedodd Giorgio wrth un o'r Awstraliaid. Cymer o, *dai, prendilo.*

Byddai Stori'r Ildio yn dod yn ôl fel yna, fel cynffon sgorpion. Sawl fersiwn. Dim un yn berffaith gywir. *Appunto.*

Ymladdodd ein tadau yn y Rhyfel Cyntaf.

Gwyliwch chi, medden nhw, dydi'r Saeson ddim yn soldiwrs gwael. Rydym ar yr ochr rong, beryg.

O *Dio* annwyl! A sylweddoli hynny, unwaith roedd hances wen yn ein llaw.

Mewn dim, roeddem wedi cael ein cicio o gwmpas Ffrainc ac Albania ac wedyn yn Affrica. Y fyddin fwyaf anhrefnus welsoch chi erioed. Llenwi tanc hefo petrol a sylwi ar ôl sbel mai dim ond dŵr oedd o. Dim pebyll. Cysgu o dan unrhyw beth fel tramps: bocsys cardfwrdd os oeddem yn lwcus. Y peth callaf wnaethom ni oedd ildio. Dyna'r unig beth tebyg am bob fersiwn o'r stori. Ond yn f'un i, mae Giorgio â'i lais bodlon,

Ti isio fy nhanc i? Cymer o, *dai, prendilo.*

⦀

Prigionieri eravamo, proprio.

Beth mae *prigionero* i fod i'w wneud ond trio dengyd? Dyna mae'r ffilmiau i gyd wedi'i ddweud wrthom ni ers hynny – unrhyw *prigionero* gwerth ei halen â'i feddwl ar *scappare.* Cloddio twneli a neidio dros weiren bigog a ballu.

Prigioneri tila oeddem, o ran hynny, heblaw Giorgio, a gafodd weld ei well cyn gweld Cymru.

Clywsom hanes am rywun daflodd ei hun i afon Conwy, nid o'n camp ni, nid ein teip ni. Cafodd o *funerale* enfawr hefo parêd, meddai'r Commander oedd yn teithio rownd y *camps* i gyd. Ond roedd o'n poeni mwy am drwbl rhwng dau *civilian* a PoW yn y Bala 'run noson. Roedd trafferth yn y Bala yn fwy o newyddion na PoW mewn bedd yn Llandudno. Roeddem ni'n gwybod popeth am y ddau Italiano yna: cafodd y ddau eu gwneud yn *non-co-ops* mewn fflach, eu tynnu allan o'r camp a'u hanfon i un arall – wyddem ni ddim i ba un.

I ni, roedd gorfod gadael yn fwy dychrynllyd na'r angen i ddengyd.

Ac felly, roedd y giât yn rhyw hanner agored a hanner wedi cau. *Prigioneri* yn cario gynnau, byd rhyfel a'i ben i waered.

Doedden nhw ddim yn poeni amdanom ni'n dengyd o'r camp – mynd i ble fasem ni? Llandudno? Gwaelod y Sianel? Poeni y byddem ni'n dengyd i rywle tu mewn oedden nhw, os rhywbeth, i alltudio'r tu mewn i'n pennau, tu mewn i'n hesgyrn ein hunain. Ac aros yno. Wedyn bydden nhw wedi colli a ni, y *prigioneri*, yn ennill; wel, ddim wedi ennill ychwaith.

Does neb yn ennill rhyfel. Dim hyd yn oed y rhai sy'n ennill.

(((

Roedd rhai o'r Cymry'n greulon a ninnau bron ofn dweud hynny. Ond os oedd erchyllterau'r rhyfel yn fwy amlwg i ni ar ôl Pathé News, roedd ambell stori *gallese* yn ein *filò* hefyd: o gŵyn ac o glwyfau. *Da verro,* wir, wir.

Doedd rhai ohonom ni ddim yn tynnu ymlaen hefo plant y teuluoedd Cymreig ac yn eu pinsio tu cefn i'r rhieni neu'n eu beio nhw am fwyta'r dafell olaf o fara. Pethau cas hefo concyrs a geiriau oedden nhw'n medru bod, gwaeth fyth hefo'r hadau coslyd tu mewn i egroes. Cas cystal â'i gilydd. O'nd oedd yna declynnau pigog a chaled ar ffermydd? A geiriau, *allora*, rhai o'r pethau fyddai plant yn eu dweud amdanom ni tu ôl i'n cefnau! Weithiau, roedd ein Cymraeg yn ddigon da.

Mae 'Talian ni yn tyfu tatws tu ôl i'w glustiau.

Mae 'Talian ni'n pigo'i drwyn

Mae 'Talian ni'n dwyn hufen.

Mae 'Talian ni'n cysgu hefo hon-a-hon.

Ond ni oedd yn ennill ar ffwtbol bob tro, yn erbyn tîm ysgol Sul y plant ac yn erbyn tîm y bosys.

Doedd neb yn sôn ryw lawer am bethau fel yna yn y *filò*; cadwem ein briwiau i ni'n hunain.

Oedd ein teuluoedd, adref, wedi'n dychmygu ni mewn gwaeth llefydd na bythynnod Cymreig? Roedd gwaeth llefydd. Roedd newyddion yn ein cyrraedd hefyd am Auschwitz a Buchenwald a Dachau a Belsen. Un papur newydd yn sôn am *quattro cento mila* – be 'di hynny? *Quattro, zero, zero, zero, zero, zero* o Iddewon o Hwngari wedi'u rhoi ar drên, yn meddwl eu bod nhw'n cael eu cyfnewid am PoWs, ac wedi cael sgwennu llythyrau hapus adref yn esbonio'r sefyllfa. I'r popty yn Auschwitz yr aethon nhw.

Neu efallai mai ni oedd wedi dychmygu'n ffordd yn ddigon pell o bopeth, gan gynnwys Cymru, i mewn i'n *filò* yn ddigon dwfn fel nad oedd neb yn adnabod dim byd ond *filò*?

Chi lo sa? Nid ni. Y Dyn Mawr, efallai. Ond nid ni.

)))

Roedd rhai bosys yn cael gwared ohonom ni heb air o rybudd. Byddem ni'n gofyn pam, ond nid oedd ateb call i'w gael – ar y fferm nac yn y camp. Cwsg *Nissen hut* eto.

Am rai wythnosau, cyn y diwedd, cefais fy anfon o Nant Rhiannon am fod rhyw *idiota* wedi dweud wrth y Commander fod Gwyneth a finnau fel brawd a chwaer. Oeddem wir – a beth oedd o'i le hefo hynny? Ond dehongli mwy wnaeth y Commander, a gorchymyn *pausa*.

Cefais brofiad o weithio mewn gangs ac ar ffermydd eraill. Roedd ambell fòs yn dweud, rwyt ti'n rhy dal, rwyt ti'n rhy dlws (hwnnw'n esgus poblogaidd). Ond gweithiwr oeddwn i. Cael trafferth i ddeall Saesneg oedd rheswm arall. Roedd eu Saesneg nhw'n llawn mawn, ar y gorau. Waeth beth oeddynt yn ei ddweud, doedd dim rhaid i mi wrando.

Mewn un *ferma* roeddwn i'n bwyta hefo'r cŵn ar stôl, ddim yn bwyta'n llawer gwell na'r cŵn ychwaith. A'r caws ychwanegol roedden nhw'n ei gael yn eu dogn i mi, yn mynd i ryw Anti.

Byddai Beppe'n dod â bwyd i mi yn y *filò* wedyn. Roedd sgrapiau wastad ar gael, ond roedd parion llysiau yn gwneud i rywun feddwl ei fod yn ôl yn yr anialwch. Diolch, Beppe, fyddwn yn ei ddweud, a neb yn fy nghoelio. Daeth â thafelli ham un tro, rhaid dweud, a chacen cyrins. Tydi pechod dwyn ddim yn bechod weithiau. Tydi lladd ddim yn llofruddiaeth mewn rhyfel. Trio byw, ac os marw, deall y gêm ddigon i ddod yn ôl a dial. Meddwl am eu gwragedd a'u merched nhw yn y gwely hefo un ohonom ni fyddem ni. Beth sy'n bod hefo hynny? Corff meddal, gwely cul. Allem ni ddim peidio. Heb fwyd yn ein boliau, heb rywun arall yn ein cyffwrdd, efallai fod dyn yn peidio â bodoli.

Yn y gêm rhyfel yna, yn y gêm o fod yn garcharor ffug, roedd carchar o fewn carchar. Awst oedd hi pan gyrhaeddais *ferma* newydd ar ôl wythnos yn y cynhaeaf ŷd yn Ty'n Coed. Ond ar ôl naw o'r gloch – tair awr wedi amser gorffen ein gwaith – hen bryd dweud *basta*! Erbyn hynny mae gwybed a phopeth. O leiaf roedd y bòs wrth f'ochr yn gweithio yr un mor galed â finnau, ond nid â gwên. Ac nid un tawel oedd o. Ar ôl naw, ar ôl amser swper ac amser *stop, basta*, dechreuodd ddweud pethau cas am bob un ohonom ni, y PoWs. Dywedai y byddem ni wedi gorffen y gwaith petaem ni ddim yn ddiog a phetawn i ddim yn rhedeg ar ôl Ida. Fy mai i oedd hynny. Pan ofynnodd a oedd gen i ferch – Oes, dywedais. Ida, eich nith. Doedd dim diddordeb gen i yn Ira, er mor annwyl oedd hi.

Ond roedd gen i ddiddordeb mewn digio'r bòs. Ond wedyn, ar ôl y seithfed gŵyn am PoWs, *Bah*, meddwn i. Roedd pen draw i amynedd dyn hapus fel fi, hyd yn oed. Dywedais, felly, y dylai gau ei geg, mai PoW oeddwn innau hefyd: oeddech chi wedi anghofio, Bòs? Ond erbyn hynny roedd gwres y dydd wedi gwanhau'r cwrteisi ynof i.

Petai o'n arwain y rhyfel, byddai wedi cael gwared â'r PoWs i gyd, meddai.

I lawr aeth fy mhladur.

Edrychais i fyw ei lygaid. Stopiodd.

Does gen i ddim mwy i'w ddweud, dywedais wrtho. Daliais i edrych. Roedd fy nwy law yn rhydd erbyn hynny. Nid atebodd. Doeddwn i erioed o'r blaen wedi edrych i fyw ei lygaid fel'na. Dim hyder. Ond, y foment honno, roeddwn i'n ei gasáu. Fo a'i bedwar dant. Fo a'i gap stabal. Dywedais wrtho y byddwn yn ysgrifennu i'r camp i gwyno am fy lle, er mwyn dychwelyd yno y diwrnod wedyn. Na faswn, meddai o, gan daeru y byddwn yn ôl yn gweithio'i gae o, a dyna ni. Pwyntiodd at y ddaear a'r nefoedd fel petai gwaith i'w wneud yn y ddau le yna. Na, dywedais innau, mae hyd yn oed PoW yn medru gofyn am gael dychwelyd i'r camp.

Dywedais wrtho mai carcharor oeddwn i. Ac oni bai am hynny y buaswn yn torri ei wyneb. Daeth heddlu'r camp y noson honno, yn union fel roeddwn i wedi gobeithio.

Mynd o flaen y Camp Commander fu raid wedyn, a fyntau'n eistedd wrth ddesg wag heblaw am un llyfr i riportio Bechgyn Drwg fel fi. I wneud pethau'n waeth, roedd y bòs wedi dweud wrthyn nhw fod gen i ormod o arian, a doedd dim hawl gennym ni i fwy na rhyw ddigon i brynu sigaréts. Gwagiwyd fy mhocedi. Roedd ewinedd fy nhraed yn *orribile*, 'run lliw â'i lawr carreg. Finnau'n noeth ac eithrio fy nghreithiau. Dim ceiniog arna i, wrth gwrs. Arhosais yn y carchar am wyth niwrnod, er hynny. Pa wahaniaeth sydd rhwng un carchar a'r llall *forse*, ond roedd hwn yn waeth. Doedd ganddyn nhw ddim un gair drwg arall yn f'erbyn i, ond yno roeddwn i, tin ar fy ngwely neu gefn ar fy ngwely am wyth niwrnod ac wyth noson.

Yn y dyddiau hynny o gaethiwed roedd gen i bapur a phensel, o leiaf. Ceisiais berffeithio ambell ddarlun o farlys ac aeron cerddinen. Anodd oedd y rheiny – gormod ohonynt yn dynn wrth ei gilydd. Dail cerddinen yn bethau anodd hefyd – yr arian byw ar un ochr i'r ddeilen yn braf ei wylio ac yn amhosib ei ddangos ar bapur.

Meddyliais yn arbennig am Pina. Yn yr amser yna yn y carchar, roedd boi yn yr un gell yn cael ei anfon i sefyll ei brawf, wedi'i gyhuddo o fod hefo merch leol. Fe'i gwelais hi, merch blaen yr olwg, ychydig yn welw a thenau, ond pa syndod o ystyried y sefyllfa? Er hynny, gwnaeth i mi feddwl am Pina. Os oedd y merched yna yng Nghymru, oedd â phopeth ganddyn nhw, yn gwneud *hyn* hefo dyn heb ryddid, beth fyddai ein merched ni yn ei wneud o dan reolaeth yr Almaenwyr? A phan ddaeth yr Americanwyr a'r Brits i'w rhyddhau, a'u pocedi'n llawn arian, yn wahanol i ni, beth wedyn …?

Roeddwn i'n ymddiried yn Pina ond beth oedd yn ei gwneud hi'n wahanol i unrhyw ferch arall? Dyna feddyliais yn y dyddiau hynny. Roeddwn yn ei charu, ac yn anfon dymuniad iddi bob gwawr a phob machlud, ond petawn yn dychwelyd … Petawn i'n cyrraedd Pieve a deall ei bod hi fel y ferch denau yna wedi'r cwbl, byddai'n rhaid i mi adael popeth oedd wedi fy nghadw'n ddyn lwcus, yn ddyn hapus, yn ystod yr holl flynyddoedd o alltudiaeth.

A dyna beth ydi dwyn rhyddid rhywun. Os oedd Gwyneth yn dweud ein bod yn *Prisoners of Nothing*, roedd y *nothing* go iawn i'w gael yr wyth niwrnod yna, heb fawr o gwmni. Dim byd i'w wneud hefo'r munudau ond anadlu ofn a thrio tynnu llun fel bachgen ysgol i basio'r amser.

Dychwelais i Landrillo, a chefais fy anfon i *ferma* hwn a'r llall. I ardd hefyd. Mwynheais hynny. Daeth yr hydref. Mewn gardd roedd gwaith doedd neb arall eisiau ei wneud:

tocio tyfiant marw, hel betys. Cymaint o fetys fel bod fy
mysedd yn matsio'r tir. Tymor ddylai pobl werthfawrogi mwy:
tamprwydd, oedd, ond

> *erica,*
> *bacche di sorbo,*
> *ginestra;*
>> grug,
>> aeron criafol,
>> eithin.

Yr *erica, bacce di sorbo, ginestra* yn gryfach lliwiau yn y
llonydd. Dim ond fi wrth eu hochr yn tocio, tocio, tocio.

Cefais fynd i'r *filò* yn Nant Rhiannon eto a gweld Gwyneth.
Yr ambell dro y gwelais hi, gofynnodd am Pina, gofynnodd a
oeddwn i wedi clywed ganddi. Cofiodd ddod ag anrheg bach
i mi gan ei thad, gan ei mam, bob tro. Tipyn o gaws gafr i'm
hatgoffa o'r pryd cyntaf ar eu haelwyd, siocled, sigaréts.

Roeddem i gyd wedi gwneud ffrindiau erbyn hynny.
Oswaldo wedi addo i ryw Giovanna, Joanna, Jenny ... hogan
leol ... y câi ddod i'r Eidal ryw ddydd. Ond ddôi hi ddim i'r
filò; dim ond Gwyneth.

Yn gyfnewid am y caws, rhoddais lun o flodau'r eithin i
Gwyneth – heb fod yn glir a oedd hwnnw i'w mam neu iddi hi.

Pam yr holl chwyn, meddai?

Allwn i ddim rhoi ateb. Lluniais ateb gyda'r nos. Cwta
oedd yr amser rhwng tynnu'r gwrthban amdanaf a chwsg,
ond yno, meddyliais am ateb. Heb Gwyneth, fyddwn i fyth
wedi ystyried pam. Pam chwyn? Pam y planhigion? Allwn i
ddim ystyried tynnu llun Pietro er enghraifft, neu Tommaso.
Gwyddwn mai colli'r darnau papur, y blodau a'r chwyn,
fyddwn i, fel y ddwy ymgais gyntaf i ysgrifennu ein stori
fel carcharorion. Roedd pleser mewn codi pensel ac astudio
rhywbeth yn fanwl a'i ail-greu ar bapur. Ond ei golli fyddwn
i. *Non importa* – yn achos blodyn. Roedd eraill yn y dolydd;
roedd eraill bob tymor. Doedd dim Pietro arall, doedd dim

Oswaldo arall. Roedd digon o golli wedi bod fel yr oedd hi. *Sì, Santa Bernedetta*, roedd blodau'n saffach. Esboniais i erioed wrth Gwyneth na'i rhieni. Rhoddais fwy a mwy o flodau iddyn nhw, chwyn hefyd, os mai chwyn oedden nhw: dant y llew, tafod yr ych, pys y ceirw.

(((

Yn y cyfnod digartref yna, cefais fy anfon yn ôl i'r prif Gamp 101 gan fod Llandrillo yn llawn. Yn y Drenewydd yr oedd hwnnw – fel mynd i lygad y tân. Difaru. Am sbel, dim ond Ffasgiaid oedd yno. Cyn i mi ddeall yn iawn, gwelais Rodolfo ar fainc yn y *cookhouse*. Gwahoddodd fi allan am sgwrs. A finnau, yn foi wedi cael addysg ac yn falch o'i weld, yn ei ddilyn. Gadael fy mhlât gan feddwl fod pethau pwysig neu breifat neu ddifyr ganddo. Ond anwybodus oedd o. Edrychodd ar ei draed. Roedd ganddo rywbeth i'w ddweud a dim syniad lle i ddechrau. Wedi'i wthio gan rywun mwy twp na fo oedd o, efallai. Dyna dwi'n ei gredu. Edrychais lle roedd o'n edrych, cofio'i draed. Yn y diwedd, dywedodd fy mod i'n cael fy ngwahodd i ddiosg y sêr oddi ar fy iwnifform.

Pam?

Wel, gan fod y camp, yn ei ôl o, yn gamp *Fascist* erbyn hynny.

Gofynnais pwy oedd yn fy ngwahodd.

Fi, meddai.

Ffeindiais y mul tu mewn i mi. A chwerthin. Chwerthin â'm dannedd i'r gwynt.

Gofynnodd a oeddwn i'n gwybod am ffyrdd y Ffasgiaid yn India a beth oedden nhw'n ei wneud i fradychwyr? Yfed olew. *Sì*. Gwyddwn. Fod rhai'n gorfod yfed olew nes doedden nhw ddim yn byw yn eu cyrff ddim mwy. Doedd gen i ddim ofn, ychwaith. Er yr holl sôn amdanyn nhw'n gorfodi dynion i yfed ac yfed ac yfed nes oedd hyd yn oed eu perfeddion yn dod o'u pen-ôl.

Alora, dywedais, do wir, 'mod i wedi clywed. Ond nad oeddwn i'n cymryd olew, hyd yn oed ar orchymyn. Ond y gallai o, yn arbennig fo, Rodolfo, fy ffrind, fy atgoffa o unrhyw stori yr hoffai, unrhyw bryd. Ac ar hynny, es yn ôl at fy mhlât.

Gadael Camp 101 wnes i ddeuddydd wedyn. Nid o ofn. *No, no, caspita.* Doedd gen i ddim ofn problem rhwng Rodolfo a finnau. Roeddwn i wedi clywed y boi'n crio yn ei gwsg. Fyddai o ddim yn gwneud drwg i mi. Ond roedd eraill yno yn gwneud sŵn amdana i – *brontolare* – os medri di ddeall hynny, sŵn heb stopio fel awyr cyn storm. A doeddwn i ddim yn mynd i dynnu'r sêr i neb. Gadewais felly. Gwyliodd rhai. Tynnodd rhai eu sêr nhw o ofn, a difaru. Lucio yn un. Daeth o ata i, wedyn, i gamp Llandrillo â'i foch yn lliw storm. Un o Treviso oedd wedi'i guro beth bynnag – Dal Molin neu rywbeth. Rhybuddio ni i gyd i beidio mynd ar gyfyl y boi Dal Molin oedd Lucio wrth gwrs, ond doedd y *co-ops* a'r *non co-ops* ddim yn cael cymysgu ryw lawer ar ôl didoli'r defaid oddi wrth y geifr. Oni bai fod camgymeriad.

Ond i'r cae aethom ni i wella, ni'n dau. Ochr yn ochr; sbelen mewn *ferma* ddigon agos i Nant Rhiannon i gael mynd yno nos Sul. Lucio'n biws a finnau'n lliw cneuen o'r haul. Roedd haul yng Nghymru weithiau, oedd. Cynhesu gwar rhywun. Pylu cleisiau.

Byddai ambell un yn ein galw'n *Fascist*. Wedyn, plant yn dynwared.

Fascist, fan'cw! Pwyntio bys.

Nage, *Free Italian,* ddywedom i ddechrau, ond i ba bwrpas?

Lucio yn dweud wrtha i am gau fy ngheg, *non importa*!

Yn y byd go iawn roeddwn i'n weithiwr caled, ond roedd gennym ni, Italiani, enw am fod yn llai gweithgar na'r Almaenwyr. Yn y byd go iawn – *proprio reale* – tydw i erioed wedi bod yn greadur cymedrol. Fi oedd yr ieuengaf yn ein teulu ni, yr un cyntaf i grio a'r un oedd angen y mwyaf o *siestas*. Ac efallai 'mod i'n dangos ychydig gormod o ddiddordeb mewn pethau merchetaidd fel blodau, coginio

hefo dail, creu doliau. Dyn cae, dyn awyr agored, *proprio*.
Gwelwn fy hun yng Nghymru fel gwrach i wella'r neiniau
neu'n saer anrhegion i blant lleol. Roeddwn i'n weithiwr
gyda'r gorau oedd i'w gael, yn deall reiffl i'r dim, ond y cyntaf
i eistedd hefo llygaid y dydd a'r gallu i wneud salad *incredibile*.
Rŵan dwi'n deall. Gwelai'r Cymry ni fel bwystfilod rheibus.
Ni, tylwyth Italiani. Gallwn fod wedi bod yn ifanc, yn
feddal, yn gyweiriwr tractors, yn giamstar yn eu ceginau
nhw, yn annwyl hyd yn oed ac yn fab mabwysiedig, ond eto,
os oeddwn i'n dod o dylwyth bwystfilod rheibus, bwystfil
rheibus oeddwn i ac y byddwn i fyth, yn arbennig i'r Cymry
oedd wedi penderfynu mai peth ffiaidd oedd unrhyw fwystfil
gwahanol iddyn nhw eu hunain.

Ffiaidd neu Ffasgaidd. Allwn i ddim osgoi pwy oeddwn i.
Na, doedd Cymru ddim yn dda i gyd.

Diwrnod da? fyddai Gwyneth yn gofyn petai hi'n fy
ngweld ar ddiwedd y dydd.

Tutto a posto fyddwn i'n ei ddweud. Dyna oedd fy stori,
tutto a posto. Ond un nos Sul, a minnau wedi gorfod teithio i
Nant Rhiannon, hi ddaeth ataf a chynnig,

Tutto a posto, Guido, mae'r Commander yn dy anfon yn ôl
i Nant Rhiannon yr wythnos nesaf. Dad wedi cael gair. Teulu
Ty'n Coed hefyd. Pawb ar dy ochr di go iawn. *Niente male.*

Ac roedd yr Eidaleg ar dafod Gwyneth fel petai wedi bod
yn canu yn y caeau yno erioed, a hithau'n ailadrodd cân y tir.

§§§

Wrth aros i orfod mynd adref, daeth yr Eidaleg yn ôl.

Era strano, proprio.

Roedd y byd, yn ei holl ieithoedd estron, wedi bod yn
siarad Eidaleg yr holl amser, *forse*. Ond dechreuodd eu byd
nhw siarad ein hiaith ni.

O stepen drws *ferma* Nant Rhiannon, byddai Morfydd
yn arfer gweiddi, Amser Te, ond roedd Amser Te yn taro fy

nghlustiau fel *andar via*, er gwaethaf popeth – gadael, gadael oedd hynny'n ei olygu.

A doedd ond un ateb i 'amser te'. Roeddem ni, Italiani, yn enwog am feddwl am ein boliau. Hyd yn oed os oedd y Cymry od yna'n rhoi llaeth mewn te. Dim ond un ateb oedd i de: seibiant, a dweud,

Ie, diolch.

Ond clywais *andar via* ac allwn i ddim bod yn siŵr ai gwahoddiad ynteu bygythiad oedd o.

Tractor yn bacffeirio yn dweud: *é bruto, proprio bruto!* Afiach, afiach o beth.

Tywallt tatws o sach yn dweud: *spremuta d'arancia* – sudd oren, o bopeth! Welingtons ar laswellt yn dweud: *vado de là de l'aqua*, fel petai rhywbeth y tu hwnt i'r dŵr y dylem ni fynd i chwilio amdano.

Pesychu Bòs Evan wedyn: Afrikakorps. Gwaetha'r modd.

Sŵn ffrind yn sugno dropyn ola'i beint: *eccellente, eccellente* – a gwych ydi peint, yn wir! Gwych, gwych!

Yn y gegin, Gwyneth Harriet yn defnyddio llwy i droi burum a dŵr cynnes mewn jwg: *che è ciò? Che è ciò?* Dyna i ti beth!

Tynhau cwlwm carrai sgidiau trymion yn sibrwd: *scertsi, scertsi!* Ti'n jocian, ti'n jocian.

Brân: *chiacchierano come nemici* – maen nhw'n sgwrsio fel gelynion.

Crafu esgid ar sgrafell: *fuoco, fuoco*. Tân, tân.

Llifio coed: *vini, vini, vini*. Ti'n gwybod be 'di hynny? Siawns.

Giât heb olew ar golfach: *sganciarsi, sganciarsi*, fel petai'r lluoedd yn dal yno yn rhywle ac angen camu'n ôl a ninnau'n cofio 'run peth yn cael ei weiddi yn yr anialwch: *Disgengage!*

Roedd eu defaid nhw'n dweud 'o law i law'; wir – *mano a mano, mano a mano*, fel emyn. Defaid Cymreig wedi bod yn siarad Eidaleg hefo ni'r holl amser, fel cariadon. A'u babanod nhw, wrth ddechrau siarad, yn dweud, *guarda, guarda,* a'r Cymry'n taeru mai dim ond *Ga* a *Ga* oedd yn eu genau.

O'r tŷ i'r cae i'r bar i'r gwely, roedd y byd yn dweud *pezzi di guerra,* darnau o ryfel. Geiriau cyfarwydd yn tyfu fel chwyn. A finnau'n meddwl fy mod yn troi'n *pazzo,* mor *pazzo.*

Ers pryd roedd tractor yn bacffeirio yn siarad unrhyw iaith heblaw tractor? Ac wrth gerdded heolydd cul i gwrdd y *filò,* clywed *diciamo, diciamo* – ni sy'n dweud, ni sy'n dweud – yn eiriau clir gan frigau mewn gwynt, gan y ffesantod, a chan raean dan ein hesgidiau trymion. *Diciamo* traed un PoW ar ôl y llall yn cyrraedd yn ei bwysau, *diciamo,* dyna roeddem ni'n ei ddweud.

(((

El Alamein.

Unwaith eto, El Alamein. Unwaith mae rhywun wedi agor y drws i hunllef, mae o'n dod yn ôl ac yn ôl.

Fin nos, yng nghysgodion y *filò,* doedd neb yn dweud dim byd erbyn y diwedd. Y nosweithiau'n mynd yn hir a neb yn eu llenwi.

Mae'r ffasiwn beth yn bod â phen draw i awen y storïwr gorau. Ac o stopio dweud ein dweud, gwelsom bennau a llygaid gweigion y lleill yn edrych i fyny i wrando ar y diffyg straeon. Cymaint o wynebau'n cofio bod rhywbeth i'w gofio, *sai,* ac yn dalpiau, deuai'r pethau'n ôl: yr Alpini; *fanteria* Brescia a Pavia a Bologni a'r Giovani Fascisti o Ariete, Littorio, Trieste, Trento; lle cawsom ni ein hanafu; lle claddwyd hwn a hwn; wynebau'r rhai a ddiflannodd heb eu claddu. Wedi byw trwy hynny i gyd, pwy oedd ar ôl? Ni. Yn cofio sut y gwelsom un Major yn poeri rhwng dannedd Lieutenant oedd yn gorwedd ar ei gefn, er mwyn rhoi rhywbeth iddo'i lyncu.

Byddai hanner ohonom yn eistedd yn ein *filò* a'r hanner arall yn sefyll, yn edrych ar y rhai oedd yn eistedd. Dyna lle roeddem ni, yn gwneud dim byd ond cyfri'n gilydd.

Gwyddai ein teuluoedd erbyn hynny nad cerdded dolydd roeddem ni wedi bod yn ei wneud yr holl amser ar ôl gadael cartref, ond mwydro a chadw cwmni hefo dynion heb fysedd, dynion heb ddannedd, dynion heb enwau, wedi'u gwagio, wedi'u bwyta o'r tu mewn gan ddiffyg bwyd, wedi colli ambell goes mewn rhannau eraill o'r byd. A bydden nhw'n ysgrifennu atom, yn dweud ar bapur tenau sut beth oedd bywyd.

Ond unwaith roedden nhw'n gwybod, adref, yna amhosib oedd dweud fod pethau'n wahanol. *È vero?* Pan oedd Mamma'n gwybod, roedd o'n wir ... Felly, dyna oedd *filò* heb eiriau, heb chwerthin. Dim ond dannedd fel mulod, traed ar y bêls fel mulod a ninnau, fel y Cymry pan gyrhaeddom ni, yn dawel.

Eisteddais, un noson, yn edrych ar draed pob un oedd yno, eu cyrff yn ymestyn yn fflat ar hyd y bêls a'u gwadnau ata i. Byddai ambell *filò* yn gyfle i gysgu. Feddyliais i erioed mai dyna sut fyddai'r diwedd yn edrych. Heblaw mewn hunllefau, fyddai o *proprio*, byth yn dod. Nes ei fod o yno o flaen ein trwynau. Mussolini, ben i waered. Ac felly roedd hi.

Fe ddaw rhywun i'n hachub.

Achub?

Dyna oedd y cynllun, *non é vero?*

Doeddem ni ddim yn ei ddymuno; wnaethom ni ddim cytuno iddo, a doeddem ni ddim yn ei haeddu: y carchar na'r chwarae teg.

Siŵr iawn ein bod eisiau mynd adref. Dyna fyddet ti'n ei feddwl. Ond doeddem ni ddim eisiau gadael ychwaith. Doedd dim i'w wneud ond gorwedd yn fud mewn *filò*.

Yn El Alamein roedd gwacter cyffyrddadwy fin nos – o'n talcen i lawr hyd fodiau ein traed – gwacter, a ninnau'n llonydd.

Oglau ... bomiau. Beth yn union? Rhywbeth fel *carciofi* heb eu cwcio, yn pydru mewn cornel a neb yn gwybod ymhle yn union. Doedd dim lot o *carciofi* yng Nghymru, ond dyna lle roedd ei oglau, yng ngholeri ein cotiau, yn ein pocedi, yng ngwar ein Cymraes. Oglau nwy, aer drwg, awyrgylch tor cariad, diffyg Duw. Roedd o'n rholio i mewn i'n ffroenau ni, yn crafu'n corn gyddfau. Ac i ble wedyn? Ysgyfaint, calonnau. Blas dail llosg a chregyn lludw. A byddem yn dweud,

Dwi'n meddwl ei bod hi'n oer, on'd ydi?

Na.

Formicolii alle gambe.

Lle?

Wn i ddim yn union, ond mae morgrug ynof i. Dwi'n meddwl.

Mae cur pen gen i.

Mae *colpo d'aria* gen i.

Mae *singhiozzo* gen i.

A safem hefo'n gilydd yn igian, igian, *singhiozzo*.

Mae 'mawd bach i wedi disgyn i ffwrdd.

Allem ni ddim mynd yn agosach at y gwir na hynny. Fel plentyn yn methu cysgu a dim ond yn ffeindio 'mae gen i boen bol' fel esboniad, roedd ein cyrff yn brifo yn y llonyddwch.

Yno roedd El Alamein, yn dal yn fyw ynom.

Llais o rywle yn cyhoeddi cwymp *truppa* arall. O un goncwest i'r llall. Cyfnewid cyflog mis am lymaid. Rhoi un caethiwed am un arall. Ac mi fyddem ni'n clywed y llais yna'n sydyn reit wrth balu – *mani alti* – wrth blannu; wrth gerdded hyd lôn fach Gymreig; wrth orwedd mewn gwely blew ceffyl; wrth afael llaw fel petai darn ohonom ni'n dal ar ein cefnau ar y tywod yn aros am y bore. Doedd dim cwsg, dim ond deall fod yr ymerodraeth – honno oedd i fod yn rhinwedd pob rhyfeddod – yn furddyn di-siâp, yn gangrin wedi mynd yn rhy bell i'w fendio fo erbyn hynny. *Sceptre* na sgalpel ddim iws. Gwybod mai ildio fyddai ennill, yfory.

Dim ond ni ddeallith fyth mai dyna oedd dewrder: ildio.

Yn y llonyddwch, diffoddodd y *filò* fel petai llinyn wedi'i dorri.

Ebrill y pumed ar hugain, 1945, oedd diwedd ein rhyfel ni – rwyt ti'n gwybod hynny. Pam ydw i'n dweud wrthot ti, d'wed? Festa della Liberazione, ond nid ni oedd yn cynnal *festa*.

Ar yr ail o Fehefin 1946, roeddem ni'n dal yng Nghymru, yn cwrdd ar ddydd Sul, yn seiclo dros y mynydd i gyrraedd y pasta, yn garcharorion rhydd. Pawb yn gofyn, pryd, pryd?

Cawsom ein hanfon yn ôl fesul oedran yn 1946. Doedd neb yn hen. Dweud ta-ta, a llai yno ar ddydd Sul. Wyth ar hugain i bump ar hugain oed, wedyn pump ar hugain i ddeunaw oed, ac roedd yr haf yn boeth boeth yn yr Eidal yn 1946, poethach nag erioed.

Mae dywediad yng Nghymru na ddylai rhywun fynd i mewn i dŷ drwy un drws ac allan drwy ddrws arall. Drws ffrynt a drws ffrynt. Drws cefn a drws cefn. Dim cymysgu.

Cyrhaeddom Brydain yn ddeg. Gadawsom yn bump. Erbyn hynny, roedd Elmo, Lucio, Tommas, Beppe a Mario yn rhy hen i fod yn ein llwyth ni. Yn Camp 101 roedden nhw i fod, am y tro. Dilyn wedyn. Wn i ddim pwy oedd fwyaf lwcus.

Gadawsom yn siarad Saesneg, yn siarad Cymraeg. Yn gwisgo ein hiwnifform ni hefo'u sanau nhw ac ambell fotwm o siop leol.

Dymunai rhai ohonom ni fynd yn ôl, eraill ofn gobeithio. Gadawodd rhai ohonom gan grio. Rhai'n canu. Gadawodd un hefo'i ddannedd yn rhynnu. Chwerthin ffôl. Ambell un yn feddw. Rhai'n dawel, eu pen i lawr at y botymau Cymreig oedd wedi'u gwnïo ar ein crysau, edrych ar ein hesgidiau, ar y careiau, y glaswellt glas glas. Boliau llawn. Yn tisian ar baill eu glaswellt a'u bwtsias y gog.

Gadawsom fel petai straeon erioed wedi'u rhannu. A rŵan, eisiau eu hailadrodd ydw i. Eu dweud fel peiriant dyrnu. Eu dweud dros y deuddeg ohonom ni nes bod pobl yn gwrando. Mae gen i rywbeth i'w ddweud ac mae llais, nid deuddeg, ond miloedd o PoWs – yn gwneud i 'nannedd i grynu.

Aeth un ohonom ni i weld y ferch benfelen chwech oed a ddysgodd i ni sut i ddweud Un Dau Tri Pedwar Pump drwy fariau'r camp, ond roedd y frech goch arni. Cododd law arni o'r llofft a chwythu cusan.

Aeth un arall i ddweud *Arrivederci* wrth ei fab, a'r fam ifanc yn byw uwchben y dafarn, ond allai o ddim dweud *Arrivederci*. Dywedodd, Wela i di ddydd Sul nesaf, heb sôn dim am ei drip yn ôl adref, er ei bod hithau'n gwybod. Roedd o adref lle roedd o. Dyna oedd y drafferth. Côd. Iaith newydd. Deall drwy'r celwyddau. Wela i di ddydd Sul. Ie – ie, siŵr. Gadawodd o gan feddwl am ei fab yn byw mewn oglau cwrw. Byth yn siarad Italiano, heb sôn am *dialetto*. A gadawodd un arall gan feddwl am fabi heb ei eni.

Beth ydw i'n paldaruo? Tydi'r gwir am hynny erioed wedi dod i'r awyr iach a tydw i ddim am ddechrau rŵan.

Aeth pob un gan edrych ar adlewyrchiad ei wyneb yn ffenestri'r Cymry, a hefyd heb edrych yn ôl. *Proprio normale.*

(((

Rhwng Southampton a Napoli roedd pedwar diwrnod. Ac o Napoli i'n cartrefi roedd mwy na phedwar diwrnod, hyd yn oed i'r rhai oedd yn byw yn Napoli. Lladron, *sai*. Ac roedd y rheilffyrdd, dan ofal yr Almaenwyr, wedi'u manglo.

Glanio ar y *Reina del Pacifico*, o Brasil. Yn Napoli, roedd y Fatican wedi trefnu popeth ar ein cyfer. Y llywodraeth heb godi bys ond yr Eglwys, roedd hynny'n wahanol. Ni oedd plant yr Eglwys. Roedd esgob yno. Roedd y Groes Goch yno. Roedd y Salvation Army yno. Merched hefo basgedi o fwyd. Pobl hyd y lle i groesawu a bwydo a chario bagiau. Daeth rhyw racsyn o fachgen atom, a mynnu cario hynny o fagiau oedd gennym. Bachgen a dim byd ar ei draed, a dyma fo'n dwyn cap Oswaldo i'w roi ar ei ben ei hun.

Gad iddo, dywedais. Be wnei di hefo cap carcharor rŵan dy fod yn rhydd?

Ond roedd o'n benderfynol o gael ei gap yn ôl, fel petai'r pwt o fachgen yn cynrychioli pob un Anzac a fachodd gariadon, Beiblau, modrwyau ...

Roedd yn rhaid ffarwelio ag Oswaldo yn fan'no – ac yntau heb ei gap na'i goes; aeth drwy'r dorf, a dyna oedd ei diwedd hi. Roeddem ni wedi addo cymaint o bethau, ond mae Napoli yn bell, pellach na Chymru rywsut.

Doedd dim byd ar ôl yn wir Italiano, os oedd yna erioed y fath beth. Injan Americanaidd yn ein tynnu o Napoli i Roma. Mwg, y fath fwg, sôn am fudur. *Pazzo.* Düwch ym mhobman. Methu gweld ein trwynau. Siarad Cymraeg yn y tywyllwch. Haws hynny. Cyrraedd afon Leary wrth Cassino, y Cassino enwog. Roedd dŵr honno'n ddu i gyd hefyd.

Pan oeddem eisiau mynd i'r toiled, byddem ni'n neidio allan o'r trên, yn gwneud ein busnes mewn llwyn wrth ochr y traciau ac yn neidio'n ôl i mewn. Gallem fod wedi cerdded adre'r holl ffordd o Napoli yn gynt. Roedd hyd yn oed y trên yn trio ein cadw ni o adref.

Wedyn cawsom ein rhoi mewn tryciau gwartheg. *Era strano, proprio.* Beth wedyn, meddet ti? Ein tryc ni'n mynd ar dân. *Caspita*, roedd hi'n boeth. Cydiodd fflam o dan din rhyw foi o Padova. Ac roeddem yn cysgu ar wellt – stwff da i dân. Cydiodd fel slecs a mynd o un pen y tryc i'r llall. Beth fyddet ti'n ei wneud, petaet ti ar drên ar dân? Piso arno fo wnaethom ni. Trowsers i lawr. A phiso. Gwell na'i yfed. Ac fe wnaeth hynny'r tric yn iawn.

Wedyn Ail Ddosbarth. Meinciau pren. Ond o leiaf roeddem yn eistedd. Firenze. Roedd y ddinas honno heb ei chyffwrdd. Cromenni coch i'w gweld o'r orsaf yma ac acw, rhai bach a rhai mawr. Wedyn, llinell yn nes ymlaen o'r enw Gothic Line – am filltiroedd, dim byd, popeth wedi'i wastatáu. Ambell feindwr. Y rheiny'n sefyll a'r eglwys wedi mynd. Ond *era così*.

Doedd o ddim o bwys. Doedd dim un ohonom ni wir yn ein cyrff. Roedd ysbryd pob un ohonom yn dal yng Nghymru, er i ni lanio yn Venezia Santa Lucia: Organ, Pietro, Lucio a fi, Guido Fontana.

))(

Sto cercando Soldato Fontana.
Sto cercando Soldato Fontana.

Dyna glywais ar y platfform – yn gyntaf yn llais Papà ac yn gryfach yn llais Mamma.

Dwi'n chwilio am Soldato Fontana, a hwythau'n edrych reit trwof i. Roedd telegram wedi cyrraedd gan Esgob Rhufain i ddweud fy mod ar y ffordd. Ond doedd neb yn fy adnabod fel Guido Fontana ar y platfform. Gwasgai Mamma ei ffedog a Papà ei gap. Roedd y ddau yn siarad eu Italiano puraf. Dyn dŵad oeddwn i erbyn hynny.

Papà. Fi sydd yma.

A hwythau'n gwneud dim byd ond edrych.

Rwyt ti wedi newid. On'd dwyt ti'n edrych yn dda?

Gwir, roedd Cymraeg wedi newid siâp ein hwynebau ni i gyd. Rwyt wedi troi'n *English*, medden nhw. Gan ddweud *English*, fel yna, yn eu *dialetto*.

Rwyt ti wedi gwelwi. Wedi magu ffordd od o siarad. Wedi pesgi. Mae'n rhaid bod yr *English* yn ei gwneud hi'n dda er y *guerra*. Yn glên, sut gawn ni ddiolch iddyn nhw?

Y Cymry.

Si, si. Gallesi, Inglesi, tutti.

Ysgrifennodd Mamma at Morfydd. Wyddwn i ddim ei bod yn medru ysgrifennu. Diolch oedd ei bwriad. Roedd hi eisiau gwybod a allem ni anfon rhywbeth arall, oedd angen rhywbeth arnyn nhw oedd gennym ni, yma? Allwn i ddim meddwl am ddim byd ond ffigys neu *kaki*, ffrwythau na welais eu tebyg o gwbl yng Nghymru. Ond doedd dim diben anfon pethau fel hynny dros y dŵr. Diolch sych mewn amlen yn unig gafodd Morfydd, mae'n debyg, yn llawysgrifen dwy-flynedd-o-addysg Mamma.

Roedd gwin am ddim ac fe yfom ni alwyni ohono. Yfed fel petai Cymru ar waelod gwydrau, i drio cyrraedd pen draw'r stori ar ben draw'r meddwi. Roedd dynion mewn iwnifform yn disgyn i'r ffownten ac yn crio i'w llewys – dynion na welais i o'r blaen ond oedd yn adrodd hanesion am fod yn Brighton a Ledbury a rhywbeth-on-Sea. A'r gwin, roedd hwnnw'n gymaint mwy blasus nag erioed. Sut allai hynny fod? Ond roedd o. Dim ond cwrw ambell dro oeddem ni wedi'i gael ers blynyddoedd.

Roedd cannoedd o bobl yn y strydoedd, i gyd yno i ni, yn sathru ar ein traed mewn sgwariau pentref oedd yn rhy fach a chaeau rhy fach ac eglwysi rhy fach. Doedd ein chwiorydd ddim yn ein hadnabod ac roedd ein rhieni'n swil.

Daeth offeiriaid i'n gweld, a meiri a beirdd. Byddai'r mamau'n darparu cystal ag oedd modd ac yn gwneud heb bethau eu hunain. Powlen o ddŵr cynnes i ymolchi ar ôl yr holl deithio. Dillad newydd – anfon am deiliwr. Crysau gwynion. Esgidiau. Ond roedd hi'n rhy boeth i wisgo esgidiau. A doedd dim *lira* i'r teiliwr.

Roedd ciniawa a phicnics a phartïon casglu'r ffigys a chusanu rhywun chwe blynedd yn ôl unwaith eto. Ond doeddwn i ddim yn gallu teithio'n ôl i 1939 yn llwyr. Roedd Pina yn eistedd o dan goed mwyar Mair yn ei ffrog las. A finnau: Cymru yn fy nghyhyrau. Pina'n ddieithr. Ac roedd llond y lle o ferched eisiau'n cusanu ni erbyn hynny. Trefnwyd dawnsfeydd yn ein henwau ni. Rhubanau gwyrdd, coch a gwyn o gangen i gangen hyd yr heolydd. Gwyrdd, coch a gwyn: glaswellt, draig ac awyr aeafol Cymru. Hyn i gyd, hyn i gyd mewn un byd, mewn un pen, ond nad oedd Pina ddim callach.

Ac wedyn ein teulu: pobl ddieithr. Nhwythau'n ymddwyn fel petaen nhw'n gwybod yn iawn pwy oeddem ni, yn tynnu ar benelin a dweud,

Fe glywom ni dy fod wedi'n hamddifadu.

Dy fod wedi priodi.

Wedi priodi deirgwaith.

Wedi cael digon o blant i ddechrau tîm *calcio*.

Wedi disgyn i bydew.

Wedi marw deirgwaith.

Do, mi wnes hyn i gyd, dywedais.

Wedyn roedd yn rhaid dilyn sgwrs o un pen pryd dathlu i'r llall. Gosod byrddau dros dro a meinciau yn un rhes yn Borgo Fontana. Roedd y llieiniau bwrdd yn berffaith wyn, heblaw am ambell hen, hen staen gwin ac ôl cwyr cannwyll. Daeth Zia allan i'w smwddio lle roedd o, cael gwared ar blygiadau'r rhyfel. Daeth Zia arall ag *insalata* o un gegin. Cyfnither oeddwn i'n ei chofio fel brathwr migyrnau wedyn: daeth hi â thwr platiau ar ôl twr platiau a'u gosod fesul un. Chwaer iddi na welais erioed o'r blaen yn gosod ffyrc, union ddau fys o ymyl y bwrdd. Dau gefnder o ddrws arall â sosban maint arch fechan o *pasta con sugo*. Gwydrau, daeth gwydrau o rywle.

Adroddodd Papà hanes y *liberatzione*. Y peth cyntaf wnaethon nhw oedd dwyn ceirios gan Polaki, meddai. Roedden nhw wedi'u cario yr holl ffordd o Romania i Pieve, ac mi fwytodd ein teulu ni'r drol gyfan o geirios tra oedden nhw, y Polaki, yn chwilio am win yn ein cwt allan. Ond roedd y gwin i gyd wedi'i gladdu yn yr ardd. Pwyntiodd at ei boteli. Ein gwin ni. *Eccolo*.

Daeth Mamma â photiau terracota o bob cornel o'r iard, a'u gosod fel milwyr bychain ar y bwrdd: *basilico, nasturtiums, marigolds, borragine*. Aethom ati i fwyta'r bwyd a'r blodau a bwyta'r *spaghetti* â ffyrc mawr fel celfi cewri, a bwyta bara gan Nonna â'n bysedd. Doedd dim blawd i ddim byd am wythnosau wedyn. Roedd digon o domatos, ac roedd ffa. Bwyta'r llysiau ag olew. Ac roedd hi'n boeth, boeth, hyd yn oed o dan y coed. Pawb â'u pennau wedi'u haddurno â blodau'r *tila*. Pina wedi'i gosod o fy mlaen rhwng Rita a Valentina, fy chwiorydd. Wrth eu boddau, y tair yn cynnig bwyd i hwn a'r llall, yn disgwyl i mi adnabod pobl na welais mohonynt erioed o'r blaen. Neu fy mod wedi'u gweld, ond roedden nhw wedi colli gormod o ddannedd, wedi tyfu troedfedd, wedi poeni gormod. Roedd un bachgen hŷn na mi wedi dod yn ôl o rywle yn Lloegr – yn briod â chyfnither i mi, medden nhw. Roeddwn yn y briodas, medden nhw. Doeddwn i'n cofio dim. Roedd pwten bump oed ar ei lin, yn gwingo eisiau Mamma, Mamma. Yn fodlon ar lin ei Papà os oedd pwdin ar ei ffordd. Roedd yno ffrwythau coch o bob math – *lamponi, fragole* – rhai gwyllt – a *ribes*. Bwytais i osgoi siarad. Yfais i osgoi siarad hefyd. Gwenodd pawb a gwenais yn ôl. Roedd Pina, o 'mlaen, wedi cael craith o rywle ar ei thalcen, rhyw hanner bys o hyd ac yn igam-ogam fel cangen. Astudiais y graith. Gwenodd hithau fel petai 'na ddim stori i'w dweud.

Aeth y noson honno a sawl un arall yn stribed o swpera, cusanu, cofleidio, cysgu.

)))

Fi dalodd am y teiliwr er mai anrheg oedd y siwt. Roedd yn rhaid mynd i nôl y cyflog oedd wedi bod yn casglu a gwneud dim byd tra oeddem yn gweithio yng Nghymru.

Dylwn fod wedi mynd â berfa hefo fi i'r banc.

Mamma'n dweud,

Daw da i'r rhai sydd wedi dioddef.

Daw da i'r gweithwyr caled. Yn y pen draw, os nad *subito*.

Dyma dy dâl, *caro*.

A finnau'n meddwl, tâl am orfod gadael, nid am orfod dod yn ôl. A sŵn Mamma'n potran yn y gegin fel sŵn y byd yn troi, hwnnw'n gas wrtha i weithiau, am fod mor annwyl, am fod mor ddrud.

Y cyfle cyntaf, daethom yn ôl at ein gilydd ar dramiau, ar feiciau pedalau pren, ar gefn lorïau, i drio ail-greu ein *filò* amddifad, a gwaredu.

Roedd Oswaldo'n rhy bell. Yntau'n anfon pwt o lythyr ac yn gofyn a oedd gobaith am Work Permit iddo, gan rywun, unrhyw *ferma*, unrhyw fath o fòs. Llwyddodd hefyd. A doedd dim un ohonom ni'n deall sut aeth dyn heb goes yn ôl fel enghraifft o was fferm da. Ond yn ôl yr aeth o, ac yno mae o. Maen nhw wedi'i gadw am byth. Hyd yn oed ar ôl iddo fynd ar ei bensiwn, maen nhw wedi'i gadw, fel anifail a ddylai fod wedi'i ladd flynyddoedd yn ôl. Thyfodd ei goes chwith o fyth.

Y peth olaf ddywedodd Commander y carchar cyn i ni adael oedd hyn:

We cannot promise that your lives will be exactly the same when you get back to them.

Dyna oedd gwraidd ein straeon i gyd. Mamma â chrwm yn ei chefn. Chwaer wedi troi'n ddynes. Brawd wedi'i ladd. Papà ddim yn siarad. Dim llysiau yn y caeau nac yn ein ceginau. Angen ailgychwyn popeth.

Ar ôl dod yn ôl, roedd Almaenwyr yn straeon ein *filò* gan eu bod nhw ar ein strydoedd, yng nghartref ambell un. Rhai'n ifanc a rhai'n hen, yn cymryd ein gwlâu. Un wedi difetha'i lygaid yn Rwsia, wedi'i ddallu wrth edrych ar eira; gweld dim byd ers hynny. Daeth i gartref Elmo i ymgryfhau, nid i ymladd.

Roedd arian ganddyn nhw, ein Almaenwyr, ac ambell un yn hael hefo'n teuluoedd ni, weithiau. Dim trafferth. Fel ninnau hefo'r Cymry, *forse*. Cwcw yn y nyth. Un yn garcharor a'r llall yn orchfygwr, ond yr un fath.

Organ yn adrodd stori ei gymdogion oedd wedi mynd i Malaya i weithio mewn ffatrïoedd *gomma*. Daethon nhw'n ôl hefo tri mab ar ôl tair blynedd. Doedd dim byd i'w wneud yno ond caru. Daeth carcharorion yn ôl o Awstria a'r Almaen a Gwlad Pwyl. Roedd cefn gwlad yn llawn stumogau gwan yn byrstio o orgariad ac o orfwyta. Ambell lwyaid o bolenta yn unig! Dynion ifanc heb ddannedd, eu deintgig yn wyrdd. A ninnau'n methu edrych arnyn nhw. Gwneud fel yr Almaenwr oedd wedi edrych ar eira Rwsia ormod fyddem ni: ysgwyd ein pennau a rhoi cledrau ein dwylo dros ein llygaid. Dengyd i *filò* ddychmygol ar ynys oedd yn anodd coelio ynddi: Cymru. Yn amlwg, nid oeddem wedi dioddef digon i ennill lle yn ein teuluoedd na'r pentrefi. Eto, roedd parti.

Doeddwn i ddim yn deall yr Eidal, na hyd yn oed Pieve yn iawn, cyn bod yng Nghymru. Gwelais wedyn mai pobl yn caru eu teuluoedd ydyn nhw i gyd. Ac mai fflach anwybodus yn llygaid dyn ifanc ydi bywyd rhydd fel sipsi.

Efallai mai Tommaso oedd ddewra.

Rydym yma i ddweud stori, meddai. I sgwrsio yn ein dillad newydd. Fe awn ni o'ma i greu teuluoedd, gyda gras Duw, cymunedau hyd yn oed. A dyma ni, yn meddwl fod hynny i gyd yn ein cadw'n well na baeddod gwyllt. Ond mi fydda i'n bloeddio weithiau. Yn ffeindio *calle* heb ffenestri, un heb awel, un sydd ddim yn arwain at ddŵr camlas gan fod hwnnw'n cario sŵn, ac mi fydda i'n bloeddio fel petai yna fwy nag un baedd y tu mewn i mi. Fyddwch chi?

Chafodd o ddim ateb. Meddyliais am y *guaito,* y rhai o'r anialwch a'r *field hospital* pan oedd y clefyd melyn arnaf, ac yn y *calaboose.* Dychmygais y baeddod. Gwelais y llyngyren. Dychmygais eto. Gwelais Gwyneth.

Dwi'n deall, meddai Elmo. Mae *parassita* yn cysgu yn hen wely Nonno – hyd yn oed os ydi o'n ddyn clên – Almaenwr. *Parassita.* Bydda i'n gweiddi yn y caeau. Dwi'n teimlo fel *parassita* yno fy hun rŵan.

A dyna'r sgwrs rydym yn dal i'w chael heddiw, drwy stori yn fwy effeithiol na thrwy ddadl – pwy sy'n perthyn i ddarn o dir? Roeddwn i'n teimlo'n gartrefol yng Nghymru, *a casa, proprio.* Yn yr Aifft hefyd, ar gamlas Suez, yn Porto Said, yn Glasgow. Lle bynnag oedd y *terra,* os oedd fy nhraed arno, fy nghartref oedd o. Doedd dim angen llywodraeth na phasbort. Y ddaear dan fy nhraed yn ddigon, ond hawdd ydi dweud hynny rŵan, a'r *filò* wedi hen fynd. Dylwn i fod wedi meddwl dweud hynny ar y pryd.

)))

Cafwyd gwaith i rai ohonom. Rhai lwcus.

Tra oeddem yn gweithio, gallem fod yn unrhyw le: Cymru hyd yn oed. Pladuro ydi pladuro ym mhobman.

Rhieni mor falch.

Fy mab i, meddai Mamma, yn fodlon troi ei law at unrhyw beth, *ecco*. Ylwch, fy mab. Hwn ddim ofn gwaith.

Yn y flwyddyn 1947, roedd eira od o drwchus ac od o aml. Dim gwaith ond clirio eira. A phan ddaeth y gwanwyn, beth wedyn? Roeddem wedi dangos esiampl dda, chwedl y rhieni. Doedd dim i'w wneud ond eistedd o dan goed ceirios yn aros am ffrwyth. Dim ofn gwaith. Dim gwaith i'w gael. Mesur bambŵ o'r corsydd efallai, gwneud nenfydau hefo nhw, trin pryfed sidan. Gwaith trafferthus. Dim ond i'r rhai oedd ar bigau'r drain.

Ac ar ôl hynny i gyd, methu godro. Medru dysgu. Gwaith caled, godro. Garddyrnau bron â thorri'n eu hanner, ar ôl un diwrnod yn unig. Bysedd wedi rhewi yn yr eira. Bywyd carcharor yn well i ni, dyna'r gwir. Tywalltais fwcedaid o laeth dros ben ffermwr. Eisiau mynd yn ôl oeddwn i, *proprio* eisiau mynd yn ôl, ond yn gwybod am y rheolau. Pa *papers* oedd eu hangen? *Papers* i fynd 'nôl i Gymru. *Papers* i fynd yn ôl i le roedd gwaith. *Papers* i fynd i le roedd croeso i mi. I rywle lle roedd rhywbeth i lenwi'r dyddiau.

Prynais feic â phedalau pren fel y rhai oedd gan ambell un ohonom yng Nghymru. Dyna un fantais o gael celc bach o arian yn y banc a dim gwaith i fynd â'm hamser. Roedd beic ac roedd bryniau. Treuliais fy amser rhwng y gwinllannoedd, ar heolydd fel y rheiny ger Nant Rhiannon, lle cwrddais â

Rhiannon ei hun – neu ryw ysbryd – efo babi ar ei chlun. Edrychais amdani hefyd rhwng Conegliano a Valdobbiadene. Y teimlad yn fy nghoesau, y tyndra a'r gwres wrth bedlo a phedlo mynd i fyny'r elltydd – yr un teimlad â hwnnw yn fy nghyhyrau yng Nghymru. Y gwyrddni'n ddiderfyn, y pedlo'n ddiderfyn, yr aer yn taro fy nhonsils. Yr un peth. Aer poethach, *vero,* rai dyddiau.

Fi oedd yr un od, yr un â ffyrdd estron hefo'i feic. Mynd i bobman, dim synnwyr ffiniau ganddo, *lo sai,* mi wn i hynny. Fi, Guido, yn arwain y ffordd i rywle. Ystyriais seiclo'n ôl i Gymru.

Aeth Elmo. Cymerodd ddeufis. Daeth cardiau post, a Chader Idris yn edrych yn debycach i'r Alpi. Roeddem ni'n dal i fyw drwy straeon ein gilydd, efallai. Dychmygais fy hun, wrth seiclo drwy Miane, Follina, Cison, Lago Revine, gweld y castanwydd yn oer yno, Vitorio Veneto, yna dychmygu mynd dros yr Alpi, i'r Swistir, i fyny, fyny, heibio afon Rhein, croesi'r Sianel, cyrraedd a 'mol yn wag ond yn fodlon. Rai dyddiau, byddwn i'n seiclo mewn hanner breuddwyd. Mynd yn ôl, dilyn dychymyg.

Bu farw yn hen lanc, Elmo, medden nhw wrtha i. Neb yn medru caru dyn wedi'i dorri ar y tu mewn, waeth ble roedd ei draed o. Byddwn yn ymweld â thylwyth Giorgio ym Miane a thylwyth Elmo yn Follina yn lle cicio fy sodlau. Rywsut, roedd eu mamau yn dweud yr un peth – mai Cymru oedd wedi'u hamddifadu o'u meibion. Yr un geiriau uwchben dwylo bychain, bron mewn gweddi. Gwell coelio fod Giorgio wedi cyrraedd Cymru ac mai yno mae o, o hyd. Ei fam oedd yn iawn.

Roedd ambell un arall yn ffeindio ffordd lai llafurus o fynd yn ôl i Gymru hefyd. Aros yno'n ddigon hir i beidio bod yn Eidalwyr ond byth yn setlo.

Buom i gyd yn ysgrifennu llythyrau at unrhyw un roeddem wedi'i garu, yn gofyn yn garedig, a oedd *papers* yn bosib, *per favore?* Rhowch ffafriaeth i mi. Nid i un o'm ffrindiau. I fi.

Y munud yr anfonwyd ni oddi yno, roedd angen pasbort a stamp ynddo i fynd yn ôl. Hefyd, roedd angen llythyr a *papers* yn profi y gallem gynnal ein hunain – ni a'n teuluoedd, os oedd gennym deulu. *Caro famiglia* oedd hi wedyn. Llythyrau *per favore*. Ydych chi ddim yn adnabod rhywun sydd angen? Cofiwch sut weithiwr oeddwn i. Allai pawb ddim dibynnu ar enw da; *doedd* dim enw da ganddyn nhw.

No alien might land without the permission of an immigration officer – dyna roedden nhw'n ei ddweud. Ni oedd yr arbenigwyr ar groesi ffiniau, a byddem yn cyfnewid awgrymiadau mewn llythyrau at ei gilydd. Mae *ferma* hwn-a-hwn yn adnabod *ferma* arall all wneud hefo help Italiano da. Roedd angen llythyr gan y ffermwr, yn Saesneg. Doedd dim gwerth i'r Gymraeg.

> *We have employment*
> *and a living wage*
> *and accommodation*
> *and a good life*
> *for this skilled Italian, in light of the lack of local skill.*

Italiano byw yn well na Chymro marw.

Organ druan. Roedd ganddo enw am eistedd o dan goeden, am ei wallt yn sefyll fel coeden binwydd, am ganu fel merch.

Ond dyna oedd yr Aliens Order yn ei ddweud. Roedd angen Cymry clên arnom ni fel o'r blaen, neu doedd dim Work Permit. Byddai llythyrau'n cyrraedd yn dweud, *Caro*, hoffwn dy weld yn dychwelyd, ond ...

Ofnwn fod yr un llythyr yn mynd at Beppe neu Lucio hefyd. Beth, wir, oedd dyfnder ein cyfeillgarwch, ein ffyddlondeb i'n gilydd? Byddai bocsys yn cyrraedd hefo cacennau cyrins weithiau, lluniau pensil yn llaw *bambino,* blodau wedi sychu.

Bûm yn troi eu geiriau yn fy mhen wrth feicio: hoffwn dy weld yn dychwelyd. Hoffwn. Dychwelyd. Edrychais ar y geiriau nes gweld yr inc glas yn troi'n,

Tyrd, Tyrd, Tyrd.

Beiciais yn uchel, yr holl ffordd igam-ogam i San Boldo nes fy mod i'n ysgafn ac yn goch i gyd. Eisiau bod yn Brydeiniwr. *Proprio, proprio*, feri gwd. Fel anfon bwledi i'r anialwch a gobeithio taro rhywbeth.

Ceisiai Mamma ganfod gwaith i mi yma – Does dim gwaith, Mamma, ond dweud dim wnes i.

Pina'n gofyn,

Oes gwaith yno?

Ar gyfnodau eraill, pan nad oedd na theulu na ffrindiau na neb o gwmpas, byddai'n rhoi ei llaw ar fy nghroen fel petai rhywbeth wedi'i ysgrifennu yno, a'i fod yn amhosib ei ddarllen.

)))

Nid yr un corff oedd gen i.

Mae rhyw lwch yn dal i ddod allan ohonom ni weithiau; peidiwch â dweud wrth y *medico, cavolo*, nid fo. Mi ffeindith gancr neu gangrin neu gorrach. Dim ond llwch ydi o, hyd yn oed os ydi o o bell. Rhyw raean anialwch mewn peswch eger, mewn deigryn, mewn chwys. Mae o'n dal y tu mewn i mi, El Alamein. Ac mae pobl yn cael munud o dawelwch weithiau er mwyn i ni orfod cofio am y rhai ohonom ni sy'n dal yn y llwch. Dau funud hyd yn oed. Ebrill y pumed ar hugain. Ac yn y munudau hynny, does dim ffasiwn beth â thawelwch. Ein cegau ni'n llawn nosweithiau rhy hwyr a geiriau drwg a *corned beef* a phob un ohonom ni eisiau dweud ein holl *filò* yn y munud neu ddau yna: does dim lle i ni i gyd yno.

Mae'r byd bellach yn cael ei redeg gan ddynion iau na ni. Pan oedd penaethiaid yn ddynion hŷn na ni, roedd hi'n haws gobeithio fod ganddyn nhw ryw fath o ddoethineb nad oeddem ni'n gwybod dim amdano. Gallem goelio eu bod nhw wedi dysgu rhywbeth yn rhywle, a chodi uwchlaw'r angen i fwyta swper Mamma, i redeg ar ôl cariad, yr angen i bigo ffeit, i gerdded mynydd ymhell o bawb a phopeth. Hyd yn oed Mussolini. Roedd o wedi rhoi trefn ar ein hysgolion cyn y rhyfel, a phob math o bethau da mae pawb wedi anghofio amdanyn nhw.

Ond sut allwn ni obeithio bellach? Byddwn ni'n edrych ar wyneb pwy bynnag sy'n bennaeth rŵan, yn y papur newydd ac ar y bocs ac ar bosteri etholiad: dynion ifanc fel arfer, â golwg arnyn nhw fel petaen nhw wedi bwyta gormod o salami, eu gofidiau nhw'n ein llenwi ni. Pennau moel a smotiau haul arnyn nhw; eu hiau yn darfod. Ond bod golwg wyllt arnyn nhw, yr un angen *disperato* am gariad fel oedd gennym ni, ac i godi'r ffôn i siarad hefo Mamma, yr awydd twp yna am ffeit sy'n gyrru dyn ifanc. Mae o ynddyn nhw. Tydyn nhw ddim doethach, callach, *niente*.

)))

Dylem ni fod wedi dweud, Na. *Proprio normale* dweud, Na, dim gwn, dim sychder, dim martsio mewn llwch heb ginio. Na. Cywilydd, cywilydd, cywilydd ym mhob gwlad ym mhob un ohonom ni. Ond pam mai felly y bu hi? Pam, felly, *sai*?

Ddylem ni ddim fod wedi tagu'r bachgen ifanc a'i gorff llawn pydredd ar y llong. Dylem fod wedi dal i edrych ar y drwg yn lle'i guddio. Rhy hwyr rŵan.

Rydym wedi dweud ein straeon drosodd a throsodd, a hynny am nad oes atebion. Dal i chwilio. Meddwl y daw diwedd i'n plesio i'r stori'r tro nesaf. Rhaid i ni ei phasio o un i'r llall a gwylio'n gilydd yn drysu. Mae pob stori yn gorffen un ai hefo marwolaeth neu enedigaeth. Wn i ddim pa un ydi'r gwir. Rhai dyddiau dwi'n coelio *una storia … doppo l'altra*. Beth ydi dy stori di?

El Alamein ydi fy stori i. Lladdon nhw'r bois i'r chwith ac i'r dde, ein *compagnio*, ein ci – ein Guerrierino bach – y bachgen aeth yn dipiau, yr un oedd eisiau gweld Tir Duw. Dyma ni i gyd mewn ffordd. Ond eto, doedd dim o hyn i'w wneud â'r 'nhw' clên, y Cymry oedd yn llenwi'n boliau hefo cawl a chaws. Na, doedd o'n ddim i'w wneud â Nhw. Na, na. Doedd y gair 'nhw' ddim yn ddigonol. Doedd iaith ddim yn ddigonol, iaith dim un ohonom ni. *Basta, basta.* Doedd 'Ni' ddim yn ddigon ychwaith, i hollti'r 'ni' mynwesol oddi wrth y 'ni' hanner gwaed, y 'ni' gwan, y 'ni' mewn enw yn unig, y 'ni' niwsans, y 'nioedd' i gyd. Digon o *stranieri* yn y 'ni' hefyd.

Ydi iaith yn medru disgrifio ffrwgwd fel y teimlom ni, go iawn? Y ni a'r nhw oedd yn fwy niferus na'r ffrwydriadau? *Per l'amore, per la morte*, roeddem yn gwneud ein gorau.

Pam y doist ti yma i chwilio am stori?

Rydw i rhwng dau gae india-corn, fel y gweli. Fi, coffi bach *corretto*, a'r ieir yn yr iard. *Povero e ignorante* ydw i.

Siaradaf iaith sydd ddim yn perthyn, iaith na fydd yn para. *Mi parle ancora in te sta lengua che la sparirà.*

Ond, *amiga cara*, mae rhai geiriau yn rhoi bywyd i mi. Y gair Heddwch yn un.

Geiriau ddysgom pan oeddem yn ddigon diniwed i beidio cyfieithu.

La parola Pace, *le parole* Danadl Poethion

Cariad, Rhyddid *e* Bore Da.

La parola Plentyn, *la parola* Caredig

Nomi par bocie: Pwt, Cariad.

Un pochi de nomi par le piante: aeron criafol, eithin.

Planhigion. *Al me pias* Grug *come le femene*, Erica. Grug *come* Uwd.

Pes Brithyll – Pysgod Brithyll *lori i dis* – *na parola fata de na musica strana* – brithyll brithyll, d'wed di'r *parola* yna *come na cascata*.

La parola Dewrder *e* Dŵr Poeth,

Cydymaith *e* Brawd.

Enw am ambell *posto,* ambell *femene,*

Rhosllannerchrugog, Rhiannon, Haf, Gwyneth ...

Fu dim cyfieithu rhyngom ni a nhw: dim ond cyfnewid a defnyddio ein geiriau ein gilydd.

Amiga cara, Ffrind annwyl, *ghe ne dee parole che le tien vivo un on. La parole* Heddwch *è una.*

Dyna be welsom *ni* mewn rhyfel. Dyna fy stori i.

(((

O'r deuddeg ohonom oedd ar y *Maloja,* cyrhaeddodd deg Glasgow a byw ar ffydd a *filò.* Dychwelodd deg ohonom ni i Italia – ddim yn ffrindiau, ddim hefo'n gilydd, ond ddim yn elynion ychwaith. Aeth tri ohonom ni'n ôl i Gymru, i *fabula,* byd stori. Dyna'r fersiwn gwta.

Y tu mewn i'r stori honno: manylion a fersiynau gwahanol. Sawl pen yn siarad, fel Oedipus. Tybed beth oedd diwedd stori Oedipus? Ofynnais i ddim erioed. Ddaeth yna ddiwrnod pan redodd o allan o nerth? Dim *forze* ar ôl; diwedd i'r ailadrodd? Efallai ddim. Does dim diwedd i sŵn afon yn rhedeg.

Doedd dim diwedd i'r Gymru tu mewn i ni i gyd ychwaith. Arhosodd lle roedd hi. Yn ystod y blynyddoedd coll yng Nghymru, bu i ni fyw sawl bywyd. Daeth yn anoddach cofio pa un oedd yn wir a pha un oedd yn *fabula.* Ai Elmo ynteu Tommaso oedd wedi torri'i fys wrth hogi cyllell injan torri gwair? Ni oedd wedi adrodd a chlywed, ac felly ni oedd wedi byw'r cwbl. Rai dyddiau, roedd gennym i gyd goes ar waelod y môr neu blentyn yn cerdded ffriddoedd Cymru.

Mae pobl yn cael munudau o dawelwch. A beth petaem ni'n cyfri i ddeuddeg – un eiliad yr un – ti a fi yn cadw'n dawel ac yn llonydd? Beth petaem ni'n rhoi'r gorau i bob un iaith? Hyd yn oed iaith y corff a'i stumiau dwylo? Yn stopio. Byddem ni i gyd yn sownd mewn lle diarth. Yn gorfod edrych i fyw llygaid ein gilydd fel gwnes i hefo'r bòs pedwar dant.

Byddai'r llongau ar y moroedd yn peidio symud, awyrennau'n glanio. Byddai'r rhai sy'n trefnu rhyfeloedd o swyddfeydd yn taflu eu teis ar y ddesg ac yn mynd i eistedd ar fainc heulog rhwng y planwydd. Fydden nhw'n gwneud dim byd. Dwi ddim yn dweud y dylem ni i gyd gysgu na marw a gwneud *proprio niente*. Dwi ddim yn dymuno Dim ar y ddaear. Nid Dim.

Dim ond saib.
Solo una pausa.

A phetaem ni'n gwneud hynny, efallai y byddai rhyw sŵn i'w glywed sydd wedi bod yno o hyd. Sŵn Duw, *sai*. Sŵn cariad yn teithio o un corff i'r llall. O un wlad i'r llall. Sŵn saib mawr fel cyn daeargryn – hwnnw sy'n glywadwy i gŵn ond ddim i ni. Sŵn rhywbeth sydd yno os nad ydym yn bygwth bywydau ein gilydd. Ond nid fi fydd yn gwybod beth ydi o. Nid *ignorante* fel fi. Mi ddysgith y ddaear ni.

(((

Mi gyfra i i ddeuddeg. Bydd di'n dawel. Ac mi gei ddweud dy stori wedyn. Mae digon o amser.

Un
Do
Tre
Quatro
Sinque
Sie
Sete
Oto
Nove
Diese
Undese
Dodese

Yn y tawelwch, daw llais sŵn wylo, sŵn wylo eto, ac igian, cyn llais dynes.

Basta! Stop, basta.

No l'à mai parlà cusì. Al à già demolì i muret che 'l vea tirà su so nono, no sta farlo anca parlar, no, no va ben che 'l parle.

Clic.

Haia,

Rydw i wedi ffeindio'r Guido go iawn. Fo ydi o, wir i ti. Dwi'n llwytho'r ffeil sain i fyny i ti rŵan. Dim amheuaeth, hyd yn oed os ydi o'n edrych yn rhy ifanc i fod wedi byw trwy'r Ail Ryfel Byd. Mae'n sôn am Nant Rhiannon a phopeth – Gwyneth Harriet hefyd. Fyddai o ddim yn gwybod fel arall, na fyddai?

Mae o'n byw yn Pieve di Soligo, ychydig bach allan o'r dref, wrth droed y pre-Alpi, ond nid yng nghartre'i deulu. Mae o'n pi-pi mewn cae india-corn tu cefn i'r tŷ ac yn yfed *grappa* yn ei goffi, *graspa,* yn ei dafodiaith o.

A dyna i ti'r broblem: ei dafodiaith. Mae o'n bwyta ei eiriau, yn siarad mor anhygoel o gyflym hefyd. Roedd y *graspa* yn gwneud i mi feddwl 'mod i'n ei ddeall, ond rŵan, o wrando'n ôl ar y recordiad, mae'n brifo 'mhen i, yn trio dal ei eiriau o. Dwi'n mynd i orfod cael help. Tydi 60% yn rhugl mewn Eidaleg Duolingo ddim yn rhugl mewn unrhyw beth defnyddiol. Solighese mae o'n siarad – tafodiaith Pieve. Wedyn, ychydig bach o Eidaleg pan mae o'n cofio hefo pwy mae o'n siarad, ond Solighese eto'n syth bin, ac ychydig o lithriad *graspa.*

Alla i ddim cyfieithu'r cyfweliad yma heb help. Reit, gwranda. Dwi wedi ffeindio arbenigwr yn y dafodiaith yma – boi o'r enw John Trumper, a gwell fyth, mae hwnnw'n dod o Gaerdydd. Mae o'n dechrau ei e-byst yn Gymraeg cyn troi i'r Saesneg. Allai hyn ddim bod yn fwy perffaith – reit?

Ydw i wedi gwneud y peth iawn? Dwi wedi gofyn am ei help o. Mi a' i i lawr i Brifysgol Calabria i'w weld o, os oes rhaid. Dyma ddwedodd o – fod ffeindio rhywun arall o Gymru â diddordeb yn Solighese yn beth anghyffredin yn y byd mawr-bach yma. Ac y gwneith o helpu. Ond mae gen i ofn. Beth os ydi Guido wedi dweud rhywbeth? Rwyt ti'n gwybod … rhywbeth fydda i ddim isio i *bawb* wybod.

Mae'n rhy hwyr rŵan. D'wed 'mod i wedi gwneud y peth iawn? Mae Dr Trumper *on the case*, ac mi ofynnais iddo ddechrau hefo llais gwraig Guido ar y diwedd. Ychydig o eiriau yn unig. Y cynnwrf yn ei llais wnaeth i mi fod eisiau ei deall hi yn gyntaf. Ei 'Stop' hi'n llawn poer. Rŵan fy mod i yma, mae 'na bosibilrwydd ei bod hi'n fwy diddorol i mi na Guido. Daeth hi allan o'r gegin ac i'r iard, lle roeddwn i a Guido wedi bod yn recordio am rai oriau. Mae ganddyn nhw ryw fath o gyrten-ddrws o rubanau i rwystro gwybed rhag mynd i'r gegin. Daeth hi drwy hwnnw fel rhywbeth rheibus. A dyma nhw, ei geiriau hi, yn ôl Dr Trumper:

'Tydi o erioed wedi siarad fel yma. Mae o wedi dymchwel y wal roedd Taid wedi'i hadeiladu o gwmpas yr ardd fel mae hi. Paid gwneud iddo siarad hefyd. Nid yw siarad yn gwneud lles.'

A rŵan, mae 'na bosibilrwydd na wneith o byth gytuno i siarad hefo fi eto! Hwyrach mai'r recordiad yma ydi diwedd y stori – beth bynnag ddwedodd o. Daeth hi ar f'ôl i fel petawn i'n iâr oedd wedi dengyd o'i chaets. Allwn i ddim aros yno. Ond dwi angen coelio mai fo ydi o. Nid unrhyw PoW, nid un o'r miloedd yn cynrychioli pob un. Pwy a ŵyr beth mae o'n ei wybod a beth yn union ddwedodd o tra oeddwn i'n nodio a nodio a chwerthin fel mul, dim ond achos ei fod o'n chwerthin. Dim clem gen i hanner yr amser.

Fo ydi o, yn'de?

Gwranda arno, wnei di?

Tanti baci,
Coco.